# FUREUR ASSASSINE

# DU MÊME AUTEUR

**Double miroir**
*Plon, 1994 ; « Pocket », n° 10016*

**Terreurs nocturnes**
*Plon, 1995 ; « Pocket », n° 10088*

**La Valse du diable**
*Plon, 1996 ; « Pocket », n° 10282*

**Le Nid de l'araignée**
*Archipel, 1997 ; « Pocket », n° 10219*

**La Clinique**
*Seuil, 1998 ; « Points », n° P636*

**La Sourde**
*Seuil, 1999 ; « Points », n° P755*

**Billy Straight**
*Seuil, 2000 ; « Points », n° P834*

**Le Monstre**
*Seuil, 2001 ; « Points », n° P1003*

**D<sup>r</sup> la Mort**
*Seuil, 2002 ; « Points », n° P1100*

**Chair et sang**
*Seuil, 2003 ; « Points », n° P1228*

**Le Rameau brisé**
*Seuil, 2003 ; « Points », n° P1251*

**Qu'elle repose en paix**
*Seuil, 2004 ; « Points », n° P1410*

**La Dernière Note**
*Seuil, 2005 ; « Points », n° P1493*

**La Preuve par le sang**
*Seuil, 2006 ; « Points », n° P1597*

**Le Club des conspirateurs**
*Seuil, 2006 ; « Points », n° P1782*

**La Psy**
*Seuil, 2007 ; « Points », n° P1830*

**Double homicide**
*(coécrit avec Faye Kellerman)*
*Seuil, 2007 ; « Points », n° P1987*

**Tordu**
*Seuil, 2008*

# Jonathan Kellerman

# FUREUR
# ASSASSINE

roman

TRADUIT DE L'ANGLAIS (ÉTATS-UNIS)
PAR FRÉDÉRIC GRELLIER

LE GRAND LIVRE DU MOIS

COLLECTION DIRIGÉE
PAR ROBERT PÉPIN

Titre original : *Rage*

Éditeur original : Ballantine Books, an imprint of
The Random House Publishing Group, NY
© original : 2005 by Jonathan Kellerman
ISBN ORIGINAL : 0-345-46706-X

www.seuil.com

*À ma mère, Sylvia Kellerman*

Un merci tout particulier
à Larry Malmberg, détective privé.
Et à l'inspecteur Miguel Porras

# 1

Par une après-midi fraîche et paresseuse de décembre, alors que les Lakers[1] venaient de battre New Jersey après avoir été menés de seize points à la mi-temps, je reçus le coup de fil d'un meurtrier.

C'était la première fois depuis la fac que je regardais un match de basket à la télé ; je profitais d'une période de farniente pour m'y remettre. La femme de ma vie rendait visite à sa grand-mère dans le Connecticut, l'ex-femme de ma vie était partie s'installer à Seattle avec son nouveau copain – provisoirement, m'avait-elle assuré, comme si cela me regardait – et, côté boulot, c'était l'accalmie.

Après trois affaires judiciaires en deux mois. Deux dossiers de garde d'enfant, l'un plutôt anodin et l'autre cauchemardesque. Plus l'expertise d'une ado de quinze ans qui avait perdu sa main dans un accident de voiture. Mes rapports enfin bouclés, je me réjouissais à l'idée de quinze jours d'oisiveté.

Je m'étais enfilé deux bières pendant le match et somnolais sur le canapé du salon. La sonnerie stridente de ma ligne professionnelle me fit sursauter. D'habitude, je laissais les appels basculer vers mon télé-secrétariat. Je ne sais toujours pas ce qui me poussa à décrocher.

– Docteur Delaware ?

Dans un premier temps, je ne reconnus pas la voix. Huit années s'étaient écoulées.

1. Équipe de basket professionnelle de Los Angeles.

– Lui-même. Qui est à l'appareil ?

– C'est Rand.

Cela me revint aussitôt. L'élocution malaisée, mais désormais dans un registre de baryton. C'était devenu un homme. D'un genre ou d'un autre.

– D'où appelles-tu, Rand ?

– Je suis sorti.

– De la CYA[1] ?

– J'ai… euh… Ouais, j'ai terminé.

Comme s'il s'agissait d'une formation. Ça l'avait peut-être été.

– Depuis quand ?

– Quelques jours.

Que dire ? Félicitations ? Dieu nous aide ?

– Qu'est-ce que tu veux, Rand ?

– Je… euh… On peut se parler ?

– Je t'écoute.

– Euh… pas comme ça… en vrai.

– En personne.

– Ouais, c'est ça.

Les vitres du salon étaient sombres. Sept heures moins le quart.

– De quoi veux-tu parler, Rand ?

– Euh… ce serait… j'suis un peu…

– Qu'est-ce qui te préoccupe, Rand ?

Pas de réponse.

– C'est au sujet de Kristal ?

– Ou… ais.

Sa voix vacilla, coupant le mot.

– Où es-tu ?

– Pas loin de chez vous.

Je suis sur liste rouge. *Comment sais-tu où j'habite ?*

– Je vais venir, Rand. Dis-moi où tu es.

– Euh… Westwood, je crois.

– Westwood Village ?

– Ouais, je crois… je vais voir…

---

1. California Youth Authority : institution pénale pour les mineurs.

Le combiné heurta quelque chose en tombant. Un téléphone avec fil, la circulation en bruit de fond. Une cabine téléphonique. Il s'absenta plus d'une minute.

– Il y a marqué « Westwood ». C'est un... un centre commercial, avec une sorte de pont.

Un centre commercial...

– Ça ne serait pas Westside Pavilion ?

– Oui, je crois.

Trois kilomètres au sud du Village. À une distance raisonnable de ma maison dans les Glen.

– Tu te trouves à quel endroit dans le centre ?

– Euh... je suis pas à l'intérieur, je le vois de l'autre côté de la rue. Il y a une... je crois que c'est écrit « pizza »... deux « z »... c'est ça, « pizza ».

Huit années et il savait à peine lire. Côté réinsertion, ça laissait à désirer.

Avec un peu de patience, je finis par savoir où il se trouvait précisément : Westwood Boulevard, légèrement au nord de Pico, trottoir côté est, près d'une enseigne rouge, vert et blanc, en forme de botte.

– J'y serai d'ici un quart d'heure, vingt minutes, Rand. Tu n'as rien à me dire tout de suite ?

– Euh... je... On peut se retrouver dans la pizzeria ?

– Tu as faim ?

– J'ai déjeuné.

– Mais c'est l'heure du dîner !

– Ben ouais.

– Donne-moi vingt minutes.

– OK... merci.

– T'es bien sûr que tu n'as rien à me dire avant qu'on se voie ?

– Comme quoi ?

– N'importe quoi.

Le bruit incessant de la circulation. Les secondes défilaient.

– Alors, Rand ?

– Je suis pas un méchant.

# 2

Ce qui était arrivé à Kristal Malley n'avait rien d'une énigme insoluble.

Le lendemain de Noël, la fillette de deux ans avait accompagné sa mère au Buy-Rite Plaza de Panorama City. Un centre commercial glauque et vétuste, envahi par une foule à l'affût de « Super Soldes !!! » et de « Rabais Sensationnels !!! ». Les ados en vacances traînaient aux abords de la zone de restauration Happy Taste et s'agglutinaient autour des rayonnages de CD de Flip Disc Music. Le Galaxy Video Emporium, réduit bruyant éclairé à la lumière noire, déversait son vacarme chargé d'hormones et d'agressivité. Ça empestait le pop-corn caramélisé, la moutarde et la sueur. Un courant d'air glacial s'échappait des portes mal conçues de la patinoire fermée depuis peu pour cause de faillite.

Kristal Malley était âgée de vingt-cinq mois. Caractérielle et agitée, elle avait échappé à la surveillance de sa mère. Lara Malley prétendait qu'il avait suffi de quelques secondes. Elle s'était arrêtée devant un bac d'articles soldés pour examiner un chemisier, avait senti la main de sa fille quitter la sienne, s'était retournée pour la rattraper, mais la petite avait déjà disparu. Jouant des coudes dans la cohue des clients, Lara avait cherché Kristal en l'appelant. À tue-tête.

Les vigiles du centre commercial étaient accourus – deux sexagénaires sans la moindre expérience dans la police. Quand ils lui demandèrent de se calmer pour leur expliquer la situation, Lara se mit à hurler de plus belle et en frappa un à l'épaule. Ils la neutralisèrent et prévinrent la police.

Quatorze minutes plus tard, les agents du poste de la Valley étant arrivés, on avait entamé une fouille systématique du centre commercial, boutique par boutique. Aucun magasin ne fut négligé. On inspecta jusqu'aux moindres toilettes et réserves. Une troupe de scouts fut même appelée en renfort. Les unités K-9[1] lâchèrent leurs bêtes. Les chiens flairèrent l'odeur de la fillette dans le magasin où sa mère l'avait perdue. Mais perturbés par les milliers de sollicitations olfactives, ils perdirent sa trace vers la sortie est du centre commercial.

Les recherches s'étaient prolongées pendant six heures. Les agents avaient interrogé tous les clients qui sortaient. Personne n'avait vu Kristal. La nuit était tombée. Buy-Rite avait fermé ses portes. Deux inspecteurs du poste de la Valley étaient restés sur place pour visionner les bandes du système de vidéo-surveillance.

La société de gardiennage disposait de quatre enregistreurs vétustes et très mal entretenus. Des images en noir et blanc, sombres et floues, sans compter des passages de plusieurs minutes entièrement brouillés.

Les enquêteurs décidèrent de se concentrer sur les instants suivant le signalement de la disparition. Ce n'était pas si simple : l'affichage numérique des divers appareils accusait entre trois et cinq heures de retard. On avait tout de même fini par repérer les images souhaitées.

Là !

Long plan sur une petite silhouette se balançant entre deux individus, des hommes. Vêtue d'un jogging, comme Kristal Malley. De toutes petites jambes qui s'agitaient.

Trois silhouettes quittant le centre commercial par la sortie est. Rien de plus – le parking n'était pas sous vidéo-surveillance.

Les inspecteurs avaient repassé la cassette, à l'affût du moindre détail. Le plus costaud des ravisseurs portait un tee-shirt clair, un jean et ce qui ressemblait à des baskets. Cheveux courts et foncés. Plutôt corpulent, autant qu'on pouvait en juger.

---

1. Nom donné aux brigades canines de la police, « K-9 » étant l'homonyme de « canine ».

Zéro pour le visage. Fixée dans un angle en hauteur, la caméra prenait de face la clientèle qui arrivait, mais seulement de dos celle qui sortait.

Le second individu, plus petit et plus maigre que son comparse, avait les cheveux plus longs et sans doute blonds. Tee-shirt foncé, jean, baskets.

– On dirait des gamins, fit remarquer Sue Kramer.

– C'est vrai, acquiesça Fernie Reyes.

Ils avaient continué de regarder la cassette. Kristal Malley s'était tortillée un instant entre ses ravisseurs, avait tourné son visage vers la caméra pendant deux secondes trois dixièmes.

Image lointaine et floue, tout juste un petit disque pâle.

– T'as vu son comportement ? dit Sue Kramer, l'inspecteur du deuxième échelon qui dirigeait l'enquête. C'est clair qu'elle leur résiste.

– Et personne ne remarque rien, ajouta son partenaire Fernando Reyes en indiquant le flot ininterrompu de clients qui entraient ou quittaient le centre commercial.

Les gens contournaient la gamine comme un bout de bois flottant dans un port de plaisance.

– Tout le monde devait penser qu'ils chahutaient, suggéra Kramer. Mon Dieu...

Lara Malley avait visionné la bande une première fois, en larmes et la respiration saccadée, sans reconnaître les deux ravisseurs.

– Comment voulez-vous ? avait-elle dit en gémissant. Même si je les connaissais, ils sont trop loin.

Kramer et Reyes lui avaient montré de nouveau les images. Six fois de suite. Plus ça allait et moins elle avait la force de secouer la tête. Quand un agent s'était présenté au poste de surveillance pour annoncer l'arrivée du père, la pauvre femme était au bord de la catatonie.

Estimant que beaucoup de gamins étaient attirés au centre commercial par les jeux vidéo, les inspecteurs convoquèrent le propriétaire de Galaxy Video et ses vendeurs, Lance et Preston Kukach, deux énergumènes boutonneux à peine sortis de l'adolescence et qui avaient laissé tomber l'école.

Une seule seconde avait suffi au patron.

— Je peux vous dire que c'est Troy, même si la bande est dégueulasse.

Al Nussbaum, ingénieur diplômé de Cal Tech, avait gagné plus d'argent en trois ans de jeux vidéo qu'en dix ans dans les labos de l'industrie aéronautique. Ce jour-là, il était passé au magasin vérifier les comptes après une après-midi d'équitation avec ses enfants.

— Lequel est Troy ? lui demanda Sue Kramer.

Nussbaum avait montré le plus menu des garçons, celui qui portait un tee-shirt foncé.

— On le voit souvent. Toujours le même tee-shirt Harley Davidson. Tenez, on aperçoit le logo…

De l'index il avait tapoté le dos du tee-shirt. En guise de logo ailé, Kramer et Reyes ne distinguaient qu'une tache grisâtre.

— Et son nom de famille ? lui demanda Kramer.

— Je n'en sais rien, mais c'est un habitué.

Nussbaum s'était tourné vers Lance et Preston, lesquels avaient confirmé d'un hochement de tête.

— C'est quel genre de gamin, les gars ? voulut savoir Fernie Reyes.

— Un connard, répondit Lance.

— Une fois, je l'ai pincé en train de faucher des bons, renchérit Preston. Il s'est penché par-dessus le comptoir et a piqué un rouleau sous mon nez. Quand je le lui ai repris, il a voulu me frapper, mais je lui en ai flanqué une bonne.

— Et vous l'avez laissé revenir ? s'indigna Nussbaum.

Le vendeur avait piqué un fard.

— C'est la règle chez nous, expliqua le patron aux inspecteurs. Si on vous prend en train de voler, c'est la porte. Et par-dessus le marché il t'a frappé !

Preston Kukach fixait ses chaussures.

— Et l'autre, c'est qui ? demanda Sue Kramer en indiquant le deuxième gamin.

Le jeune homme gardait la tête baissée.

– Si tu le sais, t'as intérêt à le cracher vite fait ! s'écria Nussbaum.

– Je sais pas comment il s'appelle. Il passe de temps en temps, mais il joue jamais.

– Il fait quoi ? demanda Sue Kramer.

– Il traîne.

– Avec qui ?

– Troy.

– Toujours Troy ?

– Ouais.

– Troy joue et lui il traîne.

– C'est ça.

– Maintenant que vous savez qui c'est, avait dit Nussbaum, qu'est-ce que vous attendez pour leur courir après et retrouver cette gamine ?

Reyes s'était adressé aux deux frères :

– Traîner, ça veut dire quoi, au juste ?

– Il reste planté là pendant que Troy joue.

– Et lui n'a jamais essayé de voler quoi que ce soit ?

Les frères Kukach avaient fait non de la tête.

– Ça vous arrive de les voir avec de jeunes enfants ?

– Non, répondit Lance.

– Jamais, ajouta Preston.

– Que pouvons-nous nous dire de plus à leur sujet ?

Haussements d'épaules.

– Voyons, les gars, vous savez forcément quelque chose. C'est sérieux.

– Vous allez cracher le morceau, oui ou merde ? s'écria Al Nussbaum.

– Je sais pas, dit Lance, mais peut-être qu'ils habitent dans le coin.

– Qu'est-ce qui vous fait dire ça ? demanda Sue Kramer.

– Parce que des fois, je les vois traverser le parking et partir à pied. Personne passe les prendre en voiture, vous voyez ?

– Et ils sortent par quelle porte ?

– Celle qui donne sur le parking.

– Il y en a trois, Lance, dit Nussbaum.

– Celle vers les poubelles.

Fernie Reyes avait jeté un coup d'œil à sa partenaire et s'était éclipsé.

Rien dans les bennes du côté de la porte est.

Au bout de cinq heures d'enquête de voisinage, on avait enfin eu l'identité des deux garçons. Tous deux habitaient dans une cité pour familles défavorisées qui se déployait telle une cicatrice dans le parc broussailleux bordant l'arrière du centre commercial. Deux cent deux logements rudimentaires construits à coups de subventions fédérales et répartis en quatre immeubles de deux étages ceints d'un grillage troué par endroits. Un lieu délabré aux allures de prison, bien connu des patrouilles de police – qui l'avaient baptisé la « Cité 415 », en référence à l'article du code visant les troubles à l'ordre public.

Le gérant du bâtiment 4 n'avait eu qu'à regarder la cassette une seconde pour pointer de l'index le plus petit des garçons.

– C'est Troy Turner. Vous vous êtes déjà déplacés pour lui. Pas plus tard que la semaine dernière, d'ailleurs.

– Vraiment ? dit Sue Kramer.

– Ouais. Il avait tabassé sa mère avec une assiette. Elle a eu la moitié du visage amoché. Avant, ajouta-t-il en frottant ses joues mal rasées, il fichait déjà la trouille aux plus petits.

– Comment ça ?

– Il les bousculait, les attrapait et les menaçait avec un couteau. Vous auriez mieux fait de le coffrer. Alors, qu'est-ce qu'il a fait ?

– Et le plus grand, c'est qui ? demanda Reyes.

– Randolph Duchay. Un gamin plus ou moins débile, mais pas le genre à faire des conneries. S'il a fait une bêtise, c'est sans doute la faute à Troy.

– Ils ont quel âge ? demanda Reyes.

– Voyons… Je crois que Troy a douze ans, et l'autre pas loin de treize.

# 3

Les inspecteurs avaient retrouvé les gamins dans le parc.

Ils étaient assis sur des balançoires, les bouts incandescents de leurs cigarettes ressemblant à des lucioles orangées dans la pénombre. Sue Kramer sentit les relents de bière à plusieurs mètres. En la voyant approcher avec Reyes, Rand Duchay balança sa canette dans l'herbe. Troy Turner, lui, le plus petit des deux, n'essaya même pas de s'en cacher.

Mieux, il but une longue gorgée quand Kramer se retrouva devant lui. Et soutint son regard le plus froidement du monde, l'air « je t'emmerde ».

Les yeux mis à part, c'était un gosse tout menu et d'allure chétive. Bras en allumettes, visage pâlot et triangulaire sous une tignasse d'un blond crasseux. Avec les tempes rasées, le sommet du crâne paraissait très chevelu. D'après le concierge il avait douze ans ; on lui en aurait donné encore moins.

Randolph Duchay, lui, était plutôt grand et large d'épaules. Cheveux courts, châtains et ondulés, lèvres épaisses, visage bouffi et marqué de boutons luisants. Quelques veines saillantes sur les bras, aux endroits où les muscles commençaient à se dessiner. Sue lui aurait donné quinze ou seize ans.

Baraqué mais affolé. Le faisceau de la torche dévoila immédiatement la peur, son front et son nez couverts de sueur. Une goutte en tomba sur son menton boutonneux. Il cligna des yeux à plusieurs reprises.

Elle se précipita vers lui, en pointant l'index.

– Où est Kristal Malley ?

Randolph Duchay secoua la tête et fondit en larmes.

– Où est-elle ? insista-t-elle fermement.

Les épaules du gamin se dressèrent et retombèrent. Il verrouilla ses paupières et se balança d'avant en arrière.

Elle l'obligea à se lever. Fernie en fit autant avec Troy Turner, à qui il posait les mêmes questions.

Celui-ci se laissa fouiller sans réagir. Son visage était aussi expressif qu'un trottoir.

Sue empoigna Duchay par le bras. Il avait le biceps dur comme de la pierre ; s'il lui résistait, elle aurait fort à faire. D'autant que son arme était dans son holster de hanche, donc inaccessible.

– Qu'est-ce que t'attends pour nous dire où elle est, Randy ?

– Rand, la reprit Turner. Pas Randy.

– Où est passée Kristal Malley, Rand ?

Pas de réponse. Sue lui serra plus fort le bras, y planta ses ongles. Duchay glapit et pointa le doigt vers la gauche. Au-delà des balançoires et du terrain de jeu, à l'endroit où se dressaient deux toilettes publiques en parpaings.

– Elle est aux toilettes ? demanda Fernie Reyes.

Rand Duchay fit non de la tête.

– Alors elle est où ? grommela Sue. Je veux le savoir tout de suite !

Il pointa le doigt dans la même direction.

Mais porta le regard ailleurs. À droite des toilettes. Côté sud, où l'on apercevait le coin d'un objet en métal foncé.

Les bennes à ordures du parc. Mon Dieu...

Sue Kramer menotta Duchay et le fit monter à l'arrière de la Crown Victoria. Puis elle se précipita pour jeter un coup d'œil. Le temps qu'elle revienne, Troy était menotté lui aussi et installé à côté de son copain, l'air aussi imperturbable.

Fernie l'attendait devant la voiture. En l'apercevant, il l'interrogea du regard, le sourcil haussé. Elle fit non de la tête.

Il appela le coroner.

Les deux garçons n'avaient rien cherché à dissimuler. Le cadavre de Kristal Malley gisait sur les ordures accumulées depuis cinq jours dans le parc. Elle était entièrement vêtue. Seule manquait une chaussure, dévoilant une chaussette sale au niveau des orteils. La fillette avait le cou cassé, telle une poupée abandonnée. Avec un cou si fragile, Sue jugea – espéra – que la mort avait été instantanée. Quelques jours plus tard, le coroner confirma son hypothèse : fractures multiples des vertèbres cervicales, trachée perforée, plaie au crâne. En plus, le corps comportait deux douzaines de contusions et de lésions internes qui auraient pu s'avérer fatales. Aucun signe de sévices sexuels.

– Qu'est-ce que ça change ? fit remarquer le légiste qui s'était chargé de l'autopsie.

Le D$^r$ Banerjee, d'ordinaire un type endurci, avait la mine vaincue et vieillie quand il était venu faire son rapport à Sue et Fernie.


Placé dans une cellule au poste, Rand-pas-Randy se tenait prostré, immobile et silencieux. Il ne pleurait plus. Il avait le regard vitreux, comme en transe. Ça empestait le fauve dans sa cellule. C'était là une puanteur que Sue avait eu l'occasion de sentir des dizaines de fois. La peur, la culpabilité, les hormones – et le reste.

Dans la cellule de Troy Turner flottait une légère odeur de bière. Au vu des canettes retrouvées par les inspecteurs, chaque garçon avait dû s'enfiler trois Bud. Une quantité non négligeable, rapportée au poids de Turner. Pourtant, celui-ci ne planait pas du tout. Il avait la pupille sèche, l'air calme. Pendant le trajet jusqu'au poste, il avait gardé les yeux rivés sur le carreau du véhicule banalisé qui traversait les rues sombres de la Valley. Comme s'il s'agissait d'une sortie de classe.

Quand Sue lui avait demandé s'il avait quelque chose à dire, il avait poussé un petit grognement bizarre.

Comme le bougonnement d'un vieillard. Agacé qu'on dérange ses plans.

– Tu peux répéter, Troy ?

Il avait réduit ses yeux à deux fentes. Sue avait deux enfants, dont un fils de douze ans. Ce Turner l'épouvantait. Elle s'était forcée à soutenir son regard et il avait fini par tourner la tête avec un nouveau grognement.

– T'as un problème, Troy ?

– Ouais.

– Quoi donc ?

– J'ai envie d'une clope.


En fait, les deux garçons avaient treize ans. Troy, le plus âgé, devait fêter ses quatorze ans le mois suivant. Ni l'un ni l'autre ne connaissaient Kristal Malley. Comme les journaux s'en firent l'écho, les deux gamins étaient ressortis de Galaxy Video les poches vides. Ils avaient croisé la fillette qui errait dans le centre commercial, l'air perdu. « Juste comme ça, pour déconner », ils lui avaient donné un vieux bonbon qui traînait au fond de la poche du jean miteux de Rand et elle avait accepté de les suivre.

Malgré les indications contraires, la presse locale insinua qu'il y avait une dimension sexuelle. La nouvelle fut reprise par les médias nationaux et les agences toujours prompts à réagir au sordide et soucieux de fournir du sensationnel à leur clientèle internationale.

Cela avait déclenché l'habituel déluge de commentaires des consultants, intellectuels et autres chacals de la misère. Les éditorialistes ne savaient plus où donner de la tête.

Les racines profondes de ce geste abominable ne faisaient aucun doute. La pauvreté. La désocialisation endémique. L'étalage de la violence dans les médias. La malbouffe et l'obésité. L'érosion de la famille. Le déclin du religieux. L'incapacité des religions établies à répondre aux besoins des classes défavorisées. L'école qui n'enseignait plus l'éducation civique. L'absentéisme scolaire. Le manque de subventions pour les programmes sociaux. L'État qui exerçait trop de contrôle sur la vie des citoyens.

Un expert particulièrement génial, financé par la Fondation Ford, avait tenté d'établir une relation entre le crime et la période des soldes – le matérialisme pernicieux, source de frustration pousse-au-crime. Il appelait ça la « fureur possessionnelle ». Un phénomène bien connu dans les favelas brésiliennes.

– Quand ton caddy est plein, tu butes un mec ! avait dit Milo, moqueur. Quel trou du cul !

Nous avions très peu discuté de l'affaire, c'était surtout lui qui m'écoutait parler. Il avait beau avoir résolu plusieurs centaines d'homicides, cette histoire l'affectait.

Le battage médiatique avait duré un certain temps. Du côté des tribunaux, la procédure judiciaire s'était enclenchée, grise et sournoise. Les deux garçons avaient été placés en quartier de haute sécurité à la prison du comté. La plupart des experts estimaient qu'ils relevaient du tribunal pour enfants, étant trop jeunes pour être jugés en tant qu'adultes aux termes de l'article 707.

Arguant qu'il s'agissait d'un crime particulièrement violent, le district attorney avait déposé une requête extraordinaire pour que l'affaire soit jugée par une juridiction supérieure. Les avocats commis d'office de Troy Turner et de Randolph Duchay s'y étaient vigoureusement opposés. Les éditorialistes en débattirent pendant deux jours. Puis ç'avait été à nouveau l'accalmie, le temps de rédiger les conclusions et de désigner un juge pour trancher la question.

Le juge pour enfants Thomas A. Laskin III, un ancien district attorney qui s'était attaqué aux gangs, avait la réputation d'un homme à poigne. Avec sa désignation, les milieux judiciaires s'attendaient à ce que l'affaire prenne un tour intéressant.

J'avais reçu son appel trois semaines après le meurtre.

– Docteur Alex Delaware ? Tom Laskin à l'appareil. On ne se connaît pas, mais le juge Bonnaccio m'assure que vous êtes l'homme de la situation.

Peter Bonnaccio présidait depuis deux ans la chambre des affaires matrimoniales à la Cour supérieure, et j'étais plusieurs fois intervenu comme expert devant lui. Au début, je ne l'avais guère apprécié – je trouvais qu'il tranchait les questions de garde d'enfants de manière trop superficielle et précipitée. J'avais tort. Certes il parlait vite, faisait des plaisanteries et ne respectait pas toujours les convenances. Mais ses décisions étaient mûrement réfléchies, et il se trompait rarement.

— Quelle situation, monsieur le juge ? lui demandai-je.

— Appelez-moi Tom. C'est moi le veinard à qui on a refilé le meurtre de Kristal Malley et j'ai besoin d'une évaluation psychologique des prévenus. La question principale, bien évidemment, est de déterminer si, avant le crime et en le commettant, ils ont fait preuve d'une réflexion mature et de facultés mentales propres à leur conférer les pleines capacités psychologiques d'un adulte. La requête du district attorney n'a pas de précédent, mais, d'après ce que j'ai pu voir, la limite de seize ans n'est pas rédhibitoire pour l'article 707. Deuxièmement, et c'est autant pour ma gouverne qu'à titre professionnel, j'aimerais savoir ce qui se passe dans leurs têtes. J'ai trois gamins et cette histoire me dépasse complètement.

— Ce n'est pas simple, avais-je reconnu. Malheureusement, je ne peux rien faire pour vous.

— Je vous demande pardon ?

— Je ne suis pas l'homme de la situation.

— Pourquoi donc ?

— Les tests psychologiques peuvent indiquer le fonctionnement intellectuel et émotionnel d'un individu à un instant donné, mais malheureusement ils n'apprennent rien de son état d'esprit passé. De plus, on les a conçus pour évaluer des choses comme les troubles de l'apprentissage ou la précocité, pas le comportement homicide. Pour savoir ce qui a poussé ces garçons à faire ça, mes connaissances ne servent pas à grand-chose. On est très calés pour déterminer les constantes du comportement humain, mais nuls pour comprendre les exceptions.

— On a bien affaire à un comportement anormal, dit Laskin. Et c'est votre rayon, non ?

— J'ai mon opinion, mais ça s'arrête là : ce n'est qu'un point de vue personnel.

— Moi, je cherche juste à savoir s'ils réfléchissaient en gamins ou en adultes.

— Je n'ai aucune certitude scientifique à vous apporter sur la question. Si d'autres psys vous prétendent le contraire, ils mentent.

Il s'esclaffa.

— Pete Bonnaccio m'avait prévenu ! C'est justement pour ça que je vous ai appelé. Dans cette affaire, mes moindres décisions seront examinées à la loupe. Je me passe très bien de ces experts mercenaires qui sèment la zizanie. Pete m'a assuré que vous étiez impartial, mais je ne l'ai pas cru sur parole : j'ai parlé à d'autres juges. Même ceux qui vous prennent pour un emmerdeur congénital reconnaissent que vous n'êtes pas dogmatique. J'ai besoin d'un esprit ouvert, mais sans aller jusqu'à en perdre la cervelle !

— Et vous, vous êtes ouvert d'esprit ?

— C'est-à-dire ?

— Vous êtes certain que votre opinion n'est pas déjà faite ?

J'entendis sa respiration. D'abord rapide puis ralentie, comme s'il faisait l'effort de se calmer.

— Non, docteur, mon opinion n'est pas faite. J'ai seulement jeté un coup d'œil aux clichés d'autopsie. Je suis aussi passé voir les accusés en prison. Avec leurs crânes rasés et leurs combinaisons, c'est eux qui ont l'air d'avoir été kidnappés. C'est insensé.

— Je sais, mais...

— Arrêtez vos conneries, docteur. Moi, j'ai d'honnêtes citoyens qui réclament vengeance et toute la clique de l'ACLU[1] qui compte bien exploiter l'affaire politiquement. Que les choses soient claires : je vais évaluer le dossier et me faire ma propre opinion. Mais il faut que je sois sûr d'avoir les données les plus fiables. Si vous refusez d'évaluer ces garçons, quelqu'un d'autre s'en chargera... sans doute un de ces mercenaires. Libre à vous de vous défausser de vos devoirs civiques. Au prochain drame, vous pourrez toujours vous dire que vous avez fait ce que vous pouviez.

— Je vois qu'on me caresse dans le sens de la culpabilité !

— Tous les coups sont permis, dit-il en pouffant. Alors, c'est bon ? Vous leur parlez, vous les testez, enfin... vous vous y prenez comme ça vous chante et vous m'adressez personnellement votre rapport.

— Donnez-moi le temps d'y réfléchir.

1. American Civil Liberties Union : organisme de défense des droits civiques.

— D'accord, mais faites vite. OK. Ça y est, vous avez pris votre décision ?

— Je préfère autant vous prévenir, dis-je. Au bout du compte, il se peut très bien que je ne fasse aucune recommandation concernant la juridiction compétente.

— Je verrai bien le moment venu.

— J'exige d'avoir accès aux prévenus sans restriction et je n'accepte aucun délai.

— Oui pour l'accès, non pour le délai. J'ai trente jours pour rendre mon arrêt. Je peux pousser jusqu'à quarante-cinq, peut-être soixante, mais si je n'agis pas de manière diligente je m'expose à toutes sortes d'appels. Alors, c'est bon ?

— D'accord.

— Quels sont vos honoraires ?

Je lui indiquai le montant.

— Cher, mais ça reste correct. Vous m'adresserez directement la facture. Qui sait... vous serez peut-être payé dans un délai raisonnable.

— C'est réconfortant.

— Pour le réconfort, ça s'arrête là.

# 4

Les services sociaux avaient mené une enquête avant d'attribuer un logement HLM aux familles des deux garçons. J'avais fini par obtenir les dossiers, moyennant une commission rogatoire.

Troy Turner Junior vivait avec sa mère, Jane Hannabee, vingt-huit ans, alcoolique et cocaïnomane. Elle passait le plus clair de son temps en cure de désintoxication et avait été internée deux ans, à l'adolescence, à l'hôpital psychiatrique de Camarillo. On lui avait diagnostiqué des troubles de l'humeur, tendance dépressive, des troubles de la personnalité, tendance narcissico-borderline, et des troubles schizo-affectifs. Autant dire que personne n'avait rien compris à son cas. Pendant ses cures, elle avait confié Troy à ses parents, qui habitaient San Diego. Le grand-père, sergent en retraite de l'armée, jugeait inadmissible le comportement sauvage de son petit-fils. Il était décédé sept ans auparavant, un an avant sa femme.

Troy Wayne Turner, malfrat et toxicomane, était le père putatif. Jane Hannabee racontait qu'ils avaient partagé une dose de crack et une seule nuit d'amour dans un motel de San Fernando. Elle avait quinze ans et lui trente-neuf. Turner, qui s'était mis à braquer des banques pour financer sa consommation, s'était fait pincer peu après leur aventure, en train de s'enfuir d'une agence de la Bank of America de Covina. Condamné à dix ans à San Quentin, il avait succombé à une maladie du foie au bout de trois ans, sans avoir reconnu ni jamais rencontré son fils.

Peu de temps après le meurtre, Jane Hannabee avait quitté la Cité 415 pour une destination inconnue.

Les parents de Rand Duchay, des routiers, avaient perdu la vie un hiver sur le Grapevine Highway, dans un carambolage impliquant trente véhicules. Âgé de six mois au moment de l'accident, Rand se trouvait dans le camion, emmailloté dans un espace de rangement à l'arrière du siège avant. Ayant survécu sans la moindre blessure apparente, le garçon avait été recueilli par ses grands-parents, Elmer et Margaret Sieff, des gens frustes qui avaient accumulé les échecs avec une exploitation agricole et plusieurs affaires. Elmer était décédé quand Rand avait quatre ans et Margaret, atteinte de diabète et de problèmes circulatoires, était venue s'installer dans la Cité 415 faute de moyens. Aux yeux des assistantes sociales, elle avait fait de son mieux.

Autant que je pouvais en juger, les deux garçons ne fréquentaient pas très assidûment l'école, ce dont personne ne semblait s'offusquer.

Quand je demandai à voir les prisonniers, les district attorneys adjoints assignés au dossier exigèrent de me rencontrer avant. Ainsi que les avocats commis d'office. Je refusai net, me passant très bien que les deux camps me soufflent quoi que ce soit. Devant leurs protestations, je demandai au juge Laskin d'intervenir. Le lendemain, j'obtenais l'autorisation de pénétrer dans la prison.

Habitué de celle du comté, j'étais accoutumé à la grisaille, à l'attente, aux grilles et aux formulaires, à patienter dans le sas de sécurité sous le regard sourcilleux et méfiant des shérifs adjoints. Je connaissais déjà le quartier de haute sécurité, où j'avais rendu visite à un patient quelques années auparavant. Un autre gamin qui avait basculé. Escorté par un gardien, je longeai des couloirs, où les effluves d'excréments et de détergent se livraient combat, tandis que fusaient rires et gémissements dans les cellules. Le monde avait beau évoluer, ici rien ne changeait.

Les évaluations psychologiques seraient effectuées dans l'ordre alphabétique : Randolph Duchay en premier. Il dormait sur son lit, recroquevillé face à la porte. Je fis signe au gardien de patienter un instant, pour me donner le temps de l'observer quelques secondes.

Grand pour son âge. Pourtant, dans ce réduit jaunâtre, froid et nu, il paraissait insignifiant.

Le mobilier se composait d'un lavabo, d'une chaise, des WC sans couvercle et d'une étagère vide pour les effets personnels. Après plusieurs semaines derrière les barreaux, il avait le teint cireux, des cernes crasseux sous les yeux, les lèvres gercées et les joues flasques et bourrées d'acné. Cheveux coupés court. Même de loin on distinguait les plaques de boutons qui lui montaient jusqu'au-dessus du crâne.

J'indiquai que j'étais prêt, le gardien déverrouilla la cellule. Quand la porte claqua derrière nous, le garçon leva la tête. Des yeux d'un marron banal, qui prirent à peine le temps de se fixer avant de se refermer.

– Je passe tous les quarts d'heure, m'informa le gardien. Si vous avez besoin de moi plus tôt, il suffit de crier.

Je le remerciai, posai ma sacoche et m'assis sur la chaise. Et attendis que le gardien soit sorti pour parler.

– Bonjour, Rand. Je suis le D<sup>r</sup> Delaware.

– B'jour.

Voix enrouée et voilée, à peine plus forte qu'un chuchotement. Il toussa. Cilla plusieurs fois. Resta allongé.

– Tu as pris froid ?

Il fit non de la tête.

– Est-ce qu'on te traite bien ?

Pas de réponse. Il se releva vaguement, son tronc demeurant quasiment parallèle au lit. Torse massif, jambes beaucoup trop petites. Oreilles basses, rougies sur le dessus, bizarrement repliées. Doigts courts. Cou palmé. La bouche ne se refermait pas complètement. Les dents de devant petites et irrégulières. Au total : des signes légers, quelques indices d'anormalité qui ne recouvraient aucun syndrome précis.

– Je suis psychologue, Rand. Tu sais ce qu'est un psychologue ?

– Un genre de docteur.

– C'est ça. Tu sais quel genre ?

– Non.

– Un psychologue n'est pas là pour faire des piqûres ou examiner les gens…

Il tressaillit. Comme tout détenu, il avait fait l'objet d'un examen approfondi.

– Moi, je m'occupe des émotions que tu ressens.

Son regard glissa vers moi. Je me touchai le crâne.

– De ce que tu as dans la tête.

– Comme un psy.

– Tu as entendu parler des psys ?

– Les maboules.

– Les psys, c'est pour les maboules ?

– Ouais.

– Qui t'a dit ça, Rand ?

– Mamie.

– Ta grand-mère ?

– Hmm.

– Qu'est-ce qu'elle t'a dit d'autre sur les psys ?

– Que si je faisais pas bien elle m'enverrait en voir un.

– Un psy.

– Hmm.

– Ça veut dire quoi : « faire bien » ?

– Être gentil.

– Quand est-ce que ta grand-mère t'a dit ça ?

Il réfléchit, parut vraiment faire l'effort de s'en souvenir. Puis il abandonna et fixa ses genoux du regard.

– C'était avant ou après que tu ailles en prison ?

– Avant.

– Ta grand-mère était en colère contre toi quand elle t'a dit ça ?

– Un peu.

– Pourquoi était-elle en colère ?

Son visage grumeleux rougit.

– Pour des trucs.

– Des trucs, répétai-je.

Pas d'explication.

– Ta grand-mère est-elle venue te voir en prison ?

– Je crois.

– Tu crois ?

– Ouais.
– Elle vient souvent ?
– Des fois.
– Qu'est-ce qu'elle te dit ?
Silence.
– Rien du tout ?
– Elle m'apporte à manger.
– Quoi donc ?
– Des Oreo. Elle est fâchée.
– Pourquoi ?
– Parce que j'ai tout gâché.
– Qu'est-ce que tu as gâché ?
– Tout.
– Comment ça ?
Battement de cils, paupières baissées.
– À cause de mon péché.
– Ton péché.
– Quand j'ai tué ce bébé.
Il s'allongea de nouveau et se cacha les yeux derrière le bras.
– Et tu t'en veux.
Pas de réponse.
– D'avoir tué le bébé, insistai-je.
Il me tourna le dos et pivota vers le mur.
– Rand, que penses-tu de ce qui est arrivé au bébé ?
Plusieurs secondes s'écoulèrent.
– Rand ?
– Il s'est marré.
– Qui s'est marré ?
– Troy.
– Troy s'est marré.
– Hmm.
– Quand ça ?
– Quand il l'a tapée.
– Troy s'est marré en tapant Kristal.
Silence.
– Troy a-t-il fait autre chose à Kristal ?

Il resta immobile plus d'une minute, puis se retourna vers moi, les paupières mi-closes. Et s'humecta les lèvres.

– Ce n'est pas facile de parler de ça, dis-je.

Léger hochement de tête.

– Qu'est-ce que Troy a fait au bébé ?

Il se redressa péniblement, comme un vieillard courbatu, se prit le cou à deux mains et mima le geste de s'étrangler. Il fit mieux que jouer la comédie – il avait les yeux écarquillés, le visage violacé, la langue tirée.

– Troy a étouffé le bébé, dis-je.

Ses poings pâlissaient à force de serrer.

– C'est bon, Rand.

Il se mit à se balancer d'avant en arrière, ses doigts s'enfonçant dans sa chair. Je me levai et lui fis lâcher prise. Le gamin était costaud ; ça ne fut pas si simple. Tout pantelant, il eut une sorte de râle et se laissa retomber sur le matelas. Je restai à côté de lui en attendant que sa respiration redevienne normale. Il ramena les genoux contre sa poitrine. Ses doigts avaient laissé de belles marques sur son cou.

J'allais devoir demander une surveillance renforcée pour risque de suicide.

– Ne refais jamais ça, Rand.

– Pardon.

– Tu t'en veux de ce qui est arrivé au bébé.

Pas de réaction.

– Tu as regardé Troy taper et étouffer le bébé et tu t'en veux beaucoup quand tu y repenses.

Quelque part une radio crachait du hip-hop. Des pas au loin, mais personne ne vint.

– Tu t'en veux d'avoir regardé Troy.

Il marmonna quelque chose.

– Tu peux répéter, Rand ?

Ses lèvres bougèrent sans émettre le moindre son.

– Pardon ?

Le shérif adjoint qui m'avait escorté passa, jeta un coup d'œil dans la cellule et s'éloigna. Le quart d'heure n'était pas écoulé. C'était donc que le personnel prenait toutes les précautions.

- Rand ?
— Je l'ai tapée, moi aussi.

Je le vis deux fois par jour pendant une semaine, une heure le matin et une heure l'après-midi. Au lieu de s'ouvrir, il régressa et refusa de parler davantage du meurtre. La majeure partie de mon temps fut consacrée aux tests. L'entretien clinique s'avéra compliqué. Certains jours il restait parfaitement muet et je devais me contenter de réponses passives se limitant à « oui » ou à « non ».

Quand j'abordai l'enlèvement, il eut du mal à m'expliquer pourquoi il y avait participé ; il paraissait plus stupéfait qu'horrifié. Il y avait une part de déni, mais je soupçonnais que son faible intellect y était également pour quelque chose.

Quand on fouille le passé des enfants hyper-violents, on tombe souvent sur des traumatismes crâniens. Je me demandai dans quelle mesure Rand était véritablement sorti indemne du carambolage qui avait coûté la vie à ses parents.

Je ne fus pas surpris par son score au Wechsler. Un QI de 79, avec de sérieux retards pour le raisonnement verbal, la formation du langage, les connaissances factuelles et la logique mathématique.

Tom Laskin souhaitait savoir s'il s'était comporté en adulte au moment du meurtre de Kristal Malley. Rand aurait pu avoir trente-cinq ans que la question aurait mérité d'être posée.

Le TAT[1] et le Rorschach n'apportèrent pas grand-chose : avec son état dépressif et son intellect limité, il était incapable de réagir aux cartes de manière significative. Il obtint un score à peine plus élevé au Peabody, moins axé sur les facultés verbales que le Wechsler. En guise de bonhomme, il me fit un tout petit dessin en quelques coups grossiers, sans membres, avec deux cheveux mais pas de bouche. Quand je lui proposai de dessiner ce qu'il voulait, il me regarda bêtement. Je lui suggérai de se représenter avec Troy, mais il refusa et fit semblant de dormir.

---

1. Test d'aperception thématique.

– Alors dessine-moi ce que tu veux.

Il resta vautré, respirant par la bouche. Son acné ne faisait qu'empirer. Le personnel de la prison se ficherait de moi si j'émettais l'idée d'une consultation dermatologique.

– Rand ?

– Hmm.

– Dessine-moi quelque chose.

– Peux pas.

– Pourquoi ?

Il fit la grimace, comme s'il avait une rage de dents.

– Je peux pas.

– Je te demande quand même de te relever et de le faire.

Mon ton sévère le fit ciller. Il me fixa droit dans les yeux, mais ne tint que quelques secondes. Capacité d'attention déplorable. Cela pouvait tenir en partie aux privations sensorielles de l'enfermement, mais je subodorai qu'il avait toujours eu du mal à se concentrer.

Je lui tendis le crayon, la feuille et le support, qu'il finit par poser sur ses genoux au bout d'un moment. Il empoigna le crayon, mais la mine se figea sur la feuille.

– Vas-y, dessine quelque chose.

Sa main se mit à tournoyer paresseusement au-dessus de la feuille. Touchant enfin le papier, il dessina de vagues ellipses concentriques, à peine visibles. La page s'emplissait. Des cercles plus foncés. Il ferma les yeux, sans cesser de griffonner. C'était exactement ce qu'il faisait depuis quinze jours : s'aveugler face à une réalité cauchemardesque.

Ce jour-là, il manipulait le crayon plus rapidement. Les ellipses devenaient plus anguleuses. De plus en plus plates et sombres. Pointues comme des lances.

Il continuait de plus belle, le bout de sa langue pointant entre ses lèvres. Un orage noir avait envahi la feuille. Il attrapa le pan de son uniforme et le serra dans son poing en crayonnant de plus en plus vite. La mine s'enfonçait. La feuille se plissa, se déchira. Rand faisait maintenant des lignes verticales, puis des ronds rageurs. Il appuyait de plus en plus fort à mesure que la feuille se déchiquetait. La mine passa à travers, glissa sur le support en fibre vernie, et le crayon lui échappa. Atterrit sur le sol de la cellule.

Rand se précipita pour le ramasser. Expira. Serra le bout de crayon jaune dans sa paume moite et crasseuse.

— Pardon.

La feuille était réduite en charpie. La mine du crayon cassée. Il ne restait qu'un morceau de bois fendu, hérissé de petits bouts pointus.

Je le repris. Et le mis dans ma poche.


Après ma dernière visite, alors que je regagnais le parking souterrain, j'entendis quelqu'un m'appeler. En me retournant, j'aperçus une grosse femme vêtue d'une robe à fleurs, appuyée sur une cane en alu. Elle avait le teint gris et laiteux, comme le ciel. Je m'étais réveillé sous le firmament bleu et ensoleillé de Beverly Glen, mais la gaieté ne se prolongeait pas jusqu'au coin de L.A. Sud que surplombait la prison.

Elle fit quelques pas vers moi, sa canne résonnant sur le ciment.

— C'est pas vous le psychologue ? Je suis la mamie à Rand.

Je m'approchai et lui tendis la main.

— Margaret Sieff, déclara-t-elle d'une voix de fumeuse.

Elle garda son bras libre le long du corps. Sa robe élimée était sur le point de craquer aux coutures. Camélias, lys, delphiniums et verdure sur fond bleu-vert. Cheveux blancs, courts et bouclés, très clairsemés par endroits, où l'on apercevait la peau rose du crâne. Petits yeux bleus qui me jaugèrent. Perçants et inquisiteurs. Rien à voir avec ceux de son petit-fils.

— Je vous ai toujours pas vu et ça fait une semaine que vous y êtes. Vous comptez pas me causer ?

— Si, dès que j'aurai terminé d'évaluer Rand.

— Évaluer…

Ce terme parut la troubler.

— Vous allez pouvoir faire quelque chose pour lui ?

— Le juge Laskin m'a chargé de…

– Tout ça, je le sais, dit-elle. Vous êtes censé dire si c'est un gosse ou un adulte. Ça crève les yeux, non ? Moi, je vous demande ce que vous pouvez faire pour lui.

– Qu'est-ce qui crève les yeux, madame Sieff ?

– Ce gosse est idiot. C'est un crétin, dit-elle en plantant l'index sur son front cireux. Il a pas parlé avant quatre ans et on peut pas dire qu'y cause très bien.

– Vous voulez dire que…

– Je vous dis que Randolph sera jamais un adulte.

Le diagnostic valait bien le jargon de mes notes.

Les murs rayés en béton de la prison se dressaient derrière elle, tel un gigantesque store.

– Vous arrivez ou vous partez, madame ? lui demandai-je.

– J'ai mon rendez-vous dans deux heures. C'est pas facile de prévoir quand on vient en bus de la Valley, alors j'arrive toujours en avance. Parce que si je suis en retard, ces salopards me laissent pas entrer.

– Ça vous dit d'aller prendre un café ?

– C'est vous qui payez ?

– Bien sûr.

– Alors, c'est oui.

# 5

Une prison attire toutes sortes de commerces parasites, un ramassis d'avocats bon marché, d'officines de prêts pour cautions judiciaires, de boîtes de traduction et de fast-food. Je connaissais un petit grill à deux pas de là, mais c'était trop demander aux jambes raides de Margaret Sieff que de traverser le parking. Elle m'attendit devant l'entrée, où je passai la prendre. Je descendis pour lui ouvrir la portière.

– Super-chic la Cadillac ! dit-elle en s'extasiant. Ça doit être sympa d'être riche.

Ma Seville 1979 n'avait même plus son moteur d'origine. Elle en était à son troisième toit en vinyle et la pollution atmosphérique n'était pas tendre avec la carrosserie déjà repeinte une fois.

Je lui pris sa canne et la tins par le coude pendant qu'elle montait difficilement.

– Vous touchez combien pour l'évaluer ? me demanda-t-elle une fois installée.

– Ne vous en faites pas pour moi, madame.

Ça la fit sourire.


Je me garai près du grill, installai M^me Sieff à une table en terrasse, entrai et fis la queue derrière un policier de la route engoncé dans une chemise trop petite, un district attorney adjoint qui avait l'air d'avoir quinze ans et une paire de moustachus dépenaillés portant des tatouages de gang aux couleurs fanées. Le duo paya avec de la petite monnaie et le gamin au comptoir fut un peu long à tout compter. Quand ce fut enfin mon tour, je commandai deux cafés au goût de carton.

– J'ai faim, dit Margaret Sieff en me voyant revenir.

Je retournai à l'intérieur et lui pris un cheese-burger.

Elle m'arracha le sandwich des mains, mordit dedans gloutonnement, le dévora en faisant la délicate et tamponna son menton tavelé avec la serviette en papier.

– Ça fait du bien par où ça passe ! dit-elle en suçant un peu de Ketchup ramassé du bout du doigt. Je vous dis, des fois je serais capable de m'en taper cinq d'affilée !

– Qu'avez-vous à me dire sur Rand ?

– À part qu'il est idiot ?

– Ça n'a pas dû être simple de l'élever.

– Rien n'est jamais simple, dit-elle. Sa mère était pas facile.

– Votre fille avait des problèmes.

– Tricia était idiote, comme lui. Et aussi le crétin qu'elle a épousé. C'est de sa faute s'ils sont morts. Y prenait toujours des PV pour excès de vitesse, sans compter qu'y buvait. Et on trouve le moyen de lui filer un camion ! s'esclaffa-t-elle. Bande d'imbéciles ! Voilà le genre de types qu'on met sur la route !

– Tricia avait des difficultés à l'école.

Elle me décocha un regard exaspéré, comme si mon intelligence laissait à désirer.

– C'est ce que je viens de vous dire, non ?

– Quel genre de difficultés ?

Elle soupira.

– Le peu qu'elle allait en classe, elle aimait pas lire, elle aimait pas le calcul, elle aimait rien du tout. On vivait en Arizona à l'époque, et la plupart du temps elle sortait en cachette et traînait dans le désert avec des gosses qu'avaient une mauvaise influence.

– Où ça en Arizona ?

Elle ne répondit pas à ma question.

– Il faisait une chaleur à crever. Mon mari avait eu l'idée de génie de faire pousser des cactus. Il avait entendu dire qu'on pouvait se faire beaucoup d'argent en les vendant aux touristes. « C'est facile, Margie. Pas besoin d'eau, y a qu'à les laisser pousser en pot jusqu'à ce qu'ils aient la bonne taille. » Ouais, et faut aussi faire gaffe que le chien les bouffe pas et crève pas avec des piquants dans l'estomac, et faut s'installer un stand au bord de l'autoroute, respirer toute cette chaleur et cette poussière en espérant que des touristes vont prendre la peine de s'arrêter.

Elle fixa son gobelet vide.

– J'ai passé des jours entiers à tenir ce stand et à regarder les gens filer à toute allure. Des gens pressés de se rendre quelque part et vous savez quoi ? ajouta-t-elle avec une moue. Même les cactus ont besoin d'eau.

Elle me tendit son gobelet. Je me levai pour y remettre du café.

– Tricia a donc passé son enfance en Arizona, dis-je.

– Et en Oklahoma et au Nevada. Et avant ça à Waco, au Texas, et encore avant dans le sud de l'Indiana. Peu importe. On n'est pas là pour parler de nos déménagements, mais de Randolph et du truc épouvantable qu'il a fait.

Elle s'appuya contre la table et reposa sa poitrine sur le plastique bleu maculé de graisse.

– OK. Parlons-en.

Elle rentra les lèvres et étira son nez vers le bas. Ses yeux bleus s'étaient assombris et avaient l'air de petites billes de granit.

– Je l'avais prévenu de pas traîner avec ce petit monstre. Maintenant, on est dans un beau merdier !

– Troy Turner.

– Monsieur, je veux même pas entendre son nom. Je savais bien que mon Randolph s'attirerait des ennuis avec ce mauvais sujet.

Elle termina son café, aplatit le gobelet, le plia en deux et posa la main sur le morceau de carton tordu. Ses lèvres tremblaient.

– Mais je pensais pas que c'en arriverait là.

– Pourquoi aviez-vous peur de Troy ?

– Moi ? J'ai jamais eu peur de ce petit merdeux ! Je me rongeais les sangs. Pour Randolph. Comprenez, c'est un gosse idiot qui fait tout ce qu'on lui dit.

– Et Troy, il est idiot lui aussi ?

– C'est un mauvais. Vous voulez vous rendre utile, monsieur ?
Dites au juge que sans sa mauvaise influence Randolph aurait
jamais fait une chose pareille. C'est tout ce que j'ai à dire. L'avocat
de Randolph dit que vous êtes pas forcément de notre côté.

– Je ne suis du côté de personne, madame Sieff. Le juge m'a
chargé de...

– Le juge est contre nous et ça se passerait autrement si on
était nègres et pleins aux as ! s'écria-t-elle. Moi, ce que je vois,
c'est que vous êtes juste là pour gaspiller du temps et de l'argent.
Parce que Randolph il a aucune chance, on va forcément l'enfermer
quelque part. Peut-être dans une prison pour adultes, ou bien
dans un endroit avec des petits monstres.

Elle haussa les épaules. Essuya rageusement ses yeux humides.

– Ça revient au même, reprit-elle. Il est pas près de sortir et
ma vie est fichue.

– Vous trouvez qu'on devrait le relâcher ?

– Pourquoi pas ?

– Il a tué une fillette de deux ans.

– C'est le monstre qui l'a fait. Randolph, il était juste trop
idiot pour se tirer de là vite fait.

Son petit-fils m'avait présenté les choses différemment.

– Si vous cherchez les responsables, monsieur, c'est pas ça qui
manque. Vous trouvez ça normal, une mère qui surveille même
pas sa gosse ? Elle aussi, on devrait la juger.

Je pris sur moi pour rester calme. Apparemment sans grand
succès, car elle tendit la paume.

– Hé, je dis pas que c'est sa faute à elle seule... je dis juste
qu'on doit tout prendre en compte. Parce qu'il fallait bien que
tout s'enclenche pour que ça puisse arriver. Vous me suivez ?
Genre quand tous les signes astrologiques sont en place... ou
tous les morceaux du puzzle.

– Beaucoup de facteurs ont joué un rôle, dis-je.

– Exact. Un, elle laisse la petite sans surveillance. Deux, la
gosse s'éloigne. Trois, Randolph va faire un tour au centre commercial avec ce monstre, alors que j'y avais défendu. Et puis
j'avais mal aux jambes, alors j'ai fait la sieste et il a pu sortir en
cachette. Vous voyez ce que je veux dire ? C'est comme... comme

un film. Avec le Diable en vedette, et nous tous contre lui. Et on a beau faire tout ce qu'on peut, c'est l'enfer garanti.

Elle se releva douloureusement et s'appuya sur sa canne.

– Vous voulez bien me raccompagner ? Si j'arrive en retard, ces salopards seront trop contents de me fermer la porte au nez.

# 6

Je déposai Margaret Sieff à la prison, rentrai chez moi et consultai mes messages. Lauritz Montez, l'avocat commis d'office de Rand Duchay, avait appelé deux fois.

Quand je le joignis, il ne s'embarrassa pas de bavardage.

— Maintenant que vous en avez terminé avec mon client, est-ce qu'on peut enfin discuter ?

— Sentez-vous libre de me livrer tout renseignement pertinent, maître Montez.

— Un seul fait, docteur, mais c'est l'élément crucial. Randy est manifestement handicapé. Ça n'a pas pu vous échapper. À quel degré, selon vous ?

Il était bien le seul à l'appeler Randy.

— Tout cela figurera dans mon rapport.

— Ne me la faites pas, dit-il en s'impatientant. Ça n'est pas une question d'indices et de preuves matérielles.

— Vous savez comment c'est. Le juge Laskin a droit à la primeur.

— Bon, bon... Alors, vous pensez quoi de la grand-mère ? Vous n'avez pas craint le conflit d'intérêts en l'invitant à déjeuner ?

— Je suis assez pris, maître...

— Tout doux, je plaisante. Alors, vous la trouvez comment ? Sérieusement...

— Au risque de me répéter, je...

— Voyons, docteur. Ne me faites pas croire que vous avez la moindre hésitation concernant la juridiction compétente. Pour votre gouverne, j'ai mon propre expert qui me fait une batterie

de tests psychométriques... Herbert Davidson, professeur titulaire à Stanford, autorité reconnue sur ces questions.

– J'ai lu son manuel quand j'étais en doctorat.

– Ce serait dommage que vos conclusions diffèrent des siennes.

– Un grand dommage, en effet.

– Alors, quand aurai-je votre rapport ?

– Dès que le juge Laskin vous l'adressera.

– Bien, dit-il. Les ordres sont les ordres. Surtout que personne
ne se mette à réfléchir librement.

Troy Turner avait été placé le plus loin possible de Rand, dans
une cellule d'angle au bout d'un sombre dédale de couloirs.

– Je vous souhaite bien du plaisir, me glissa le gardien qui
m'escortait.

Prénommé Sherrill, adepte de la muscu, il avait le crâne rasé
et d'énormes moustaches jaune paille. Il dégageait l'assurance
des types baraqués. Mais ce jour-là il semblait soucieux.

– Un gamin difficile ?

– J'ai des gosses, dit-il en ralentissant le pas. Quatre à moi,
plus celui de ma femme. Et j'ai bossé trois ans en délinquance
juvénile, alors je m'y connais. Contrairement à d'autres collègues,
je sais que certains voyous étaient des victimes au départ. Mais
celui-là...

Il secoua la tête, l'air dépité.

– Il vous donne du fil à retordre ?

– Non, c'est juste sa manière d'être.

Il s'arrêta devant une rangée de cellules vides.

– Docteur, si ce que je vous raconte franchit ces murs, je ne
vous reparle plus jamais.

– Ça ne sera pas répété.

– Je ne plaisante pas. Je vous raconte tout ça parce qu'on dit
que vous êtes quelqu'un de réglo et que vous faites de votre mieux
pour le juge Laskin, et nous, on respecte tous le juge parce qu'il
connaît la vraie vie.

Je le suivis sans rien dire. Il se figea de nouveau et jeta un
coup d'œil par-dessus son épaule. Silence absolu – pour trouver

tant de calme en prison, il n'y avait que le quartier de haute sécurité. Dans une cellule à un ou deux mètres de là, j'aperçus un prisonnier qui nous observait. Soigné, cheveux gris, la quarantaine. Un numéro de *Time* à la main.

Sherrill m'entraîna plus loin dans le couloir.

– C'est un type de la mafia russe, marmonna-t-il. Capable de vous égorger avec le sourire.

Il attendit qu'on soit seuls à nouveau pour me parler.

– Moi, je ne perds pas mon temps à faire la causette aux prisonniers. La vie est trop courte, pourquoi se la pourrir, hein ? Mais celui-là, vu que c'est un gamin, j'ai essayé d'être sympa. Turner a réagi en m'ignorant. Totalement, comme si j'étais invisible. Une fois, quand je suis revenu après mes jours de récup', je le trouve amaigri. Je lui apporte son petit déjeuner, avec une ration supplémentaire de toasts parce qu'il faisait vraiment pitié à voir. Il en attrape un et se jette dessus comme une hyène. Je lui demande s'il comprend pourquoi il se trouve là. Pour une fois il ne m'ignore pas et me sort de but en blanc : « à cause de ce que j'ai fait ». Mais sans la moindre émotion. On aurait dit qu'il commandait un Coca ou des frites. Ensuite il prend un autre toast sur le plateau, me regarde droit dans les yeux et se met à mâcher. Très lentement, très salement. Des miettes lui tombent de la bouche, puis il se met à baver et rouler des yeux. Il joue l'idiot, comme si c'était super-marrant. Je ne bouge pas, il continue et finit par tout cracher par terre et me dire : « Quoi ? » Comme si je l'embêtais. Je lui dis : « T'as pas répondu à ma question, mec. Pourquoi t'es ici ? » Et il me répond : « Parce que j'ai zigouillé la môme, c'est tout. » Puis il écrase le toast avec sa chaussure et me dit : « C'est de la merde, mec. File-moi de la vraie bouffe. »

– Bourré de remords, dis-je.

– Docteur, je m'en veux de dire une chose pareille... et je nierai tout si vous le répétez... mais certains spermatozoïdes mériteraient de se noyer avant d'avoir l'occasion de nager.

# 7

Petit, bras en allumettes, visage en forme de cœur. Yeux marron sur le qui-vive qui s'écarquillèrent en me voyant entrer dans la cellule. Traits tirés et meurtris d'un orphelin à la Dickens.

Je me présentai.

— Ravi de faire votre connaissance, dit-il.

Les mots étaient sortis facilement, comme une réplique toute faite, mais je ne perçus aucun sarcasme.

Je m'assis.

— Cette chaise n'est pas très confortable, m'informa-t-il.

— On n'a pas trop le choix.

— Vous avez qu'à vous mettre sur le lit, et moi sur la chaise.

— Merci, Troy, mais ça va.

— OK.

Il se redressa et posa les mains sur les genoux.

Je sortis mon calepin. Observai ses mains. Longs doigts fins et blancs, cuticules crasseux mais ongles soigneusement coupés. Mains délicates. Étrangler un bébé ne demande pas beaucoup de force, malgré tout...

— Je suis psychologue, Troy.

— On va parler de mes sentiments.

— Quelqu'un t'a dit ça ?

— M$^{me}$ Weider.

Son avocate. Elle s'était montrée plus insistante que Lauritz Montez pour me rencontrer avant que je n'entame mes évaluations, au point même de devenir agressive face à mon refus.

« Un vrai pitbull, m'avait prévenu Laskin. Faites-moi confiance, elle est déjà en train de rédiger ses conclusions pour l'appel. »

— Qu'est-ce que M^me Weider t'a dit à mon sujet ?

— Vous allez me poser des questions et je dois coopérer.

Il sourit, comme pour mettre en pratique.

— Y a-t-il quelque chose dont tu souhaiterais parler ?

— Je crois.

— Quoi donc ?

— Faudrait que je vous parle d'elle.

— D'elle ?

— Le bébé.

— Tout le monde dit « le bébé », fis-je remarquer, mais en fait c'était plutôt une fillette. Non ?

— Ouais, peut-être.

— Kristal avait deux ans, Troy. Elle savait marcher et commençait à parler.

— Je ne l'ai jamais entendue parler.

— Tu l'avais déjà croisée ailleurs ?

— Pas du tout.

— Pourquoi avez-vous décidé de l'emmener ?

— C'est elle qui nous a suivis.

— Où ça ?

— Dehors.

— À l'extérieur du centre commercial.

— Ouais.

Sur les images filmées, on voyait Kristal suspendue en l'air et donnant des coups de pied. La police en avait déduit qu'elle se débattait, mais dans leurs conclusions, les avocats des deux garçons suggéraient que les trois enfants chahutaient.

Comme si cela avait la moindre importance.

— Pourquoi Kristal vous a-t-elle suivis ? lui demandai-je.

Haussement d'épaules.

— Tu ne vois aucune raison, Troy ?

— Elle a dû nous trouver cools.

— Pourquoi ça ?

— Parce qu'elle était petite, et nous on est des grands.

— Et que c'est cool d'être grand.

– Ouais.

– OK. Kristal vous a suivis. Et après, que s'est-il passé ?

– On a été au parc, on a fumé et bu de la bière.

– Tous les trois ?

– Ouais.

– Comment vous êtes-vous procuré de la bière ?

Il baissa légèrement les paupières, l'air soudain méfiant.

– C'était des canettes à nous.

– Vous les aviez emportées au centre commercial ?

– On les avait d'avant.

– Vous les aviez mises où ?

– Au parc.

– Où ça ?

Une hésitation.

– Derrière un arbre.

– Cachées ?

– Ouais.

– Vous avez donc bu et fumé. Tous les trois.

– Ouais.

– Kristal a bu et fumé.

– Elle a essayé, mais elle arrivait pas.

– Kristal avait du mal à boire et fumer, dis-je.

– Ça la faisait tousser.

– Et alors, vous avez fait quoi ?

– On a encore essayé.

– De faire fumer Kristal ?

– De l'aider.

– Et ça s'est passé comment ?

– Pas très bien.

– C'est-à-dire ?

– Elle a encore toussé.

– C'est tout ?

– Elle a aussi vomi.

– Où ça ?

– Sur mon tee-shirt.

Ses yeux n'étaient plus que deux fentes.

– Ça ne t'a pas plu.

— Ça sentait la merde… vraiment pas bon.

— Plutôt dégueu.

— Ouais.

— Comment as-tu réagi ?

— Réagi ?

— Qu'elle vomisse sur toi.

— Je l'ai poussée.

— Comment ?

Il posa les mains sur sa poitrine.

— Où Kristal est-elle tombée ?

— Par terre.

— Par terre dans le parc.

— Dans l'herbe.

— Elle est tombée violemment ?

— C'était que de l'herbe.

— C'est mou, l'herbe.

— Ouais.

— Tu l'as poussée assez fort ?

Pas de réponse

— Troy ?

— J'ai rien fait de grave, dit-il. Elle s'est assise sur son cul et s'est mise à pleurer très fort  Rand lui a filé de la bière.

— Pourquoi ?

Haussement d'épaules.

— Peut-être pour la faire taire

— Une idée de Rand.

— Ouais.

Le coroner avait retrouvé des traces de Budweiser dans le petit estomac de Kristal. Et dans ses poumons — la fillette en avait inspiré.

— C'est donc Rand qui a eu l'idée de donner de la bière à Kristal, dis-je.

— C'est ce que je viens de vous dire.

— À ton avis, d'où lui est venue cette idée ?

— Il est idiot.

— Rand.

— Ouais.

— Tu traînes souvent avec lui.

– C'est plutôt lui qui traîne avec moi.

Sa voix avait pris une pointe de dureté. Il s'en rendit compte. Sourit.

– La plupart du temps il est normal.

– Et quand il n'est pas normal ?

– Il fait des trucs idiots. Comme là.

– Là ?

– De donner de la bière au bébé.

– Et Kristal a trouvé ça bon ?

– Pas trop.

– Elle a encore vomi ?

Il gonfla les joues et expira bruyamment.

– Elle a toussé et son nez s'est mis à couler. Puis elle a crié.

– Très fort ?

– Assez.

– Ça a dû vous agacer.

Ses yeux ressemblaient à deux traits d'union.

– C'était pas cool.

– Et là, comment as-tu réagi ?

– J'ai pas réagi.

– Kristal te vomit dessus, elle se met à hurler, elle t'énerve et tu ne réagis pas ?

– J'ai pas eu besoin.

Un léger rictus apparut sur ses lèvres. Une fraction de seconde, ses traits retrouvant aussitôt leur innocence enfantine. Si j'avais été occupé à prendre des notes, cela m'aurait complètement échappé.

– Pourquoi n'en as-tu pas eu besoin, Troy ?

– Rand s'en est chargé.

– Rand a réglé le problème.

– Ouais.

– Comment ?

– Il l'a secouée, frappée et l'a prise par le cou.

– Rand l'a prise par le cou.

– Il l'a étouffée.

– Montre-moi comment Rand a étouffé Kristal.

Il hésita.

– Tu étais présent, Troy.

– Comme ça, dit-il en s'effleurant le cou du dos de la main.

Il appuya mollement, puis relâcha.

– Voilà, dit-il.

– Et après, que s'est-il passé ?

– Le bébé a roulé sur le côté.

Il se pencha pour me montrer et se laissa tomber au ralenti sur le lit. Puis se redressa.

– Comme ça.

– Kristal est tombée après que Rand l'a étouffée.

– Ouais.

– Ça t'a fait quoi de voir ça ?

– J'étais mal, répondit-il un peu trop vite. Très mal, monsieur.

– Pourquoi tu te sentais mal, Troy ?

– Elle bougeait plus, dit-il avec un battement de cils. J'aurais dû l'empêcher.

– Tu aurais dû empêcher Rand d'étouffer Kristal.

– Ouais.

Il retroussa les lèvres et j'attendis le retour du rictus. Mais son regard vint adoucir son expression.

Le sourire résigné, désabusé, de l'homme qui a été témoin du pire sans perdre sa dignité.

– Je suis vraiment navré, dit-il. J'aurais dû faire quelque chose. Moi je suis intelligent.


Il l'était.

QI global de 117, ce qui le situait dans le quart supérieur. Compte tenu d'un sous-test de capacité d'abstraction dans le quatre-vingt-dixième percentile et de lacunes en raison de son absentéisme scolaire, le résultat devait être sous-évalué.

Le jour et la nuit, en termes intellectuels, avec Rand Duchay.

*J'aurais dû l'empêcher.*

Peut-être les conseils de Sydney Weider ne suffisaient-ils pas. À moins qu'il ait choisi de ne pas entendre les faits tels qu'elle les lui avait décrits.

Ou bien il avait simplement décidé de mentir, en me prenant pour un crétin bien crédule.

J'avais lu le rapport du coroner.

C'était sous les ongles de Troy Turner qu'on avait retrouvé des traces de la peau de Kristal Malley, pas sous ceux de Rand.

Au fil de nos séances, il coopéra pleinement, en mentant de façon éhontée à la moindre occasion.

Quand je lui parlai de sa mère, il m'expliqua qu'elle voulait devenir actrice et venait souvent lui rendre visite. D'après les registres, elle était passée une seule fois. Le shérif adjoint Sherrill me confia que Jane Hannabee était manifestement droguée et qu'elle était repartie en colère au bout de vingt minutes.

— Il n'y a qu'à la voir pour mieux comprendre le gamin, docteur. Mais ça n'explique pas tout, hein ? On en connaît d'autres, des voyous qu'ont des mères minables qui se shootent au crack, que ça pousse à faire des conneries. Mais pas des meurtres.

D'après Troy, son père était mort « à l'armée ». En train d'abattre des « terroristes ».

Je lui demandai ce qu'était un terroriste.

— C'est comme des criminels, sauf que c'est souvent des nègres et ils foutent des bombes.

Je revins plusieurs fois sur les circonstances du meurtre, mais sa position ne variait pas d'un iota : Kristal les avait suivis volontairement, toute la violence était le fait de Rand, Troy s'en voulait de ne pas s'être interposé.

Au cours de la sixième séance, il employa pour la première fois le terme « coupable ».

— Tu te sens coupable.

— Très coupable, monsieur.

— Coupable de quoi ?

— De pas l'avoir empêché. Ça va retarder ma vie.

— Comment ça ?

— J'étais sur le point de devenir riche, maintenant je vais devoir attendre.

— Pourquoi ?

— Parce qu'on va m'enfermer quelque part.

— En prison.

Haussement d'épaules.

— Tu penses qu'on va t'enfermer combien de temps ?

— Si vous leur dites la vérité, peut-être que ça sera moins long.

Il inclina la tête de côté, comme aurait pu le faire une jeune fille. Son sourire avait lui aussi une touche féminine. C'était la première fois qu'il me sortait celui-là ; il devait avoir une bonne dizaine de sourires à son répertoire.

— Tu penses que ta peine pourrait être réduite si je leur disais la vérité.

— Le juge vous aime bien.

— Quelqu'un t'a raconté ça ?

— Non.

La plupart des gens se trahissent quand ils mentent — par un mouvement, un léger changement dans le regard ou la voix. Avec l'aplomb dont il faisait preuve, ce gamin aurait déjoué un détecteur de mensonges.

— Tu n'as jamais peur, Troy ?

— De quoi ?

— Je ne sais pas.

Il réfléchit.

— Des fois, j'ai peur de faire des bêtises.

— Comme quoi ?

— Je veux pas être désobéissant.

— Et ça t'arrive de l'être ?

— Des fois. Comme tout le monde.

— Ça arrive à tout le monde d'être désobéissant.

— Personne n'est parfait. Sauf Dieu.

— Tu as la foi ?

— Drew et Cherish me disent que je l'ai.

— Qui sont Drew et Cherish ?

— Des pasteurs.

— Qui te rendent visite ?

— Ouais, monsieur.

— Ça t'aide ?

— Oui, monsieur. Ça m'aide beaucoup.

— Ils te parlent ?

– Ils me disent que je vais m'en sortir. Tout le monde fait des erreurs.

– Tu penses donc que ça t'arrive d'être désobéissant. Tu peux me donner un exemple ?

– Quand je rate l'école. Et je lis pas assez de livres.

Il se leva et prit un ouvrage sur l'étagère du bas. Couverture noire cartonnée. Les mots « Sainte Bible » en lettres vertes.

– C'est Drew et Cherish qui te l'ont donnée ?

– Oui, monsieur. Et je la lis.

– Quel passage ?

Une seconde d'hésitation.

– Le deuxième jour.

– De la Création ?

– Oui, monsieur. Dieu créa le paradis.

– Et c'est quoi, pour toi, le paradis ?

– Un endroit sympa.

– Pourquoi c'est sympa ?

– On est riche et on a plein de trucs super.

– Quel genre de trucs super ?

– Tout ce qu'on veut.

– Qui va au paradis ?

– Les gentils.

– Ceux qui ne font pas de grosses bêtises.

– Personne n'est parfait, dit-il avec une pointe de tension dans la voix.

– C'est sûr.

– Moi, j'irai au paradis.

– Après le retard que tu vas prendre.

– Oui, monsieur.

– Tu m'as dit que tu allais devenir riche. Tu comptes t'y prendre comment ?

Retour du rictus. Cette fois il persista, et son regard me transperça tandis que ses mains délicates devenaient deux petits poings osseux.

– Par mon intelligence. C'est bon, je peux dormir ? Je suis fatigué, monsieur.

Les séances restantes furent improductives, Troy Turner prétendant tour à tour qu'il était fatigué ou se sentait mal. C'est en vain que j'essayai de lui faire sortir des symptômes spécifiques. Le médecin de la prison l'examina sans rien déceler. La dernière fois que je le vis, il lisait la Bible et ne me prêta pas attention quand je m'assis.

— C'est intéressant ? lui demandai-je.

— Ouais.

— Tu en es où ?

Il posa le livre ouvert à l'envers sur le lit et fixa son regard derrière moi.

— Troy ?

— Je me sens mal.

— Où ça ?

— Partout.

— Le D<sup>r</sup> Bronsky t'a examiné et dit que tout va bien.

— Je suis malade.

— C'est peut-être la dernière fois que je viens te voir, Troy. Tu n'as rien de particulier à me dire ?

— Vous allez raconter quoi au juge ?

— Je vais lui faire un rapport sur nos conversations.

Il sourit.

— Tu es content ? lui dis-je.

— Vous êtes quelqu'un de bien, monsieur. Vous aimez aider les gens.

Je me levai et pris la Bible. Des taches grises indiquaient l'endroit où il en était. Genèse chapitre quatre. Caïn et Abel.

— C'est une sacrée histoire, dis-je.

— Oui, monsieur.

— Et tu en penses quoi ?

— De quoi ?

— De Caïn qui tue son frère et subit la malédiction.

— Il l'a méritée.

— Caïn ?

— Oui, monsieur.

– Et pourquoi ?

– Il a péché.

– Le péché de meurtre.

– C'est ça, dit-il en me reprenant la Bible et en la refermant doucement. Comme Rand. Il ira en enfer.

# 8

Je fis la connaissance des deux avocats commis d'office dans une salle de réunion de la prison.

Lauritz Montez était déjà là à mon arrivée. Petit gabarit, la trentaine, cheveux noirs portés en catogan. Moustaches cirées des plus excentriques, qui en faisaient oublier le bouc duveteux. Trois-pièces gris en tweed d'un goût suranné, petit nœud papillon bleu qui faisait penser à un lacet de chaussure.

Sydney Weider nous rejoignit quelques secondes plus tard, avec une parfaite désinvolture. Petite quarantaine, silhouette élancée, cheveux blonds coiffés sans chichi, grands yeux pâles. Le tailleur noir haute couture, le sac en croco et les perles aux oreilles dépassaient les moyens d'un avocat de l'aide judiciaire. L'explication tenait peut-être au solitaire qu'elle portait à l'annulaire gauche. Ce qui n'était qu'un préjugé sexiste – elle avait très bien pu toucher le gros lot en boursicotant.

Elle s'assit et fit tourner sa bague pour cacher le diamant.

– Bon, dit-elle en chaussant des demi-lunes plaquées or. Nous y voici.

Les mots se bousculaient dans sa bouche. Très pressée de s'exprimer.

Chacun d'eux avait demandé à me voir en tête à tête. Je leur avais répondu qu'on commencerait à trois, en voyant ce que ça donnerait.

Il n'y eut pas besoin d'aller plus loin. Chacun me prit à part individuellement, mais le but était le même : mettre en avant la jeunesse de leur client et l'absence de casier judiciaire, souligner une éducation déplorable, me faire comprendre que le tribunal pour enfants était la seule solution qui ne fût pas cruelle et inhumaine.

Au bout d'une heure, ils fonctionnaient en équipe. Compte tenu de mes entretiens avec Troy, je subodorais que Weider tenterait de faire peser toute la responsabilité sur Rand, mais ce n'était pas à moi de mettre ça sur le tapis.

Une fois sur sa lancée, Weider accéléra encore le débit et parut prendre le dessus sur Montez. Concluant par un long laïus sur les méfaits des jeux vidéo et des HLM, elle referma prestement son Filofax, retira ses lunettes et me fixa d'un regard inquisiteur.

— Qu'allez-vous conclure dans votre rapport ?

Une rafale de mitraillette.

— Je ne l'ai pas encore rédigé.

— Vous devez bien avoir quelques idées.

— J'adresserai mon rapport au juge Laskin. Il vous le fera parvenir.

— Bien, dit-elle. Si vous voulez jouer à ce petit jeu…

— C'est le juge Laskin qui a fixé les règles.

Elle rassembla ses notes et tripota sa bague.

— N'oubliez pas une chose, docteur Delaware : la psychologie est une science molle et il arrive qu'un psychologue soit mis en difficulté à la barre.

— Je n'en doute pas.

— Voire carrément ridiculisé, précisa-t-elle.

— Je suis sûr que certains de mes collègues le méritent.

Elle se redressa et me toisa du regard, écœurée que ça ne prenne pas.

— Docteur, ne me dites pas que vous envisagez sérieusement de faire juger ces gosses en tant qu'adultes.

— Il ne m'appartient pas de…

— Le juge Laskin s'en remet à votre expertise. Autant dire que la décision vous appartient en pratique.

— D'après ce que j'ai pu constater, le juge Laskin est quelqu'un d'assez indépendant.

Montez intervint.

– Docteur, on ne demande jamais qu'un minimum de justice. Ces enfants ont droit à une chance de réinsertion.

– Nous ferons appel à nos propres experts, dit Weider.

– Maître Montez a déjà contacté le P$^r$ Davidson de Stanford, l'informai-je.

Elle jeta un coup d'œil à son collègue. Celui-ci fit tourner une pointe de moustache entre deux doigts et opina du chef.

– J'ai dû batailler pour la prise en charge de ses honoraires, mais on a pu s'assurer ses services.

Weider lui décocha un sourire glacial.

– Comme c'est curieux, Lauritz. J'ai appelé Davidson la semaine dernière. Sa secrétaire m'a expliqué qu'il avait déjà un engagement.

– Si tu le veux aussi pour ton gamin, dit Montez, on peut sans doute s'arranger.

– Pas besoin, lui répondit-elle avec détachement. J'ai LaMaria de l'Université de Californie.

– Auriez-vous l'un ou l'autre une explication de ce qui a pu pousser vos clients à tuer Kristal Malley ? leur demandai-je.

Ils pivotèrent vers moi.

– Vous nous demandez quoi au juste, docteur ? me lança Weider.

– D'après vous, quel était le mobile de vos clients ?

– Ce ne serait pas plutôt à vous de nous le dire, docteur ?

– J'aurais cru que la question vous intéresserait.

Elle se leva, hocha la tête et me fixa des yeux.

– Vous vous imaginez que je vais vous dévoiler ma stratégie comme ça ?

– Votre stratégie ne m'intéresse pas, lui renvoyai-je. Juste votre point de vue.

– Docteur, je n'ai aucun point de vue. C'est justement là où je voulais en venir concernant votre rapport : il nous faut un angle inédit. J'espère que vous êtes disposé à nous le fournir.

Montez la suivit du regard tandis qu'elle se dirigeait vers la porte.

– Je vous donne rendez-vous au tribunal, docteur.

Montez s'éclipsa juste après, en prenant soin d'éviter mon regard.

Je restai assis un certain temps. À me demander ce que j'allais faire.

J'arrivais dans le parking de la prison quand Sydney Weider m'interpella. Elle se trouvait à côté d'une BMW décapotable bleu pétrole et tapotait son sac en croco sur sa longue cuisse svelte. Deux femmes et un homme se tenaient à sa gauche.

L'avocate me fit signe comme à un vieux copain. Je m'approchai. À voir son sourire, on aurait dit que nous venions de passer ensemble une après-midi sympathique. Elle tira vers elle une des deux femmes.

– Docteur, je vous présente Jane, la maman de Troy.

Jane Hannabee parut se recroqueviller sous la prise de l'avocate, qui la dépassait d'une dizaine de centimètres. D'après mes dossiers elle avait vingt-huit ans. Visage cireux, sillonné de ridules. Tricot à manches longues, barré d'une rayure rouge au centre. Il avait l'air neuf, de même que le jean flottant et les baskets. Le tatouage sinueux d'un serpent sortait par le col en V du tricot. La tête triangulaire se trouvait juste en dessous de son oreille gauche ; des crocs rayés, une espèce de vipère. Menue, lèvres fines, nez effilé, cheveux noirs et plats à mi-épaule. Trois trous dans chaque oreille, mais aucun anneau. Un petit point noir à la narine droite, vestige d'un piercing. Bouche incurvée vers l'intérieur, sans doute parce qu'il lui manquait des dents. Yeux bleus, cernés de rouge.

Une tartine de maquillage ne dissimulait qu'en partie un bleu à la joue gauche.

D'après le rapport de police, Troy la frappait de temps en temps. Elle faisait plus vieille que Weider.

– Ravi de faire votre connaissance, lui dis-je.

Jane Hannabee se mordit la lèvre, fixa le sol taché d'huile du parking et me tendit une main froide et sèche.

– Docteur, me dit l'avocate, je suis sûre que vous seriez ravi de parler avec madame Hannabee.

— Mais bien entendu. On va prendre rendez-vous.

— Pourquoi pas tout de suite ?

La prise en main.

Je souris à Weider, qui en fit autant.

— Rassurez-moi, docteur : vous allez trouver le temps de discuter avec la mère de Troy ?

— Bien sûr

— Merci d'avoir accompagné Jane, dit Weider en se tournant vers les deux autres.

— À votre service, dit l'homme.

Pas loin de trente ans, belle carrure, épaisse chevelure sombre ondulée qui me fit penser à un artichaut trop mûr. Visage large et sympathique, épaules charnues, cou évasé de lutteur. Costume en velours côtelé beurre de cacahouète, bottes noires, chemise bleu marine avec un col à longues pointes, cravate bleu layette. Son alliance en or blanc ornée de minuscules pierres bleues était assortie à celle de la jeune femme à côté de lui.

Environ le même âge, un peu enrobée mais très jolie, avec de longs cheveux crêpés ramenés sur les côtés, d'un blond décoloré quasiment blanc. Robe de lin blanc qui étincelait sous son cardigan rose pâle. Chaînette en argent et croix autour du cou. Teint bronzé, peau immaculée.

L'homme s'avança, me cachant le visage de la jeune femme.

— Enchanté. Drew Daney.

Doigts épais, mais poigne légère.

— Docteur, m'informa Weider, voici des gens qui soutiennent Troy.

On aurait cru que le gamin se présentait à une élection. D'ailleurs, le parallèle n'était pas excessif : c'était bel et bien une campagne qui s'engageait.

— Je vous présente ma femme, Cherish, me dit Drew Daney.

— Tu es devant moi, chéri, lui fit remarquer la blonde.

Il s'écarta et je pus voir le sourire radieux de Cherish Daney.

— Des supporters de Troy, dis-je.

— Ses conseillers spirituels, précisa Cherish Daney.

— Vous êtes pasteurs ?

– Pas encore, répondit Drew. Nous sommes étudiants en théologie au Séminaire Fulton. Docteur, nous vous remercions vivement d'être aux côtés de Troy. Il a besoin de tout le soutien possible.

– Vous vous occupez aussi de Rand Duchay ? m'enquis-je.

– Nous le ferons volontiers si on nous le demande. Partout où l'on a besoin de nous...

– Il faut y aller, l'interrompit Sydney Weider en serrant plus fort le bras de Jane Hannabee.

La mère de Troy se mit à trembler. Angoisse maternelle ou manque d'héroïne ? Je m'en voulus de penser une chose pareille. Laissons-lui une chance, me dis-je.

– On a rendez-vous pour voir Troy, m'expliqua Cherish Daney.

– Mince, il faut vraiment qu'on file, renchérit son mari en consultant sa montre de sport.

Cherish s'avança vers Jane Hannabee, comme pour l'embrasser, mais se ravisa et se contenta d'un geste de la main.

– Dieu te protège, Jane. Porte-toi bien.

Hannabee baissa la tête.

– Ravi de vous avoir rencontré, docteur, me dit Drew Daney. Bonne continuation.

Bras dessus bras dessous, ils filèrent d'un bon pas vers le portail électrique de la prison.

Sydney Weider les observa quelques secondes, sans la moindre expression, puis se tourna vers moi.

– Ça risque d'être compliqué pour avoir une nouvelle salle à la prison. Et si vous vous mettiez dans ma voiture ?

Jane Hannabee s'installa au volant de la BMW. À voir sa tête, on aurait dit qu'elle venait de se faire enlever par des extraterrestres. Je pris place à côté d'elle. L'avocate faisait les cent pas à quelques mètres, la cigarette aux lèvres et le portable à l'oreille.

– Vous avez quelque chose à me dire, madame Hannabee ?

Elle ne répondit pas.

– Madame ?

— Les laissez pas tuer Troy, me dit-elle, le regard rivé sur le tableau de bord.

Voix monocorde, légèrement nasillarde. Une supplique sans passion.

— Qui ça ?

Elle se frotta le bras, puis releva la manche et gratta sa peau flasque. D'autres tatouages ornaient son avant-bras, d'horribles créatures noires. La tenue neuve devait provenir de Weider, par souci de camouflage.

— En prison, dit-elle. Quand on va l'enfermer, il se fera traiter des pires trucs. Les autres vont trouver ça cool de s'en prendre à lui.

— Vous pensez qu'on va le traiter de quoi ?

— De bourreau d'enfants. Alors qu'il a rien fait. Les Nègres et les Mexicains vont trouver ça super de le tabasser.

— Troy n'a pas tué Kristal, dis-je, mais sa réputation le mettra en danger en prison.

Elle ne répondit pas.

— Qui a tué Kristal ?

— Troy est mon bébé à moi…

Elle garda la bouche ouverte, comme pour respirer. Derrière les lèvres gercées, on apercevait trois chicots marron. Je compris soudain qu'elle souriait.

— Vous êtes pas forcé de me croire, dit-elle, mais j'ai fait de mon mieux.

J'eus un hochement de tête.

— Vous me croyez pas ?

— Je suis sûr que ça n'a pas été facile d'élever seule votre fils.

— Les autres, je m'en suis débarrassé.

— Les autres ?

— Je me suis retrouvée en cloque quatre fois.

— Vous avez avorté ?

— Trois fois. La dernière fois, ça m'a fait mal.

— Vous avez gardé Troy.

— Je trouvais que je méritais bien ça.

— Vous méritiez d'avoir un enfant.

— Ouais. C'est un droit de la femme.

– D'avoir un enfant.

– Vous êtes contre ?

– Vous avez désiré Troy, dis-je. Et vous l'avez élevé du mieux que vous pouviez.

– Vous me croyez pas. Vous allez l'envoyer en prison.

– Je vais rédiger un rapport sur l'état psychologique de Troy... ce qui se passe dans sa tête... et le remettre au juge. Tout ce que vous pouvez me dire sur Troy me sera utile.

– Vous dites qu'il est fou ?

– Non, je ne pense pas une seconde qu'il soit fou.

Cette réponse directe la prit de court.

– Il n'est pas fou, insista-t-elle, comme si le désaccord persistait. Il est super-intelligent. Depuis toujours.

– C'est un garçon très éveillé, dis-je.

– Ouais. Je veux qu'il fasse des études.

Elle se tourna vers moi et me gratifia d'un nouveau sourire. Plus discret, la bouche fermée. La courbure de ses lèvres prolongeait celle du reptile – déconcertant.

– Je me dis qu'il pourrait faire docteur, ou un autre truc pour devenir riche.

Troy lui aussi m'avait parlé de devenir riche. Sans sourciller. Comme si les charges pesant contre lui n'étaient qu'un contretemps mineur sur la route de la fortune. Les illusions de sa mère me donnaient envie de pleurer.

Elle posa les mains sur le volant de la BMW. Appuya sur l'accélérateur inerte.

– C'est tout de même quelque chose, marmonna-t-elle.

– Cette voiture ?

– Vous pensez qu'elle va aider Troy ? me demanda-t-elle en observant Weider derrière le pare-brise.

– Elle a l'air d'une bonne avocate.

– Vous ne répondez jamais aux questions ?

– Si on parlait de Troy ? Comme ça, vous espérez qu'il ira à l'université ?

– Maintenant, c'est sûr qu'il ira pas. Vous allez le mettre en prison.

– Madame Hannabee, ce n'est pas moi qui vais l'envoyer où que ce soit et...

– Le juge peut pas le sentir.

– Qu'est-ce qui vous fait dire ça ?

Elle m'effleura le bras. Le caressa.

– Je connais les hommes. Toujours avec la haine, prêts à sauter.

– À sauter ?

– Sur les femmes...

Sa main glissa vers mon épaule. Me toucha la joue. Je la retirai.

Elle me sourit d'un air entendu.

Je reculai, m'adossant à la portière.

– Vous n'avez rien à me dire sur Troy ?

– Je connais les hommes, répéta-t-elle.

Je soutins son regard. Elle tâta le bleu sur sa joue. Ses lèvres tremblaient.

– Comment vous êtes-vous fait ça ? lui demandai-je.

– Vous me trouvez moche.

– Non, mais j'aimerais savoir...

– Avant, j'étais une bombe. J'avais des seins comme des melons, j'allais danser.

Elle plaqua ses mains sur sa poitrine.

– Madame Hannabee...

– Faut pas m'appeler comme ça. Je suis pas une dame.

– Jane...

Elle se tourna brusquement vers moi et me reprit le bras. Ses doigts s'enfoncèrent comme des crocs dans ma manche en laine. Plus question de séduire. Le désespoir. Dans son regard brillait une peur bleue et je perçus l'image fugace de la jeune fille qu'elle avait dû être.

– Je vous en supplie, m'implora-t-elle. C'est pas Troy qu'a tué ce bébé. C'est le débile. Tout le monde le sait.

– Tout le monde ?

– Lui, il est baraqué, alors que Troy est tout petit. Troy est mon petit homme. C'est pas sa faute s'il fréquentait le débile.

– C'est donc Rand le coupable.

– Exactement, dit-elle en me serrant le bras un peu plus fort.

– C'est Troy qui vous a dit que Rand avait tué le bébé ?

– Ouais.

Je fixai ses doigts qui m'agrippaient. Elle toussota, renifla et me lâcha.

– Il se soignera.

– Qui ça ? lui demandai-je.

– Troy. Donnez-lui une chance et il se soignera, il ira à l'université.

– Vous pensez qu'il est malade ?

Elle me dévisagea.

– On est tous malades. C'est une maladie d'être vivant. Faut pardonner. Comme Jésus.

Je restai muet.

– Vous comprenez ça, le pardon ?

– C'est une qualité merveilleuse, dis-je. Savoir pardonner.

– Moi, je pardonne toujours.

– Même à ceux qui vous font du mal ?

– Ouais. Pourquoi pas ? Qu'est-ce que ça peut faire, le passé ? C'est la même chose pour Troy. Ce qu'il a fait, c'est du passé. Et c'est même pas lui. C'est le débile.

Elle se cogna au volant en se retournant et fit la grimace.

– Alors, vous comptez l'aider ?

– Je m'efforcerai d'être le plus proche possible de la vérité.

– Vous le devez, dit-elle en se penchant vers moi.

Son odeur était un mélange de linge sale et de parfum trop capiteux.

– Vous pourriez lui ressembler, ajouta-t-elle.

– À qui ?

– À Jésus, dit-elle en souriant et en se passant la langue sur les lèvres. Ouais, ça le ferait bien. Avec la barbe, les cheveux plus longs, ça serait complètement ça. Un Jésus super-mignon.

# 9

Le surlendemain, la greffière du juge Laskin m'appela pour savoir où en était mon rapport. Je lui expliquai que j'avais besoin d'une semaine supplémentaire. Un délai fixé au hasard, sans trop savoir à quoi il me servirait.

Je consacrai encore dix jours au dossier, à interviewer les assistantes sociales et officiers d'HLM dont dépendait la Cité 415, à visiter le quartier et à interroger les voisins, à rencontrer quiconque était susceptible de m'apprendre quelque chose. Margaret Sieff n'était jamais chez elle. Quant à Jane Hannabee, elle avait déménagé sans laisser d'adresse.

Je me rendis à l'école des deux garçons. Tout le monde – le directeur aussi bien que le conseiller d'orientation ou les enseignants – ne gardait qu'un vague souvenir de Troy et de Rand. Leurs derniers résultats scolaires remontaient à un an. Des C et quelques D pour Rand, ce qui relevait plus du souci d'intégration que de l'évaluation objective ; d'après mes tests, il était analphabète, avec en maths le niveau d'un enfant de sept ans. Des B, des C et des D pour Troy, jugé « intelligent mais dissipé ».

Pour les offices d'HLM, les jeunes assassins n'étaient que deux noms sur des formulaires. Les autres résidents me confièrent tous qu'avant son arrestation Rand Duchay était perçu comme un balourd inoffensif. Tous ceux à qui j'avais parlé étaient persuadés que c'était Troy Turner qui l'avait perverti.

Quant à Troy, les avis étaient tout aussi unanimes. On le décrivait comme sournois, méchant, cruel, « maléfique ». Redoutable malgré sa petite taille. Plusieurs résidents prétendaient qu'il avait menacé leurs enfants, mais les détails restaient flous. Une jeune mère noire m'avait abordé, l'air nerveuse, alors que je quittais la cité.

— Ce gamin a fait des trucs infects à ma fille.

— Quel âge a votre fille ?

— Six ans le mois prochain.

— Qu'est-ce qu'il lui a fait ?

Elle s'était éloignée en hochant la tête et je n'avais pas cherché à la rattraper.

Je demandai à revoir les deux garçons, mais essuyai un refus de la part de Montez et Weider.

— Ils sont catégoriques, m'informa Tom Laskin. Au point de vouloir obtenir une injonction vous interdisant de les rencontrer.

— Où est le problème ? lui demandai-je.

— J'ai l'impression que c'est surtout Weider qui bloque. Quel requin hystérique !

— C'est vrai qu'elle parle vite.

— Avec elle il faut toujours que ça tourne au conflit, même sans raison valable. Elle dit que vous avez assez vu son client comme ça. Soi-disant qu'elle ne tient pas à ce qu'on le perturbe trop avant qu'il soit vu par leur propre expert. Quant à Montez, c'est un flémard qui va toujours dans le sens du vent. Je pourrais sans doute tenter le passage en force, Alex, mais quitte à me faire débouter en appel, je préfère autant que ce ne soit pas pour un caprice. Vous avez vraiment besoin d'un délai supplémentaire ?

— Je ne vois pas en quoi je risque de perturber leurs clients.

— N'en faites pas une affaire personnelle, me dit-il. Les avocats aiment bien sortir ce genre de conneries. Ils partent du principe que vous êtes favorable au ministère public.

— Je n'ai même pas parlé au district attorney.

– C'est leur tactique. Ils préparent le terrain : si l'une de vos conclusions leur déplaisait, ils posent au préalable les bases de son rejet.

– OK, dis-je.

– Ne vous en faites pas, je vous protégerai quand vous serez convoqué à la barre. Quand puis-je espérer avoir la somme de vos lumières psychologiques sur mon bureau ?

– Bientôt.

– Ce qui est préférable à l'autre option.

Je me mis à la rédaction de mon rapport en commençant par la partie facile : la scène du crime, le contexte, les résultats des tests. Mais cela s'avéra plus compliqué que prévu et je n'avais pas beaucoup progressé quand Lauritz Montez m'appela.

– Comment ça avance, docteur ?

– Vous avez changé d'avis ? Vous acceptez que je revoie Rand ? lui demandai-je.

– Peut-être. Mon client a parfaitement coopéré la première fois, n'est-ce pas ? Vous comptez bien souligner ce point ?

– Je ferai de mon mieux pour me montrer impartial.

– Écoutez, me dit Montez, c'est Weider qui a suggéré l'injonction. Vous la connaissez.

– Non, pas vraiment.

– Peu importe. Mais n'oubliez pas que Rand a coopéré sur toute la ligne.

– C'est vrai.

– Bien, dit-il d'une voix tendue. Il est assez déprimé.

– Ça ne me surprend pas.

– Pauvre gosse.

Je restai muet.

– La raison de mon appel, docteur Delaware, c'est que Weider vient de demander une audience disjointe. Vous comprenez ce que ça veut dire ?

– Elle souhaite une défense séparée pour Troy et Rand.

– Autant dire qu'elle veut nous baiser, Rand et moi ! Je croyais qu'on était sur la même longueur d'onde, mais elle vient de me sortir ce coup bas pour faire porter le chapeau à mon client et disculper son petit sociopathe. Je préfère que vous soyez au courant.

– Merci.

– Je suis sérieux, insista-t-il. La vérité saute aux yeux.

– Quelle vérité ?

– Un gamin très bête mais pas méchant s'est laissé embarquer par un assassin cruel et froid. Je sais que vous êtes retourné à la Cité 415 et que tout le monde vous a donné le même son de cloche.

– Que puis-je faire pour vous, maître Montez ?

– Je respecte votre expertise et tiens à maintenir la communication. Ne me tenez pas rigueur de vous avoir refusé le droit de voir Rand, d'accord ? Si vous voulez vraiment lui parler, pas de problème. Il regrette ce qui est arrivé. Il est bourré de remords.

Je ne répondis pas.

– Alors ? dit-il. Vous comptez le revoir ?

– Je vous appellerai.

Je n'en fis rien.

Il ne rappela pas.


Au bout de trois jours de rédaction, j'appelai Tom Laskin.

– Ça n'avance pas comme je voudrais, lui confiai-je.

– C'est-à-dire ?

– Je vous ai bien expliqué au départ que je n'étais pas certain d'aboutir à des recommandations concrètes. C'est le cas. Je comprendrais tout à fait que vous réduisiez mes honoraires.

– Où est le problème ?

– Je ne suis pas en mesure de vous fournir des éléments clairs pour vous aider à prendre votre décision. À titre personnel, je pencherais pour le tribunal pour enfants parce qu'il s'agit de gamins sans discernement adulte. Mais je ne suis pas sûr de dormir tranquille si j'assume la responsabilité de ce choix.

– Pourquoi ?

– C'est un crime atroce et je doute qu'un passage de quelques années à la CYA garantisse leur réinsertion.

– Sont-ils dangereux ?

– Seraient-ils capables de recommencer ? Seul, Rand Duchay ne commettrait sans doute pas un geste pareil. Mais sous l'emprise de quelqu'un de violent et de dominateur, rien n'est exclu.

– A-t-il des remords ?

– J'ai l'impression. Quant à savoir s'il se comportait en adulte au moment du meurtre, la réponse est non. Cela aura-t-il changé dans cinq ou dix ans ? Sans doute pas, compte tenu de son niveau intellectuel.

– À savoir ?

Je lui fis part des résultats. Il poussa un sifflement.

– Et Turner ?

– Plus intelligent, nettement plus. Il a la capacité de calculer et de mûrir une action. Sydney Weider soutiendra que Rand a pris l'initiative alors que son client assistait en témoin passif. Le rapport de police scientifique démontre le contraire, mais Rand a reconnu avoir frappé Kristal et sa taille pourrait jouer contre lui... pour qui s'en tiendrait aux apparences.

– J'en reviens aux remords, dit Laskin. Qu'en est-il pour Turner ?

– Il parle de péché, prétend lire la Bible, reçoit le soutien moral de deux étudiants en théologie. Je doute qu'il s'agisse d'une démarche sincère. Il nie avoir fait quoi que ce soit à Kristal alors qu'on a retrouvé des traces de peau sous ses ongles.

– Weider m'a soumis une requête enflammée pour obtenir des défenses disjointes. La bonne vieille défense CLQTF.

C'est L'autre Qu'a Tout Fait.

– Et vous allez lui accorder la disjonction ?

– Seulement si je n'ai pas le choix. Turner est-il très intelligent ?

– Nettement supérieur à la moyenne.

Je lui indiquai les résultats.

– Pas de responsabilité diminuée sur ce plan, fit-il observer. Et quid du discernement adulte ?

– Intellectuellement, il est capable de raisonner. Mais il n'a que treize ans, un âge intéressant. On a pu démontrer que le cerveau subit des modifications entre quatorze et quinze ans, des modifications qui entraînent une capacité de raisonnement plus poussée. Néanmoins, vous connaissez les adolescents... La rationalité, ça s'acquiert en plusieurs années.

– Parfois ça ne vient jamais, fit-il remarquer. Vous penchez donc pour le tribunal pour enfants, mais ça vous gêne de le mettre par écrit à cause de l'énormité du crime.

– Je ne pense pas que le problème se pose en termes psychologiques.

– En quels termes, alors ?

– C'est un problème judiciaire. Quel placement représente la solution la plus proche de la justice ?

– Autrement dit, c'est mon problème.

Je gardai le silence.

– Je sais que les ados sont cons, enchaîna-t-il. Seulement, si on leur accordait un traitement particulier, ça voudrait dire que beaucoup de crapules vraiment mauvaises s'en tireraient à bon compte. Et dans ma longue expérience, je n'ai jamais connu de crime plus atroce. Ils ont sacrément amoché cette pauvre gamine.

– Je sais. Mais vous avez vu Turner, on lui donnerait douze ans. J'essaie de l'imaginer à San Quentin ou ce genre de prison, et ça n'a rien de réjouissant.

– Il a beau être petit et intelligent, Alex, il a tué une gamine de deux ans. Qu'est-ce qui peut pousser un gosse intelligent à faire un truc pareil ?

– Encore une question à laquelle je suis incapable de répondre. Le QI et le développement moral sont deux choses distinctes. Comme disait Walker Percy : « On peut avoir de bons bulletins et rater sa vie. »

– C'est qui ?

– Un psychiatre romancier.

– Combinaison intéressante. Comme ça, vous me dites que j'ai un gosse idiot et un sociopathe brillant et qu'ils ont tué une fillette de deux ans par hasard. L'un ou l'autre a-t-il fait preuve de comportement asocial par le passé ?

– Pas Rand. Quant à Troy, tous ceux qui le connaissent le décrivent comme sournois, certains résidents de la Cité allant même jusqu'à le traiter de cruel. Il lui est arrivé de menacer des enfants plus jeunes. On le soupçonne aussi d'avoir tué quelques chiens et chats errants, mais je n'ai rien trouvé de concret. Ce sont peut-être les rumeurs qui vont bon train à cause du meurtre. Une mère m'a laissé entendre qu'il avait molesté sa fille, mais sans m'en dire plus. Avec l'enfance qu'il a eue, ça ne serait pas étonnant que lui-même ait subi des agressions sexuelles.

Je lui fis un rapide topo sur le passé des deux garçons, y compris le traumatisme crânien qu'aurait pu subir Rand Duchay dans sa petite enfance.

— Si vous cherchez des circonstances atténuantes, ce n'est pas ça qui manque.

— Victimes de la biologie ?

— Et de la sociologie... sans compter le mauvais sort. Pour ces deux gamins, c'est une affaire d'acquis autant que d'inné.

— Ce qui n'excuse pas ce qu'ils ont fait à cette pauvre fillette.

— Pas le moins du monde.

— Vous avez repéré d'éventuels mobiles ? me demanda-t-il. Parce que personne n'a rien à dire sur le sujet, y compris les flics.

— Autant que je puisse en juger, ils l'ont enlevée sur un coup de tête. Tous deux étaient sur le point d'aller faire un tour au parc quand ils ont croisé Kristal, qui traînait dans le centre commercial. Ils ont trouvé marrant de la faire boire et fumer. Mais ça l'a rendue malade, elle s'est mise à pleurnicher, elle a vomi, et la situation a dégénéré. Ils ne semblent pas l'avoir traquée.

— La pauvre petite n'a pas eu de chance. OK. Il s'agit donc d'un crime gratuit. J'espérais quelques... mettons, quelques lumières sur le plan psychologique. Mais je ne vais pas me plaindre, vous m'avez clairement indiqué dès le départ que vous ne me faisiez aucune promesse. Pour vos honoraires, arrêtez de dire des conneries. Quand l'administration est prête à filer du fric, faut pas se priver... Vous n'avez vraiment rien à me dire sur leur capacité de discernement ?

— Que se passera-t-il si vous les déclarez adultes ?

— Dans un premier temps, ils seront condamnés à une longue peine et enfermés à San Quentin ou dans une prison de ce genre. Si on les juge comme mineurs, c'est la California Youth Authority, ce qui de nos jours ne change pas beaucoup de la prison pour adultes, sauf que les détenus sont moins costauds. La CYA ne peut pas les garder au-delà de l'âge de vingt-cinq ans.

— Ce qui signifie qu'on les libérerait à l'âge où les pulsions criminelles sont à leur maximum.

— Je ne vous le fais pas dire. Mais chez les adultes, ils seraient la proie de la Black Guerrilla Army ou de la Nuestra Familia, et trouveraient refuge chez l'Aryan Brotherhood. Ce qui reviendrait à fabriquer deux nazillons. Cela dit, la plupart des établissements de la CYA sont eux aussi infestés par les gangs.

— Pourquoi dites-vous une longue peine « dans un premier temps » ?

— Parce que, même si je les déclare adultes, il y a fort à parier qu'une juridiction d'appel réduira leur peine et les transférera dans un établissement à régime moins sévère. Ce qui veut dire qu'au bout du compte ils pourraient effectuer une peine moins longue qu'avec un placement à la CYA. Je dois aussi penser à la famille de la victime. Comme vous le dites, on peut espérer au mieux une solution s'approchant de la justice, et Dieu sait qu'on ne va pas refermer la plaie... pour reprendre une expression chère à la presse. Il doit bien exister une solution moins mauvaise que les autres.

— Je n'ai pas vu la famille dans les médias.

— Ils ont adopté un profil bas, mais le père a contacté le district attorney à plusieurs reprises et exigé que justice soit faite. Personne ne lui rendra jamais ce qu'il souhaite vraiment : sa fille. Et puis, deux autres gamins ont fichu leur vie en l'air. La situation est pénible pour tout le monde.

— Pire que pénible.

— Ils sont si jeunes, Alex ! Qu'est-ce qui a pu en faire des monstres ?

— Si seulement je connaissais la réponse. Tous les éléments sont réunis : un mauvais environnement, peut-être de mauvais gènes. Mais la plupart des gamins qui subissent le même sort n'en viennent pas pour autant à assassiner des enfants.

— Non, en effet. Bon. Vous n'avez qu'à m'envoyer ce que vous jugerez bon d'écrire. Je lance la machine administrative pour votre bordereau de remboursement.

# 10

Comme souvent, on trouva enfin une issue, quand l'affaire ne fut plus sous les feux de l'actualité, au moyen de négociations en coulisses et à la recherche du moindre mal.

Cinq mois après leur arrestation, dans un revirement qualifié d'« inattendu » par la presse, les deux garçons plaidèrent coupables et furent confiés à la California Youth Authority, jusqu'à ce qu'ils aient vingt-cinq ans ou que leur rééducation soit un succès.

Pas de procès, pas de battage médiatique.

Il me fut épargné de témoigner à la barre en tant qu'expert, et mon chèque arriva dans un délai raisonnable.

Je ne me confiai à personne sauf à Milo, et gardai pour moi mon sommeil agité.


Troy Turner fut envoyé au camp N.A. Chaderjian à Stockton, et Rand Duchay à la maison de correction pour mineurs Herman G. Stark à Chino. La CYA s'engageait à leur fournir un suivi psychologique, ainsi qu'un enseignement adapté pour Rand.

Le jour où l'accord fut annoncé, une équipe de télé interpella les parents de Kristal Malley à la sortie du tribunal pour recueillir leur réaction.

Lara Malley, une petite brunette pâlotte, sanglotait. Son mari, Barnett, un grand échalas d'une trentaine d'années, les fusilla du regard et déclara :

– Sans commentaires.

La caméra fit un gros plan sur son visage, la colère donnant des images plus distrayantes que le désespoir. Cheveux fins, blonds tirant sur le roux, longs favoris, traits taillés à la serpe et ossature saillante. Yeux secs, avec le regard fixe d'un sniper.

Le reporter insista.

— Estimez-vous, monsieur, que l'âge des accusés rend ce compromis acceptable pour mettre un terme à cette histoire ?

La mâchoire crispée, Barnett Malley brandit la main, et le preneur de son capta un bruit d'empoignade. Le journaliste recula ; Malley resta campé sur place. La caméra zooma sur son poing figé en l'air.

Lara geignait. Son mari fixa l'objectif une seconde, puis attrapa sa femme par le bras et la tira à l'écart.


Tom Laskin m'appela six semaines plus tard. Il était midi passé et je sortais d'une séance avec un garçon de huit ans qui s'était brûlé le visage avec des produits d'entretien pour piscine. Espérant obtenir des dommages-intérêts, les parents avaient fait appel à un de ces soi-disant experts en médecine environnementale, lequel avait certifié que le gamin développerait un cancer. C'était parvenu aux oreilles du garçon qui en était tout traumatisé, et j'étais chargé de le déprogrammer.

— Salut, Tom.

— On pourrait se voir, Alex ?

— À quel sujet ?

— Je préfère en parler de vive voix. Je veux bien passer à votre bureau.

— D'accord. Quand ça ?

— Je serai libre d'ici une heure. Vous êtes dans quel coin ?


Il arriva chez moi, arborant une veste caramel, un pantalon marron, une chemise blanche et une cravate rouge. Le col déboutonné, le nœud de cravate desserré.

Nous n'avions eu que des contacts téléphoniques, c'était la première fois qu'on se rencontrait. J'avais vu sa photo dans les journaux à l'occasion de l'affaire Malley. La cinquantaine, cheveux gris coupés en brosse, visage carré, lunettes à monture métallique, le regard méfiant d'un procureur. Je m'imaginais un type imposant et baraqué.

En fait, il était assez petit (un mètre soixante-dix environ), plus enrobé et plus âgé que j'aurais cru. Quelques cheveux blancs, des bajoues victimes de la pesanteur. Veston de bonne coupe mais élimé. Ses chaussures auraient mérité un coup de cirage, et il avait des cernes bleutés sous les yeux.

— C'est sympa chez vous, dit-il en s'asseyant sur le bord du fauteuil que je lui indiquai dans le salon. Ça doit être agréable de bosser chez soi.

— Ça a des avantages. Je peux vous offrir à boire ?

Il réfléchit une seconde.

— Pourquoi pas ? Une bière, si vous avez.

J'allai dans la cuisine et rapportai deux Grolsche. Laskin paraissait toujours aussi tendu. Avec ses poings serrés, on aurait dit un patient qui vient chez le psychologue contraint et forcé.

Je décapsulai les bouteilles et lui en tendis une. Il la prit, mais ne but pas.

— Troy Turner est mort, m'annonça-t-il.

— Oh non...

— Ça remonte à quinze jours. La CYA n'a pas jugé bon de me prévenir. J'ai appris la nouvelle par les services sociaux qui cherchaient à contacter sa mère. On l'a retrouvé pendu à un montant de punching-ball, dans un débarras du gymnase. Il était censé ranger du matériel, c'était son boulot. On l'avait jugé trop dangereux pour les cuisines ou le potager, à cause des outils.

— Un suicide ?

— C'est ce qu'on a cru, avant de remarquer la mare de sang par terre. En le retournant, on a découvert qu'il avait été égorgé.

Malheureusement, j'ai toujours eu beaucoup d'imagination. Ce tableau atroce, le petit corps pâle se balançant dans ce réduit sombre et cruel, allait hanter mes rêves.

— On sait qui a fait le coup ? demandai-je.

— Ils pensent que c'est une histoire de gang, répondit Laskin. Ça faisait quoi ?... à peine un mois qu'il était là, et il s'est tout de suite entendu avec les Dirty White Boys, une pépinière de l'Aryan Brotherhood. Il en était toujours à sa période d'initiation et devait notamment se faire un jeune Latino. Il était passé à l'acte dix jours avant. Il avait surpris un jeune Vato Loco dans les douches, l'avait assommé avec une brosse à cheveux et roué de coups de pied. Le gamin s'est retrouvé avec une commotion cérébrale et quelques côtes froissées. On l'a transféré dans un autre établissement. Pour sa peine, Troy a écopé d'une semaine d'isolement. Ça faisait trois jours qu'il était de retour au dortoir. La veille de sa mort, il venait de reprendre sa corvée au gymnase.

— Tout le monde savait donc où le trouver à certaines heures.

Laskin acquiesça d'un hochement de tête.

— Le sang n'avait pas eu le temps de coaguler et l'arme a été abandonnée sur place. Un couteau de fortune fabriqué avec une brosse à dents et un couteau à beurre aiguisé comme une lame de rasoir. Le coupable a pris le temps d'effacer ses traces de pas.

— Qui a retrouvé le cadavre ?

— Un surveillant.

Il vida sa bière et la posa.

— Vous en voulez une autre ?

— Oui, mais non.

Il décroisa les jambes et tendit la main, comme pour demander quelque chose.

— Moi qui m'imaginais faire preuve de compassion en l'envoyant à Chaderjian ! Un jugement digne de Salomon.

— J'ai pensé la même chose.

— Vous avez approuvé ?

— Compte tenu des choix possibles, dis-je, j'estimais que c'était la meilleure solution.

— Vous ne me l'avez jamais dit.

— Vous ne m'avez jamais posé la question.

— Les Malley, par contre, n'étaient pas du tout ravis. Le mari m'a appelé pour me le faire savoir.

— Il aurait préféré quoi ?

— La peine de mort, dit Laskin avec un sourire écœuré. On dirait bien qu'il l'a obtenue.

– Vous pensez vraiment que Troy aurait été plus en sécurité dans une prison pour adultes ?

Il prit la bouteille vide et la fit tourner entre ses paumes.

– Sans doute pas, mais quelle saloperie !

– Et la mère de Troy ?

– On a enfin mis la main dessus. Elle a été admise dans un programme de méthadone et on l'a retrouvée qui faisait la queue dans une clinique pour obtenir sa dose. Le directeur de Chaderjian m'a dit qu'elle était venue voir son fils une seule fois en un mois, et seulement dix minutes. La chance n'a jamais souri à ce petit voyou, dit-il en hochant la tête.

– Pas plus qu'à Kristal Malley, lui fis-je remarquer.

Il me dévisagea.

– Ça vous démange la langue ? Je ne vous croyais pas si dur.

– Au contraire. J'ai travaillé pendant des années en cancérologie au Western Pediatric et j'ai arrêté de chercher à comprendre.

– Vous êtes nihiliste ?

– Je suis un optimiste qui se fixe des objectifs limités.

– D'habitude, j'arrive plutôt bien à encaisser le choc, mais cette fois... C'est peut-être le moment de prendre ma retraite.

– Vous avez fait de votre mieux.

– Merci de me le dire. Je ne sais pas ce qui me prend de vous embêter.

– Pas du tout.

Nous restâmes silencieux un certain temps, puis il me parla de ses deux enfants qui étaient à l'université, jeta un coup d'œil à sa montre, me remercia une fois de plus et repartit.

Quelques semaines plus tard, je lus un entrefilet sur le cocktail donné au Biltmore à l'occasion de son départ en retraite. On l'appelait « le juge des meurtriers en culotte courte », titre qui avait toutes les chances de lui rester.

Une belle fête, apparemment. Des magistrats, des district attorneys, des avocats et des travailleurs sociaux réunis pour le féliciter après vingt-cinq années de bons et loyaux services. Il comptait se consacrer à la voile et au golf.

Le meurtre de Troy Turner continuant de m'occuper l'esprit, je voulus savoir comment se portait Rand Duchay. J'appelai le camp de la CYA à Chino, parvins à franchir quelques barrages administratifs et eus en ligne un éducateur en chef à la voix amorphe, du nom de DiPodesta.

— Et alors ? dit-il après que je l'eus informé du meurtre.

— Duchay est peut-être en danger.

— J'en prends note.

Je demandai à parler à Rand.

— Les appels sont limités aux membres de la famille et aux personnes figurant sur la liste d'habilitation.

— Que dois-je faire pour y figurer ?

— Une demande.

— Comment dois-je m'y prendre ?

— Il faut remplir un formulaire.

— Vous pourriez me l'adresser ?

Il prit mes coordonnées, mais j'attends toujours le formulaire. J'eus envie d'insister, mais trouvai de bonnes raisons de n'en rien faire : n'ayant ni la disponibilité ni l'envie de m'engager à long terme, je ne voyais pas ce que je pouvais faire pour Rand.

Au cours des semaines suivantes, je parcourus la presse en redoutant d'y lire une mauvaise nouvelle le concernant. Rien ne se produisant, je finis par me convaincre que Rand Duchay se trouvait à sa place.

Pendant douze ans on s'occuperait de lui, avec enseignement adapté et suivi psychologique.

Et voilà qu'il sortait au bout de huit ans.

Et souhaitait me parler.

Je me sentais prêt à l'écouter.

# 11

Je sortis et me rendis à Westwood.

Sous la botte tricolore de Newark Pizza, l'enseigne promettait d'authentiques pasta du New Jersey et autres spécialités siciliennes !

Derrière les vitres éclairées et les rideaux à carreaux roses et blancs, on devinait la silhouette des clients.

Personne devant l'établissement.

J'entrai. Les relents d'ail et de fromage trop fait me prirent à la gorge. Les murs étaient ornés de fresques médiocres – des vendangeurs du Chianti avec une fâcheuse tendance à loucher sous un soleil bileux. Sol en lino rouge, cinq tables rondes, nappes du même vichy que les rideaux. Au fond se trouvaient le comptoir des ventes à emporter et, juste derrière, un four à pizza en briques, dont s'échappaient des fumées aux parfums de levure.

Deux Hispaniques aux tabliers blancs tachés servaient la clientèle assise, qui occupait trois tables. Les cuisiniers avaient le type aztèque et prenaient leur tâche au sérieux.

Un couple de Japonais partageait une pizza au pepperoni petit format. Un jeune ménage à lunettes essayait tant bien que mal de contrôler ses deux marmots barbouillés de sauce tomate et le regard pétillant. Et trois Noirs d'une vingtaine d'années, en survêtement Fila, dégustaient des lasagnes accompagnées de salade.

– On s'occupe de vous ? me demanda un type au comptoir.

– J'attends quelqu'un. Un jeune homme d'une vingtaine d'années.

Il fit la moue, retourna un rond de pâte, le saupoudra de farine et répéta l'opération.

– Vous ne l'auriez pas vu ? insistai-je.

Saupoudrage… Petit coup de poignet…

– Non, amigo.

Je sortis et patientai devant. Personne dans le quartier. Le restaurant était coincé entre une boutique de photocopie et des bureaux dans un bâtiment de plain-pied. Aucune lumière pour cause de week-end. Ciel noir. Très peu de circulation dans Pico à deux pâtés de maisons. L.A. n'a jamais été connue pour sa vie nocturne et cette partie de Westwood tombe en hibernation dès que le centre commercial ferme ses portes.

Le centre commercial.

Huit ans après avoir violenté Kristal Malley, Rand avait envie de me parler du meurtre, à deux pas d'un autre centre commercial.

*Je suis pas un méchant.*

S'il était en quête d'absolution, je ne me sentais pas l'âme d'un prêtre.

La distinction entre thérapie et confession est ténue. Peut-être connaissait-il la différence. Peut-être avait-il seulement besoin de parler. Comme le juge qui l'avait enfermé.

Et d'ailleurs, que devenait Tom Laskin ? Et les autres ?

J'attendis en prenant soin de rester sous l'éclairage de la botte, à l'affût du jeune homme qu'était devenu Randolph Duchay.

C'était déjà un enfant costaud, il devait avoir une certaine corpulence. À moins que huit années de restauration collective et Dieu sait quels outrages n'aient freiné sa croissance.

Je repensai aux difficultés qu'il avait éprouvées à lire le mot « pizza ».

Des lettres en néon tricolore, d'environ cinquante centimètres de haut.

Cinq minutes s'écoulèrent. Dix, puis quinze.

Je fis le tour du pâté de maisons en surveillant mes arrières au seul motif qu'un meurtrier me suivait peut-être. Que me voulait-il ?

Je retournai chez Newark Pizza et entrouvris la porte, au cas où nous nous serions ratés. Mais non. Cette fois, les trois Noirs me dévisagèrent longuement et le cuisinier auquel je m'étais adressé fronça les sourcils.

Je ressortis et me postai à quelques mètres du restaurant. J'attendis cinq minutes.

Toujours rien.

Je regagnai ma voiture et rentrai chez moi.

Aucun message sur le répondeur. J'hésitai à contacter Milo pour qu'il se renseigne sur les circonstances précises de la libération de Rand. Quant à solliciter son avis de policier sur ce que Rand me voulait, et pourquoi il m'avait fait faux bond...

Au fil d'une carrière de vingt-cinq ans à enquêter sur des homicides, Milo a acquis la bosse du scénario catastrophe et je me doutais assez bien de sa réaction.

*Quand on est une ordure, Alex, on ne se refait pas. Qu'est-ce que tu veux aller te fourrer là-dedans ?*

Je me fis un sandwich au thon et un déca, branchai l'alarme et m'installai sur le divan du bureau, avec une pile de revues spécialisées. Quelque part dans les ténèbres, un coyote hurla – une plainte *a capella*, qui évoquait le charognard dépité autant que le prédateur triomphant.

Le Glen en est infesté. Ils font ripaille des déchets de luxe, dont sont remplies les poubelles du West Side, et certains sont gras et repus comme des animaux domestiques.

Quand j'avais mon bulldog, je n'osais pas le laisser seul dans le jardin. Maintenant qu'il vivait à Seattle, la vie était plus simple.

Je m'éclaircis la gorge. L'écho se propagea. Toutes sortes de bruits résonnaient à travers la maison.

La sonate du cri reprit, devint un duo, puis un chœur au grand complet.

Toute une meute, rassasiée de sang.

Les violences de la chaîne alimentaire. C'était dans l'ordre des choses et cette mélopée me rassurait.

Je lus jusqu'à deux heures du matin, m'assoupis sur le divan et trouvai la force de gagner mon lit vers trois heures. À sept heures j'étais debout, réveillé mais pas reposé. J'avais tout sauf envie de courir. J'enfilai ma tenue malgré tout et j'étais sur le point de sortir quand Allison m'appela de Greenwich.

– Bonjour, beau gosse.

– Salut, beauté.

– Je suis contente que tu sois là.

Elle semblait un peu chose. La solitude ? À moins que ce ne soit mon imagination.

– Comment se passe la vie chez Bonne-Maman ?

– Tu connais ma... commença-t-elle à dire avant de pouffer. Non, tu ne la connais pas. Ce matin, alors qu'il gelait, elle a tenu à ce qu'on fasse le tour de la propriété pour y chercher « des spécimens de feuilles rares ». À quatre-vingt-onze ans, elle avance dans la neige comme un trappeur ! Elle a fait des études de botanique à Smith et soutient qu'elle aurait poussé jusqu'au doctorat si elle n'avait « convolé en justes noces » à vingt ans.

– La récolte a été bonne ? lui demandai-je.

– Dans une congère d'un mètre cinquante que j'ai entiè-rement fouillée de mes mains, j'ai fini par dénicher un petit bout de machin marron et flétri qu'elle a jugé « intéressant ». J'avais les doigts complètement gelés, malgré les gants. Alors que Bonne-Maman ne se ganterait pour rien au monde, sauf quand elle déjeune en ville.

– Quelle génération ! C'est une grande propriété ?

– Six hectares, avec des arbres et toutes sortes de plantes rares qu'elle a ajoutées au fil des ans.

– Ça a l'air sympa.

– Le jardin est un peu laissé à l'abandon et la maison est beau-coup trop grande pour elle. Tu en es toujours à boucler tes expertises ?

– C'est fait.

– Tant mieux pour toi.

Avant son départ, j'avais proposé de la rejoindre une partie du séjour. « Si ça ne tenait qu'à moi, Alex, tu pourrais venir du début à la fin, mais Bonne-Maman est très possessive. C'est son petit rituel : partager un moment privilégié avec chacun d'entre nous. »

Âgée de trente-neuf ans, Allison était la plus jeune des petits-enfants.

— Je t'ai peut-être interrompu dans quelque chose.

— Pas du tout, dis-je sans grande conviction.

— Tu es satisfait du résultat des expertises ?

— On a fait pour le mieux.

— Et à part ça, chéri ?

J'hésitai à lui parler du coup de fil de Duchay.

— Rien de palpitant. À quelle heure arrive ton vol ?

— C'est justement pour ça que j'appelle. Bonne-Maman m'a demandé de rester quinze jours de plus. Jo ne peux pas lui refuser ça.

— Elle a quatre-vingt-onze ans.

— Ça empeste le camphre dans toutes les pièces et moi, j'ai l'impression d'en avoir cent vingt ! La vie en vase clos commence à me peser sérieusement, Alex. Elle se couche à huit heures.

— Tu n'as qu'à faire un bonhomme de neige.

— Tu me manques.

— Toi aussi, tu me manques.

— J'ai eu une idée. Bonne-Maman a une amie de Saint Louis qui arrive demain, ce qui va l'occuper pendant trois jours. À New York, les hôtels font des promotions après le Nouvel An, des rabais et proposent toutes sortes d'extras.

— Tu veux que j'arrive quand ?

— Vraiment ? dit-elle.

— Vraiment.

— C'est génial… t'es sûr ?

— Hé, moi aussi j'ai besoin de mes moments privilégiés.

— Alors là, tu ne peux pas savoir à quel point ça me remonte le moral. Tu penses pouvoir arriver demain ? Si je prends le train, je serai à l'hôtel à temps pour t'accueillir.

— Donne-moi le nom de l'hôtel.

— Avec mes parents, on descendait toujours au St. Regis. Il est idéalement situé, au coin de la 55ᵉ et de la Cinquième Avenue… et il y a un majordome à votre service à chaque étage !

— Assez classe, à condition que le bonhomme ne soit pas trop envahissant.

— Il suffit de s'enfermer à double tour et de ne jamais l'appeler.

— J'espère qu'on aura droit à des lits superposés.

— Et pourquoi pas chambre à part, tant que tu y es !

— J'apporterai ma lampe de poche et on jouera sous la couette.

— Alex, t'es vraiment adorable de faire ça au pied levé.

— Pas du tout. J'ai accepté par pur égoïsme.

— Et c'est justement ce qui m'enchante le plus.


Je réservai une place sur un vol qui décollait de LAX le lendemain matin à neuf heures, fouillai au fond de mon placard, retrouvai un vieux manteau en tweed gris que je ne mets jamais, ainsi qu'une écharpe et des gants, préparai mon sac de voyage et sortis courir.

À Beverly Glen, le temps était dégagé et il faisait vingt et un degrés. Vive l'hiver ! C'est nul d'habiter quelque part pour la météo, mais à être franc…

Je misais sur mon jogging pour trouver la sérénité à coups d'endomorphines. Mais mon cerveau ne voyait pas les choses de la même façon : je n'arrêtais pas de penser à Rand. Le corps toujours aussi tendu et lourd, je foulai la poussière en haletant. Dans ma tête, l'écran était scindé en deux : d'une part la surveillance de la chaussée pour éviter les voitures, de l'autre les pensées qui me ramenaient sans cesse au passé.

En rentrant, j'appelai Milo chez lui. Pas de réponse. Je composai ensuite le numéro de l'antenne de police du West Side et demandai à parler au lieutenant Sturgis. Je dus patienter un certain temps avant d'entendre sa voix. J'étais toujours essoufflé.

— Comme c'est gentil d'appeler alors que ce n'est même pas mon anniversaire !

— Ha, ha.

— Comment va ?

— Je prends l'avion demain pour rejoindre Allison à New York.

Il massacra quelques mesures de *Leaving on a Jet Plane* de John Denver.

— Quel hôtel ?

— Le St. Regis.

— Sympa. La dernière fois que le Département m'a envoyé à New York pour un séminaire sur la sécurité au lendemain du 11 septembre, j'ai eu droit à une chambre miteuse vers la 30ᵉ Rue. Tant que tu y es, si tu pouvais passer à la boutique NBA et me rapporter un maillot des Knicks[1].

— Pas de problème.

— Je plaisante, Alex. Les Knicks ? Non mais quoi encore !

— L'optimisme est une vertu, dis-je.

— Et le bon sens. Est-ce que je me trompe en supposant que tu ne m'appelais pas juste pour te vanter d'avoir une plus belle chambre d'hôtel que la mienne ?

— C'est toi qui as mis ça sur le tapis.

— Tu aurais pu mentir, toi qui joues toujours les types sensibles.

— Tu sais qu'au St. Regis chaque client a droit aux services d'un majordome ?

— J'en pleure sur mes dossiers. D'ailleurs, je ne suis pas bousculé en ce moment. Si j'en crois une note interne, la criminalité est en baisse.

— Félicitations !

— Je n'y suis pour rien. Ça doit être le cristal karmique, je ne sais quelles incantations, la lune à cheval sur le scorpion, ou les caprices du Grand Baal... T'as un souci ?

Je lui expliquai.

— Ce dossier ne t'avait pas enchanté, me dit-il.

— Ça n'a pas été une partie de plaisir.

— Duchay ne t'a pas du tout dit ce qu'il voulait ?

— Il avait l'air embêté.

---

1. Équipe de basket professionnelle de New York.

– Il y a de quoi ! Huit ans dans un centre de la CYA pour le meurtre d'une fillette !!

– En tant que flic, comment expliques-tu qu'il m'ait posé un lapin ?

– Il a changé d'avis, il n'a pas eu le cran, que veux-tu que j'en sache ? C'est ça la vermine, Alex. Lui c'était le débile, c'est bien ça ?

– Oui.

– Tu peux donc ajouter une faible capacité de concentration... je te laisse choisir une autre expression à la mode chez vous en ce moment... en plus du fait que c'est un petit délinquant qui tue pour le plaisir et qui vient de parfaire ses talents de criminel en passant huit ans au sein des gangs. Ça lui fait quel âge ?

– Vingt et un ans.

– Une vermine au paroxysme de sa surcharge en hormones criminogènes, maugréa-t-il. Je ne parierais pas sur un changement radical de personnalité. Et je ne lui répondrais pas au téléphone. Il doit être encore plus dangereux qu'il y a huit ans. Pourquoi t'en mêler ?

– Ça n'a pas l'air d'en prendre le chemin. En tout cas, je n'ai pas senti d'agressivité ou d'hostilité au téléphone. Plutôt...

– C'est ça, il avait l'air embêté. Il t'appelle de Westwood, ce qui n'est pas si loin de chez toi. À moitié analphabète, mais il s'est débrouillé pour trouver ton numéro.

– Il n'a aucune raison de m'en vouloir

Silence.

– Je me suis arrangé pour le voir ailleurs que chez moi, insistai-je.

– C'est un début.

– Je ne cherche pas à minimiser ce qu'il a fait, Milo. Lui-même a reconnu avoir frappé Kristal. Mais j'ai toujours eu le sentiment que Troy Turner avait joué le rôle moteur dans le meurtre, et que Rand s'était laissé embarquer.

– Si l'occasion se présente, il se laissera de nouveau embarquer.

– Sans doute.

— Hé, si tu as choisi de m'appeler plutôt qu'un psy, c'est bien que tu voulais entendre la dure vérité, pas de l'empathie et de la compréhension.

— Je ne sais pas pourquoi je t'ai appelé.

— Tu avais besoin des conseils pleins de sagesse d'un policier, conseils que je viens de te prodiguer. Et des penchants protecteurs de tonton Milo, ce dont je m'acquitterai au mieux tandis que tu batifoleras dans la Cinquième Avenue au bras de ta belle.

— Ce n'est pas la...

— Voici le plan, dit-il en m'interrompant. Bien que cela n'entre pas du tout dans mes fonctions, je passerai au moins une fois par jour devant chez toi, deux fois si possible, prendrai ton journal et ton courrier et m'assurerai que personne de louche ne traîne dans le voisinage.

— Batifoler ? répétai-je.

— Ne me dis pas que tu ne sais pas batifoler...

Il me rappela à treize heures.

— Tu comptais partir quand à New York ?

— Demain matin. Pourquoi ?

— On a retrouvé un cadavre hier soir à Bel Air. Balancé dans des buissons sur la rampe d'accès à la 405 en direction du nord. Jeune homme blanc, environ un mètre quatre-vingt-cinq et quatre-vingt-dix kilos. Une balle dans la tête. Pas de portefeuille, pas de pièce d'identité. Mais on a trouvé un bout de papier dans la petite poche avant de son jean. Sale et tout froissé, comme si on l'avait beaucoup manipulé. On a quand même pu lire ce qui était écrit dessus. Tu ne devineras jamais quoi... c'était ton numéro de téléphone.

# 12

Je retrouvai Milo dans son bureau, au premier étage du poste de police du West Side. Un ancien débarras dépourvu de fenêtres et de la taille d'une cellule, loin du brouhaha de la salle des inspecteurs. Il y a tout juste la place pour un bureau à deux tiroirs, un meuble à archives, deux chaises pliantes et un ordinateur sénile. Malgré l'interdiction de fumer dans les locaux, Milo s'autorise un panatella de temps à autre ; à la longue, les murs ont jauni et l'odeur pourrait laisser penser qu'une dizaine de vieillards y vivent.

Milo mesure un mètre quatre-vingt-huit pour cent dix kilos, quand il fait attention. Penché sur son tout petit bureau, on dirait un personnage de BD.

C'est un cadre indigne d'un lieutenant, mais Milo n'a rien d'un lieutenant ordinaire et prétend que ça lui va. Peut-être est-il sincère, sans compter qu'il dispose d'un bureau annexe − un restaurant indien à quelques rues de là et dont les patrons le traitent comme un roi.

Un moyen de pression inespéré lui avait permis de faire le saut d'inspecteur du troisième échelon à un poste de commandement : de sombres secrets découverts sur l'ancien chef de la police.

On lui avait accordé un salaire de lieutenant, sans les corvées administratives attachées à la fonction, et laissé la possibilité de mener des enquêtes. À condition d'opérer seul et de ne pas se faire remarquer.

Le chef de la police en question n'était plus en place, et son remplaçant avait l'intention de faire le ménage. Mais on ne s'était pas encore penché sur le cas de Milo. La nouvelle direction prétendant ne se fier qu'aux résultats, Milo s'attirerait peut-être les faveurs de la hiérarchie grâce à son taux d'élucidation élevé.

Pas sûr. Certes, les statuts n'interdisent plus aux homosexuels l'accès à la police, comme à ses débuts, mais il a fait son trou en des temps plus difficiles et ne fera jamais partie de la bande.


La porte ouverte, il était plongé dans la lecture d'un rapport d'enquête préliminaire. Un coup de ciseau n'aurait pas fait de mal à ses cheveux noirs en bataille, et ses favoris blancs broussailleux, qu'il appelait ses « rayures de putois », lui descendaient d'un bon centimètre sous le lobe de l'oreille.

Un blouson vert sapin était posé sur le dossier de sa chaise ; une flaque s'était formée en dessous. Sa chemisette blanche faisait grise mine et sa petite cravate jaune aurait pu passer pour une tache de moutarde. Un jean gris et des bottes beiges complétaient la tenue.

L'ampoule nue au plafond émettait une lueur vaguement rosée qui conférait une manière de bronzage artificiel à ses joues marquées de cicatrices d'acné.

Du pouce, il m'indiqua l'autre chaise. Je la dépliai et m'assis. Il me tendit le rapport et quelques clichés pris sur les lieux du crime.

Le document, impersonnel comme il se doit, avait été rédigé sur place par l'inspecteur S.J. Binchy. Sean, ancien bassiste d'un groupe ska qui avait retrouvé la foi, était un jeune homme conciliant, auquel Milo confiait des tâches ingrates de temps en temps.

Le garçon était gentil et ne faisait pas trop de fautes d'orthographe. Je n'appris pas grand-chose de nouveau, mis à part que le cadavre avait été retrouvé à quatre heures quinze du matin par des agents de la voirie.

La première photo montrait le corps de face et allongé sur le dos — mitraillé en plongée par le photographe du coroner. Visage blême dans la pénombre, et impossible de distinguer ses traits. En gros plan, je revis la bouche entrouverte et les yeux mi-clos qui m'étaient familiers. Le vide derrière les iris. La joue droite était légèrement convexe, mais on se serait attendu à pires mutilations avec la balle de petit calibre qui s'était baladée dans son crâne.

Deux vues latérales montraient la plaie d'entrée au niveau de l'oreille gauche, sombre, étoilée et cernée d'un halo de poudre noire, et celle de sortie, un peu plus haut sur la tempe droite, nettement plus large et irrégulière, dévoilant de l'os, des tissus rougeoyants et de la matière cervicale grumeleuse.

— La balle a traversé de part en part, fis-je remarquer.

— Le coroner estime que l'arme était plaquée contre la tempe, ou quasiment. Balle chemisée, calibre .38 maximum, pas de charge additionnelle.

Ton neutre. Pour garder ses distances.

La photo suivante était un gros plan.

— Et les éraflures sur la joue ?

— Il était allongé sur le ventre. On a sans doute traîné le cadavre avant de s'en débarrasser. Pas de blessure défensive ni de traces de tissus sous les ongles, aucun signe de résistance. Peu de sang sur place, ce qui veut dire qu'il a été abattu ailleurs.

— Il est baraqué, fis-je remarquer. S'il ne s'est pas débattu, c'est qu'on l'a pris en traître.

— Inutile de te demander si tu le reconnais, l'AFIS[1] vient de nous répondre. Les empreintes confirment qu'il s'agit bien de Duchay.

Je parcourus les clichés en essayant de faire abstraction de la mort et des blessures. Transformé par la puberté, le visage de Rand Duchay s'était allongé et durci. Ses cheveux étaient plus foncés que dans mon souvenir, mais cela tenait peut-être au flash. De son vivant, c'était un gamin pataud, aux traits bouffis. Cela n'avait pas changé, mais la mort confère toujours un air plus anguleux. L'aurais-je reconnu en le croisant dans la rue ?

— On a une idée de quand c'est arrivé ? demandai-je.

1. Fichier des empreintes digitales.

— Tu sais comment c'est : pour fixer une heure précise, on en est réduit à des conjectures. À vue de nez, ça s'est produit entre vingt et une heures et une heure du matin.

À vingt et une heures, ça faisait longtemps que j'étais rentré chez moi après le rendez-vous raté. Duchay avait peut-être décidé de ne pas venir. À moins que quelqu'un n'ait décidé pour lui.

— Vous l'avez retrouvé par hasard ? Tu avais lancé des recherches ?

Milo étendit ses longues jambes, autant que le permettait son cagibi.

— Après ton coup de fil, je me suis renseigné sur Duchay. J'ai appris qu'on l'avait libéré il y a trois jours. Avec quatre ans d'avance, pour bonne conduite.

Ses narines pincées indiquaient ce qu'il en pensait.

— Je sais, enchaîna-t-il. J'ai eu du mal, mais j'ai fini par apprendre à qui il a été confié. J'ai appelé, ça ne répondait pas, et l'idée d'un assassin de fillettes en liberté dans le West Side chiffonnait mon sens de l'ordre public. J'ai laissé un message à Sean, en lui demandant de vérifier les signalements de rôdeurs et tentatives de cambriolages des dernières soixante-douze heures. Après, j'ai fait un tour en voiture dans Westwood et quelques rues adjacentes. J'avais dans l'idée d'atterrir chez toi, dit-il en se passant la langue sur l'intérieur de la joue. Tu m'aurais fait un sandwich et je t'aurais souhaité bon voyage. Sauf que Sean m'a rappelé de la morgue, une histoire de cadavre non identifié retrouvé hier soir. En déshabillant la victime, l'assistante du coroner avait découvert quelque chose qui avait échappé aux flics. Un bout de papier au fond d'une poche. Sean était quasiment certain d'avoir reconnu ton numéro, mais voulait s'en assurer.

— Il a bonne mémoire, dis-je.

— Il fait des progrès.

— Tu vas l'épauler pour l'enquête ?

— Plutôt l'inverse.

Au moment où nous partions, Sean Binchy sortit de la salle des inspecteurs et nous fit signe. Roux, bourré de taches de rousseur et approchant de la trentaine, il est aussi grand que Milo mais avec quelques kilos en moins. Il affectionne les vestons à quatre boutons, les chemises bleu vif, les cravates sombres et les Doc Martens. De longues manches dissimulent ses anciens tatouages. Une coupe soignée a remplacé les dreadlocks de sa jeunesse.

– Salut, docteur Delaware, dit-il d'un ton enjoué. On dirait bien que vous êtes impliqué dans cette affaire.

– Le docteur Delaware doit prendre l'avion demain matin pour New York, l'informa Milo. Je ne vois aucune raison pour qu'il change ses plans.

– D'accord, pas de problème. Au fait, lieutenant… j'ai enfin eu les gens qui hébergeaient Duchay. Ils n'étaient pas du tout au courant qu'il s'était rendu en ville pour voir le D$^r$ Delaware. Soi-disant qu'il était parti chercher du boulot.

– Où ça ?

– Un chantier, répondit Binchy. Il y a des appartements en construction pas loin de chez eux et Duchay devait parler au chef de chantier.

– Un samedi ?

– Sans doute qu'ils bossaient.

– Tu ferais bien de vérifier, Sean.

– C'est prévu.

– Il est parti à quelle heure pour son soi-disant rendez-vous ? demanda Milo.

– Cinq heures.

– Le type sort faire un tour à cinq heures, ne rentre pas de la nuit et ça ne les inquiète pas plus que ça ?

– Si, dit Binchy. À sept heures du soir ils ont appelé le poste de Van Nuys pour signaler sa disparition, mais étant donné qu'il s'agissait d'un adulte et que peu de temps s'était écoulé, rien n'a été fait.

– Un assassin se retrouve dans la nature et personne ne réagit ?

— Je ne sais pas s'ils ont mis Van Nuys au courant.

— Vérifie ce qu'il en est, Sean.

— Bien, monsieur.

— Chez qui était-il hébergé ? m'enquis-je.

— Des gens qui accueillent des gosses en difficulté, répondit Binchy.

— Mais Duchay était majeur, s'étonna Milo.

— Alors disons des personnes en difficulté, lieutenant. Je crois qu'ils sont plus ou moins pasteurs.

— Les Daney ? dis-je.

— Vous les connaissez ?

— Ils sont intervenus dans l'affaire.

— Quand Duchay a tué la fillette, dit Binchy.

Aucune rancœur dans sa voix. Chaque fois que je le voyais, il était d'humeur égale : quelqu'un d'agréable et posé, sur qui ne pesait aucun doute. Faut-il se méfier de l'eau qui dort ? Cela dit, Dieu était peut-être le meilleur baume qui soit pour l'âme.

— Intervenus à quel titre ? me demanda Milo.

— En tant que conseillers spirituels. Ils étaient étudiants en théologie.

— On a tous besoin de spiritualité, dit Binchy.

— On ne dirait pas que Duchay en ait tiré grand profit, maugréa Milo.

— Pour ce qui est de ce monde, déclara Binchy avec un léger sourire.

— Ils ont été assassinés tous les deux, dis-je.

— Qui ça, Doc ?

— Rand et Troy Turner.

— Je n'étais pas au courant pour Turner, dit Milo. C'est arrivé quand ?

— Un mois après son placement.

— Ce qui fait un délai de huit ans entre les deux meurtres. Que lui est-il arrivé ?

Je leur fis part de l'agression de Turner sur un Vato Loco, de la découverte du cadavre pendu dans la remise et de l'hypothèse d'une vengeance entre gangs.

— Je ne sais pas si l'affaire a jamais été élucidée.

– À peine un mois de détention et le gamin se prend déjà pour un caïd, dit Milo. Incapable de maîtriser ses pulsions... ouais, ça m'a tout l'air d'un règlement de comptes en prison. Il se trouvait dans le même centre que Duchay ?

– Non.

– Ça valait mieux pour Duchay. En tant que pote de Turner, il aurait été le suivant sur la liste.

– Malgré tout, Duchay n'est pas sorti indemne de prison. Le coroner a repéré des cicatrices de coups de couteau sur le cadavre.

– Il a tout de même survécu jusqu'à hier soir, dit Milo. Un type costaud et baraqué, capable de se défendre.

– Ou qui savait comment s'y prendre pour éviter d'avoir des ennuis, suggérai-je. Après tout, on l'a libéré pour bonne conduite.

– Ça veut simplement dire qu'il n'a violé ou suriné personne sous les yeux d'un gardien.

Long silence.

– Je vais me renseigner sur ce que ces gens ont dit précisément à Van Nuys, lieutenant, finit par dire Binchy. Bon voyage à New York, docteur.

Après son départ, Milo fourra des papiers dans son attaché-case. Nous descendîmes au rez-de-chaussée et sortîmes par l'arrière du poste. Il m'accompagna jusqu'à ma Seville, garée deux rues plus loin.

– Les types du genre Turner et Duchay, me dit-il, ça attire les coups tordus.

– C'est quand même un comble, dis-je.

– Quoi donc ?

– Rand survit huit ans dans un centre de la CYA, est libéré, et trois jours plus tard on le retrouve mort.

– Ça te fait quelque chose ?

– Pas toi ?

– Moi, je compatis quand ça me chante.

J'ouvris la portière.

– Pourquoi ça t'affecte à ce point, Alex ?

– Voilà un gamin idiot et influençable, qui perd ses parents très tôt, subit sans doute des lésions cérébrales dans sa petite enfance, est élevé par une grand-mère qui le méprise et dont le système scolaire se fiche éperdument.

— Et qui tue une gamine de deux ans. C'est là où ma compassion change de camp.

— Je peux comprendre, dis-je.

Il me posa la main sur l'épaule.

— Ne te laisse pas miner par ces histoires. Amuse-toi bien dans la *manzana grande*[1].

— Je ferais peut-être mieux de rester.

— Pourquoi ?

— Et si j'étais impliqué dans cette histoire ?

— Mais non, voyons ! Bon vent.

Sur le chemin du retour, je ne pus m'empêcher de penser aux derniers instants de Rand Duchay. Il a reçu la balle dans la tempe, il était peut-être en train de regarder droit devant lui, sans se rendre compte de ce qui l'attendait. Ce qui lui a peut-être épargné un ultime déferlement de terreur et de douleur.

Je l'imaginai étendu sur le ventre dans un lieu lugubre et froid, sans que cela lui fasse désormais quoi que ce soit. Des images vues à la télé huit ans auparavant défilaient dans ma tête. Barnett et Lara Malley à leur sortie du tribunal. La mère en pleurs, le père bouillant de rage, lèvres serrées. À deux doigts de frapper le cameraman sous le coup de la colère.

Exigeant la peine de mort.

Et voilà que les deux assassins de sa fille étaient morts. Cela lui procurait-il un quelconque réconfort ?

Avait-il joué un rôle dans leur décès ?

Non, c'était une vision triviale des choses et ça n'avait aucun sens. La vengeance a beau être un plat qui se mange froid, avec un délai de huit ans ça devenait carrément polaire. Milo avait raison. Les éclopés de la vie comme Turner et Duchay ont effectivement le don d'attirer la violence. D'une certaine façon, ce

1. « Grosse pomme », surnom de New York, en espagnol.

qui leur était arrivé n'était que la fin prévisible de deux existences gâchées.

Non, trois.

Je vérifiai mon sac de voyage, rajoutai la brosse à dents que j'avais oubliée et mis un peu d'ordre dans la maison. Je consultai ensuite la météo sur Internet et appris que j'arriverais à New York en pleine tempête de neige. Minimale de moins neuf degrés, maximale de moins deux. J'imaginai le ciel cotonneux et les trottoirs blancs, les lumières de Manhattan scintillant sur les vitres de la suite douillette où Allison et moi allions nous terrer, avec les services d'un majordome.

Pourquoi donc Rand m'avait-il appelé ?

Le téléphone sonna.

— Dieu merci ! s'exclama Allison. Je t'ai eu à temps. Tu ne vas pas me croire...

Voix fébrile. Je pensai tout de suite que quelque chose était arrivé à sa grand-mère.

— Qu'est-ce qui se passe ?

— L'amie de Bonne-Maman, celle qui devait venir de Saint Louis... Eh bien... elle a fait une attaque ce matin. On vient juste de nous prévenir. Bonne-Maman est sous le choc. Je suis vraiment désolée, Alex, mais je ne peux pas la laisser toute seule.

— Évidemment.

— Elle va s'en remettre, j'en suis sûre. Elle est capable de tout surmonter. Tu vas pouvoir te faire rembourser ton billet ? J'ai déjà appelé l'hôtel pour annuler. Je suis vraiment désolée.

— Ne t'en fais pas, dis-je avec un calme apparent.

Je ne jouais pas la comédie. J'étais même soulagé de ne pas partir. Ce qui en disait sans doute long sur mon compte.

— Malgré la situation, je vais essayer de ne pas prolonger de quinze jours, Alex. Je reste une semaine de plus et j'appelle mon cousin Wesley pour lui demander de me remplacer. Il enseigne la chimie à Barnard, mais comme il passe une année sabbatique à Boston, il est assez libre de son temps. Il peut bien faire ça, hein ?

— Tout à fait.

Elle reprit son souffle.

– Tu n'es pas trop déçu ?

– J'ai très envie de te voir, mais ce sont des choses qui arrivent.

– Oui… De toute façon, ici on se gèle.

– Il fait entre moins neuf et moins deux à New York.

– Tu t'es renseigné, dit-elle. Tu te faisais une joie de partir. Snif.

– Snif, snif.

– La suite avait une cheminée. Quelle guigne !

– À ton retour on fera un feu dans la mienne.

– Avec vingt-deux degrés dehors ?

– J'achèterai de la glace qu'on répandra un peu partout.

– J'imagine le tableau ! dit-elle en s'esclaffant. Je rentre au plus vite. Dans une semaine au plus tard. Zut, Bonne-Maman m'appelle… Qu'est-ce qu'elle me veut encore ?… Que je refasse du thé. Désolée, Alex. Je t'appelle demain.

– Très bien.

– T'es sûr que ça va ?

– Oui. Pourquoi ?

– T'as l'air un peu chose.

– Je suis seulement déçu, dis-je en mentant. Mais ça ira.

– Rien de tel qu'un peu d'optimisme. Comment fais-tu, avec toutes les horreurs que tu vois ?

Allison est devenue veuve avant d'avoir trente ans. Elle est d'un tempérament nettement plus jovial que moi. Mais je sais mieux jouer la comédie.

– Ça facilite la vie.

– Je ne te le fais pas dire.

# 13

Le lundi soir j'appelai Milo chez lui sur le coup de vingt-deux heures. Il avait la voix chargée de scotch et de fatigue.

– Il doit être une heure du mat' chez vous à New York, mec.

– Je suis toujours à l'heure du Pacifique.

– Comment ça ?

– Allison doit s'occuper de sa grand-mère.

Je le mis au courant.

– Dommage pour toi. T'appelles pour quoi ?

– Je venais juste aux nouvelles.

– Pour Duchay ? Il s'avère que le chantier est bien ouvert le week-end, pour le ménage, mais le chef de chantier n'a jamais vu Duchay. Soit c'était du pipeau, soit Duchay s'est gouré. À part ça, que dalle. J'avais une hypothèse de travail : Duchay retrouve un de ses potes de la CYA, un voyou avec qui il prépare un sale coup. Ils ont un différend et le copain le bute.

– Qu'est-ce qui te fait dire qu'il mijotait quelque chose ?

– Parce que huit ans d'incarcération, ça vaut un doctorat en délinquance. Et j'ai pensé à un pote parce que Duchay a un passé de criminalité avec complice.

– Tu le catalogues sur la base d'un seul crime ?

– Ce n'était pas n'importe quel meurtre. Et il faut que tu envisages autre chose, Alex : ça te concernait peut-être. En tant que cible.

– Tu parles d'une hypothèse !

– Essaie de prendre un peu de recul et de voir les choses de façon objective. Un type qui a été condamné pour un assassinat odieux et gratuit t'appelle un beau jour, soi-disant pour te parler de son crime, sauf qu'il ne veut pas t'en dire plus. Tu crois vraiment qu'il aurait attendu huit ans si c'était une histoire de confession et d'absolution ? Il aurait pu t'écrire. Et pourquoi te contacter, toi ? Il avait ses conseillers spirituels, ces bonnes âmes qui ne demandent pas mieux que de lui accorder leur pardon. Ça sent le coup fourré, Alex. Duchay voulait t'attirer dans un traquenard.

— Pourquoi m'en aurait-il voulu ?

— Parce que tu fais partie du système qui l'a enfermé huit ans. Et ses cicatrices montrent que ça n'a pas été une partie de plaisir. Neuf coups de couteau, Alex. Trois vraiment profonds. Le foie et un rein ont été touchés.

Margaret Sieff, la « mamie » de Rand, était persuadée de mon parti pris.

*L'avocat de Randolph dit que vous êtes pas forcément de notre côté.*

Elle avait peut-être transmis cette conviction à Rand. Ou Lauritz Montez. Qui me considérait comme un pion de l'accusation et avait soutenu la requête de Sydney Weider visant à m'interdire de voir les garçons.

— Faut-il déduire de ton silence que je dis des choses sensées ? me demanda Milo.

— Rien n'est exclu, admis-je. Mais je n'ai pas senti la moindre hostilité au téléphone.

— Je sais, il avait l'air embêté.

— Quand je l'ai évalué, Milo, il n'était pas du tout hostile. Très docile et coopératif. Contrairement à Troy, il n'a pas cherché à me manipuler.

— Il a mariné là-bas pendant huit ans, Alex. Et n'oublie pas une chose : il a eu beau coopérer, on l'a quand même collé en enfer. Tu sais ce qu'est devenue la CYA ? Ce n'est plus réservé aux cancres et aux chenapans. L'année dernière, ils ont eu six meurtres.

— Des marques sur le foie, dis-je.

— Et malgré ça, beaucoup de gens trouveraient que Duchay s'en est tiré à bon compte. Mais va expliquer ça au type qui s'est pris les coups ! Moi, je dirais qu'on avait là un ex-criminel de vingt et un ans très aigri. Et qui avait peut-être décidé de rendre la monnaie de leur pièce à quelques personnes, et tu figurais en première position sur la liste.

— Qu'est-ce qui te fait douter qu'il ait retrouvé un pote de prison ?

— Je ne te suis pas...

— Tu as dit « j'avais » une hypothèse de travail.

— Je vois que mes propos sont l'objet d'une analyse grammaticale détaillée ! dit-il, amusé. Non, je n'ai pas écarté cette idée. Mais pour l'instant je n'ai aucune piste pour le pote en question. J'ai parlé à quelqu'un de la CYA qui m'a dit qu'il n'appartenait à aucun gang et qu'il était « isolé du groupe ».

— Son dossier fait-il état de problèmes disciplinaires ?

— Un garçon calme et obéissant.

— Bonne conduite.

— Ouais, ouais.

— Bon. Et maintenant ?

— Je vais parler aux gens qui le connaissaient, essayer de savoir où il s'est rendu ce jour-là. Sean s'est tapé trois pâtés de maisons sur Westwood, au nord de Pico. Il est entré dans toutes les boutiques, au cas où on aurait vu Duchay traîner dans les parages. Nada. Pareil au Westside Pavilion. Il est peut-être entré dans le centre commercial, mais personne ne l'a remarqué. Demain matin, je passe voir le révérend et M<sup>me</sup> Daney.

— Révérend et révérend, dis-je. Ils étaient tous les deux étudiants en théologie.

— Si tu le dis. J'ai eu la dame au téléphone. Cherish, tu parles d'un prénom[1] ! Elle avait l'air assez secouée. Tant de bonne volonté réduite à néant.

— Dis-moi, mon grand, pourquoi tu t'occupes de cette enquête ?

— Pourquoi pas ?

— La victime ne t'est pas très sympathique.

— Ce n'est pas le problème, dit-il. Et je suis profondément blessé que tu puisses insinuer le contraire.

---

1. Cherish signifie « chérir ».

– Ouais, c'est ça. Sérieusement, tu es libre de choisir ce qui te plaît. Pourquoi cette affaire-là ?

– Je mène cette enquête pour m'assurer que tu ne cours aucun danger.

– Je t'en suis reconnaissant, mais...

– Tu peux te contenter de me dire merci.

– Merci.

– De rien. Essaie de profiter du soleil jusqu'au retour du D$^r$ Gwynn.

– Tu as rendez-vous avec les Daney à quelle heure ?

– Ce n'est pas ton problème. Fais la grasse matinée.

– Tu préfères qu'on prenne ma voiture ?

– Alex, ces gens ont soutenu les gamins. Ils ont peut-être une dent contre toi.

– Mon rapport n'a eu aucune incidence sur la décision de les juger en tant que mineurs. D'ailleurs, c'était justement la solution préconisée par leurs avocats. On n'a aucune raison de s'en prendre à moi.

– Comme on n'avait aucune raison de tabasser et d'étrangler une gamine de deux ans.

– Alors, on dit quelle heure ?

– J'ai rendez-vous à onze heures.

– On prend ma voiture.


Je passai le prendre au poste à dix heures et demie et gagnai la Valley par le col de Sepulveda. Il ne fit aucun commentaire quand nous traversâmes Sunset Boulevard, à l'endroit où l'on avait retrouvé le cadavre de Duchay.

– Je me demande comment il s'est rendu en ville, dis-je.

– Sean explore la piste des bus. Sans doute une perte de temps. Comme la majeure partie de notre boulot.


Drew et Cherish Daney prodiguaient leur soutien spirituel dans Galton Street, au cœur d'un quartier ouvrier de Van Nuys, à quelques rues de la 405. Le ciel avait une teinte de pulpe de papier journal. Le bruit de la circulation vous agressait sans relâche.

La propriété d'environ six cents mètres carrés était délimitée par une clôture à rainures en séquoia. Trouvant le portail ouvert, nous entrâmes. Un pavillon carré, couleur bleu pâle, occupait le devant du terrain. À l'arrière se dressaient deux dépendances : un garage aménagé, peint du même bleu, et un peu plus loin un cube de béton nu. L'espace libre était en grande partie goudronné, mis à part quelques plates-bandes de fleurs accoutumées au vent, bordées de pierres de lave.

Installée dans une chaise longue à gauche de la maison, Cherish Daney lisait au soleil. En nous apercevant, elle ferma son livre et se leva. Quand je fus assez près je pus déchiffrer le titre : *Leçons de vie : apprendre à faire son deuil.* Un mouchoir en papier était glissé entre les pages.

Ses cheveux blond cendré étaient toujours aussi longs, mais elle avait troqué la permanente et les anglaises d'il y a huit ans pour une simple frange. Elle portait un chemisier blanc sans manches, un pantalon bleu, des chaussures grises et le même crucifix sur une chaîne en argent que j'avais remarqué dans le parking de la prison. Contrairement à la plupart des gens, qui prennent du poids avec l'âge, elle avait maigri, ce qui lui donnait un air dur et sec. Elle n'était pas si vieille que ça – je lui donnais dans les trente-cinq ans – mais son visage accusait le coup, faute de graisse pour combler les rides.

Le teint toujours aussi hâlé, le même joli minois. Le dos voûté, comme si sa colonne vertébrale avait ployé sous quelque poids insoutenable.

Elle sourit sans desserrer les lèvres, les yeux cernés de rouge. Elle ne semblait pas m'avoir reconnu.

Quand Milo lui tendit sa carte, elle y jeta un coup d'œil et hocha la tête.

– Je vous remercie de nous recevoir, révérend.

– C'est normal.

Nous nous retournâmes tous les trois en entendant claquer une porte à moustiquaire. Une fille de quinze ou seize ans se tenait sur les marches du perron, un manuel scolaire à la main.

– Qu'est-ce qu'il y a, Valerie ? lui demanda Cherish Daney.

L'adolescente la fixa d'un air agressif.

– Alors, Val ?

– J'ai un problème avec les maths.

– Viens, je vais t'expliquer.

Valerie marqua une hésitation avant de s'approcher. Ses longs cheveux blonds ondulés lui tombaient sous la taille. Potelée. Visage rond hâlé, manières embarrassées.

Une fois devant Cherish Daney, elle n'arrêta pas de nous observer tout en essayant de s'en cacher.

– Ces messieurs sont de la police, Val. Ils sont là pour Rand.

– Oh...

– On est tous très tristes pour Rand, n'est-ce pas, Val ?

– Hmm.

– Bien, dit Cherish. Montre-moi ce que tu ne comprends pas.

La jeune fille ouvrit son manuel. Arithmétique niveau sixième.

– Cette opération. J'ai tout fait comme il faut, mais j'arrive pas au bon résultat.

– Voyons ça, dit Cherish en lui effleurant le bras.

– Je suis sûre que je l'ai bien faite.

Valerie se balançait en serrant les poings. Elle nous regarda, Milo et moi.

– Concentre-toi, Val, lui dit Cherish en lui touchant la joue pour qu'elle tourne la tête.

L'adolescente la repoussa, mais se concentra sur l'exercice.

Sans se soucier de nous, Cherish tenta de lui expliquer les mystères des fractions d'une voix lente et clairement articulée, avec patience mais sans tomber dans la condescendance.

Et sans s'énerver quand Valerie se déconcentrait. Ce qui était fréquent.

L'adolescente tapotait du pied, pianotait des doigts sur diverses parties de son corps, se tortillait, s'étirait le cou et soupirait beaucoup. Le regard papillonnant, elle nous lançait des coups d'œil, levait les yeux au ciel ou les baissait. Fixait tour à tour le manuel, la maison, un écureuil qui détalait sur la barrière en séquoia.

Déformation professionnelle, je ne pus m'empêcher de formuler un diagnostic.

Imperturbable, Cherish parvint enfin à ce qu'elle se concentre sur une seule chose à la fois et réussisse une opération.

– Voilà ! C'est super, Val ! On va en faire une autre.

– Non, c'est bon. J'ai compris.

– Je pense que ce serait mieux d'en faire une autre.

L'adolescente secoua énergiquement la tête.

– Tu es sûre ?

Sans lui répondre, Valerie regagna la maison en courant. Laissa échapper son livre, poussa un cri d'énervement, se baissa pour le ramasser, ouvrit violemment la porte à moustiquaire et disparut à l'intérieur.

– Désolée pour cette interruption, s'excusa Cherish. C'est une enfant merveilleuse, mais qui a besoin d'être encadrée.

– T.A.[1] ? dis-je.

– Ça se voit tant que ça ? dit-elle, étonnée.

Ses yeux bleus s'écarquillèrent et me fixèrent.

– Mais... je vous connais. Vous êtes le psychologue qui a vu Rand.

– Alex Delaware, dis-je en lui tendant la main.

Elle la serra chaleureusement.

– On s'est croisés dans le parking de la prison.

– Tout à fait, révérend.

– Nos chemins se croisent toujours dans de funestes circonstances.

– Ce sont les risques du métier, dis-je. Le vôtre autant que le mien.

– Sans doute... En fait, je ne suis pas pasteur. Juste enseignante.

– Juste enseignante ? répétai-je en souriant.

– C'est pratique. Pour faire l'école à domicile. Tous nos enfants sont scolarisés à la maison.

– Des enfants placés ? s'enquit Milo.

– C'est ça.

---

1. Troubles de l'apprentissage.

— Ils passent combien de temps chez vous ? demandai-je.

— Il n'y a pas de règle. Au départ, Val devait rester deux mois, le temps que sa mère soit évaluée pour une cure de désintoxication. Mais elle est décédée d'une overdose et toute la famille de Val vit en Arizona. Elle les connaît à peine... sa mère est partie de chez elle très jeune. En plus, ils n'ont pas trop envie de s'en charger. Ça fait donc presque un an qu'elle est chez nous.

— Vous hébergez combien d'enfants ?

— C'est variable. Mon mari est parti faire les courses chez Value Club. Nous sommes obligés d'acheter en gros.

— Qu'est-ce qui était prévu pour Rand ? demanda Milo.

— C'est-à-dire ?

— Avec l'administration.

Elle fit non de la tête.

— Ça n'avait rien d'officiel, inspecteur. Nous savions que Rand devait sortir et qu'il n'avait nulle part où aller, alors nous lui avons proposé de venir à la maison.

— Le comté ne s'y est pas opposé ? demanda Milo, surpris. Avec les enfants ?

— La question ne s'est jamais posée, répondit-elle en se crispant. J'espère que vous n'allez pas nous attirer des ennuis. Ce serait injuste pour les enfants.

— Non, madame. C'est juste une question qui m'a traversé l'esprit.

— Il n'y avait vraiment aucun danger. Rand était quelqu'un de bon.

Lui aussi m'avait soutenu la même chose. Milo et moi restâmes cois.

— Je ne vous demande pas de me croire, reprit-elle, mais ces huit années l'ont transformé.

— En quoi ?

— C'était devenu quelqu'un de bon, lieutenant. De toute manière, il ne comptait pas rester longtemps chez nous. Juste le temps de trouver du travail et un logement. Mon mari a contacté des associations en se disant que Rand pourrait travailler dans une boutique de charité ou comme jardinier. Mais

Rand a pris les devants et c'est lui qui a eu l'idée de faire des chantiers. C'est justement là qu'il s'est rendu samedi.

– Et vous ne sauriez pas ce qu'il est allé faire à Bel Air ?

Elle fit non de la tête.

– Il n'avait rien à faire là-bas. Je ne vois qu'une seule explication : il s'est perdu et quelqu'un lui a proposé de le déposer quelque part. Rand faisait facilement confiance aux gens.

– Il n'a pas essayé de vous joindre ?

– Il n'avait pas de portable, répondit-elle. Il m'appelait toujours d'une cabine.

– Le chantier est près d'ici ? demanda Milo.

– À quelques pâtés de maisons dans Vanowen.

– Ça ne fait pas très loin, pour se perdre.

– Lieutenant, Rand a passé toute son adolescence en prison. À sa sortie, il était complètement désorienté. Il vivait dans un état de confusion mentale et de bourdonnement perpétuel.

– William James, dis-je.

– Je vous demande pardon ?

– Un des pionniers de la psychologie. Il décrit l'enfance comme une période de confusion foisonnante et bourdonnante.

– J'ai dû lire ça, dit Cherish. J'ai fait de la psycho quand j'étais en théologie.

– Vous étiez donc en relation avec Rand pendant son incarcération, dit Milo.

– En effet. Nous avons pris contact avec lui juste après la mort de Troy.

– Pourquoi à ce moment-là ?

– Au départ, on s'occupait surtout de Troy parce qu'on le connaissait avant ses ennuis.

– Ses ennuis ? Vous voulez parler du meurtre de Kristal Malley ?

Elle détourna le regard et se voûta un peu plus.

– Comment aviez-vous fait la connaissance de Troy, madame Daney ? lui demanda Milo.

– Pendant nos études, mon mari et moi nous sommes intéressés à notre quartier dans le cadre d'un séminaire sur le bénévolat. Nous connaissions la Cité 415 de réputation parce que notre appartement n'en était pas très loin. Notre directeur d'études nous a encouragés à y trouver des enfants en difficulté. Nous avons pris contact avec les services sociaux, qui nous ont soumis plusieurs candidats. Dont Troy.

— Mais pas Rand ? dis-je.

— Rand n'a jamais figuré sur aucune liste.

— Les listes de voyous ? dit Milo.

Elle opina du chef.

— Nous avons rencontré Troy à plusieurs reprises et avons essayé de lui faire faire du sport ou une activité, de l'amener à l'église, mais ça n'a jamais vraiment accroché. Et puis, après... il a dû parler de nous à son avocate, parce qu'elle nous a contactés en nous expliquant qu'il avait besoin d'un soutien spirituel.

La Bible dans la cellule. Les belles paroles sur le péché.

— Et pourquoi ça n'a pas accroché au début ? lui demanda Milo.

— Vous savez ce que c'est, les enfants n'ont pas toujours envie de discuter.

Elle m'interrogea du regard pour que je confirme. Avant que je puisse dire quoi que ce soit, Milo revint à la charge.

— Troy a donc fait de gros progrès en communication après son arrestation ?

Elle soupira.

— Vous nous prenez pour des naïfs. Ne croyez pas que mon mari et moi sous-estimions l'énormité de ce que Troy avait fait. Mais nous étions conscients que lui aussi était une victime. Vous avez rencontré sa mère, docteur.

— Qu'est-elle devenue ? demandai-je.

— Elle est morte, dit-elle sèchement. Quand il a fallu enterrer Troy, le coroner de Chino nous a contactés. Il n'arrivait pas à joindre Jane, et nous étions les seules autres personnes à lui avoir rendu visite. On a appelé M<sup>e</sup> Weider, mais elle ne travaillait plus pour l'aide judiciaire. Le cadavre de Troy est resté à la morgue jusqu'à ce que notre doyen fasse don d'une parcelle à San Bernardino, où sont enterrés certains professeurs. Nous nous sommes chargés de l'office.

Elle toucha sa croix. Soudain, des larmes ruisselèrent sur son visage. Elle ne chercha pas à les sécher.

– Ce jour-là… Mon mari, moi-même et le D<sup>r</sup> Wascomb, notre doyen… par cette belle journée ensoleillée, nous avons regardé les employés du cimetière descendre ce petit cercueil de rien du tout dans sa tombe. Un mois plus tard, l'inspecteur Kramer nous a appelés. On avait retrouvé Jane sous une rampe d'autoroute, dans un campement de SDF, emmitouflée dans un sac de couchage et sous une bâche. Comme elle dormait toujours comme ça, les autres sans-abri ne se sont pas inquiétés avant midi. Quelqu'un l'avait poignardée pendant la nuit, puis recouverte.

Elle en frémit et prit le mouchoir qui lui servait de marque-page pour s'essuyer le visage.

– C'est arrivé combien de temps après la mort de Troy? demanda Milo.

– Six semaines, peut-être deux mois… qu'est-ce que ça peut faire? Ce que je cherche à vous expliquer, c'est que ces garçons étaient livrés à eux-mêmes. Et maintenant, Rand.

– Vous voyez quelqu'un qui aurait pu lui en vouloir?

Elle fit non de la tête.

– Quel était son état d'esprit?

– Il était désorienté, comme je vous l'ai dit. Hébété de se retrouver libre.

– Pas plus content que ça d'être sorti?

– Franchement? Pas vraiment.

– Avait-il d'autres plans, mis à part chercher du boulot?

– On y allait doucement. Pour l'aider à trouver ses marques.

– On pourrait voir sa chambre?

– Bien sûr. Je vous préviens, c'est assez sommaire.


Nous la suivîmes à travers un petit salon bien rangé. Une kitchenette mal éclairée avec un coin repas, puis un long couloir étroit. Une chambre, à peine assez grande pour le mobilier qui s'y trouvait. Une seule salle de bains pour toute la maison.

Le couloir aboutissait à un réduit d'à peine trois mètres carrés, dépourvu de fenêtres.

— Voilà, dit Cherish Daney.

Lambris bon marché aux murs, tuyaux condamnés qui sortaient du sol en lino.

— C'était la buanderie ? dit Milo.

— Oui. On a mis la machine et le sèche-linge dehors.

Au mur une scène de la Bible dans un cadre – un Salomon d'allure nordique et deux Walkyries prétendant chacune être la mère d'un poupon blond et joufflu. En dessous, un lit pliant. Lampe en plastique blanc posée sur une table de chevet de bois brut. Milo inspecta les tiroirs. Une Bible bien cornée dans celui du haut, rien dans celui du bas.

Un casier métallique cabossé tenait lieu d'armoire. Deux tee-shirts blancs, deux blouses bleues, un jean.

— Nous n'avons même pas eu le temps de lui acheter des vêtements, expliqua Cherish Daney.

Nous retournâmes à l'avant de la maison.

— Voilà mon mari qui rentre, dit-elle en jetant un coup d'œil par la fenêtre. Il faut que j'aille l'aider.

# 14

Drew Daney franchit le portail, deux gros sacs de courses dans chaque bras. Un énorme filet d'oranges pendait à son pouce droit.

Cherish le débarrassa des fruits et voulut lui prendre un sac.

– C'est bon, lui dit-il sans lâcher prise.

Le regard sombre, il nous aperçut par-dessus les commissions. Se figea et posa tout par terre.

– Docteur Delaware...

– Vous vous souvenez de moi.

– Ce n'est pas un nom courant, dit-il en s'approchant.

Sa carrure de lutteur avait pris cinq ou six kilos, surtout de la graisse, et des tempes grisonnantes marquaient sa belle tignasse ondulée. Il portait désormais la barbe, un collier argenté aux poils très courts. Polo blanc immaculé, impeccablement repassé. Pareil pour le jean. Mêmes coloris que sa femme.

– Et votre nom m'est aussi resté en tête parce que j'ai lu votre rapport au juge.

Cherish lui décocha un regard et rentra dans la maison.

– Comment l'avez-vous obtenu ?

– Sydney Weider voulait mon avis, en tant que conseiller de Troy. Je lui ai dit qu'il s'agissait d'un document très scrupuleux. Vous n'aviez pas l'intention de vous mouiller, ni d'affirmer quoi que ce soit de douteux sur le plan scientifique. Manifestement, vous n'aviez aucune indulgence pour ces gamins.

– De l'indulgence pour des gamins qui avaient commis un meurtre ? dit Milo.

– À l'époque, on espérait un miracle.

– Qui ça, « on » ?

– Les deux familles, Sydney, mon épouse et moi-même. Ça ne nous semblait pas être une solution d'enfermer ces garçons pour toujours.

– En fait, révérend, leur peine s'est limitée à huit ans, lui fit remarquer Milo.

– Inspecteur... comment vous appelez-vous ?

– Sturgis.

– Inspecteur Sturgis, dans la vie d'un enfant, huit ans sont une éternité.

Il se passa la main dans les cheveux.

– Et pour Troy, reprit-il, l'éternité a duré un mois. Et maintenant Rand... c'est incroyable.

– Connaissez-vous des gens qui auraient pu lui en vouloir, monsieur ?

Daney pinça les lèvres et effleura un des sacs de courses du bout du pied.

– Je préfère ne pas en parler devant ma femme, dit-il en baissant la voix, mais il est sans doute préférable que je vous mette au courant.

– Sans doute ?

Il jeta un coup d'œil vers la porte d'entrée.

– On pourrait se retrouver ailleurs... plus tard ?

– Le plus tôt sera le mieux, monsieur.

– Oui, bien sûr, je comprends. Écoutez, j'ai rendez-vous à deux heures à la Maison des jeunes de Sylmar... je peux partir en avance et vous retrouver d'ici une dizaine de minutes.

– Très bien, acquiesça Milo. Où ça ?

– Si on allait au Dipsy Donut ? C'est à quelques rues de Vanowen, en allant vers l'ouest.

– On vous y attend, révérend.

– Tous les deux ? demanda-t-il, étonné.

– Le docteur Delaware est notre consultant pour cette enquête, dit Milo.

– Ah oui ? Ça se comprend.

– Je te l'avais bien dit, me fit remarquer Milo dans la voiture. Tu fais toujours partie de l'équipe adverse.

– Et toi ?

– Je suis le fin limier à qui revient l'honneur d'élucider le meurtre de Duchay.

– Tu préfères que j'attende dans la voiture pendant que vous sympathisez ?

– C'est ça ! Je me demande ce que le révérend cache à sa femme.

– On dirait qu'il craint de lui faire peur.

– Les trucs qui font peur, c'est toujours intéressant.

Situé sur une aire goudronnée, le Dipsy Donut consistait en une cahute blanche surmontée d'un beignet de deux mètres aux traits humains et en partie dévoré. Le plâtre marron, écaillé par endroits, ressemblait vaguement à du chocolat. Avec ses yeux écarquillés de bonheur, le gâteau géant nous faisait savoir qu'il ne demandait pas mieux que d'être croqué. Les trois tables avec banc en alu disposées sur l'asphalte ne payaient pas de mine. L'enseigne avait perdu deux lettres.

### DI SY DON T

– Tant pis ! plaisanta Milo[1].

Il y avait foule. Inhalant le gras et le sucre, nous fîmes la queue tandis que trois jeunes débordés servaient les énormes beignets à une clientèle qui en avait l'eau à la bouche. Milo en acheta un assortiment d'une douzaine et eut le temps d'en engloutir un au chocolat et un à la confiture avant de regagner la voiture.

– Hé, dit-il en se justifiant, ça fait partie de la description de poste. Et mâcher fait travailler les mandibules.

– Bon appétit.

– Tu dis ça, mais je vois que tu désapprouves.

Je m'emparai d'un beignet aux pommes de la taille d'un enjoliveur et l'attaquai.

---

1. « *Disy don't* » pourrait se traduire par « Disy veut pas ».

– Satisfait ? dis-je.

– Les types créatifs ne sont jamais satisfaits.

Nous patientâmes dans la Seville, où il s'en enfila un deuxième à la confiture.

– Je me demande bien ce qu'a pu faire Rand entre six heures et demie et neuf heures, dis-je.

– Moi aussi. On a oublié le café. T'en veux un ?

– Non merci.

Il venait de retourner dans la boutique quand le révérend Daney arriva au volant d'une vieille Jeep blanche. Je sortis et Milo rapporta deux cafés.

Il proposa un beignet au pasteur. Celui-ci avait complété sa tenue avec un blazer bleu.

– Vous en avez pris à la crème ? demanda-t-il, les mains dans les poches.

Nous nous installâmes à une table en extérieur. Daney choisit un beignet fourré de crème à la framboise, croqua une bouchée et soupira de contentement.

– Chacun ses péchés mignons ! dit-il.

– Je ne vous le fais pas dire, révérend, renchérit Milo.

– Je ne suis pas pasteur, vous n'avez qu'à m'appeler Drew.

– Vous n'avez pas obtenu votre diplôme de théologie ?

– Par choix, répondit Daney. Cherish non plus. Nous nous sommes mis à travailler auprès des jeunes et nous avons compris que c'était là notre vocation. Je n'ai aucun regret. Dans une paroisse, on s'occupe souvent plus de politique interne que de bonnes œuvres.

– Quand vous dites « travailler auprès des jeunes », dit Milo, vous voulez dire comme famille d'accueil.

– Famille d'accueil, scolarité à domicile, tutorat, soutien psychologique. Je travaille avec plusieurs associations... c'est pour ça que j'ai rendez-vous à Sylmar, dit-il en consultant sa montre. Autant aller droit au but. Je ne suis pas sûr que ça soit important, mais j'estime de mon devoir de vous mettre au courant.

Il termina son beignet et épousseta les miettes sur son pantalon.

– Il y a six mois, reprit-il, Rand a été transféré à Camarillo en vue de sa libération. Jeudi soir, nous sommes allés le chercher en voiture, ma femme et moi, et nous l'avons ramené à la maison. On aurait cru qu'il venait d'atterrir sur une autre planète.

— Il avait l'air désorienté, dis-je en reprenant le terme employé par sa femme.

— C'était pire que ça. Il était comme sonné. Imaginez-vous un peu, docteur. Huit années dans un cadre hyper-structuré, toute son adolescence passée derrière les barreaux, et il se retrouve dans un monde parfaitement inconnu. Après dîner, nous lui avons montré sa chambre et il s'est couché directement. On n'avait que l'ancienne buanderie à lui offrir, mais je peux vous dire que ce garçon a paru très content de se retrouver dans un petit espace confiné. Le lendemain matin, j'étais debout à six heures et demie comme d'habitude, alors j'ai vérifié s'il dormait bien. Il n'était plus là, son lit était fait comme à l'armée. Je l'ai trouvé dehors, sur les marches du perron. Il avait moins bonne mine que la veille. Les yeux cernés. Très nerveux. Je lui ai demandé s'il y avait un problème, mais il a continué à fixer en silence notre portail ouvert. Je lui ai dit que tout allait bien se passer, qu'il devait s'accorder du temps. Mais il est devenu encore plus fébrile. Il s'est mis à secouer la tête, puis il s'est pris le visage à deux mains, dit-il en mimant le geste. On aurait dit qu'il voulait se cacher. Il faisait l'autruche. Je lui ai écarté les doigts et lui ai demandé ce qu'il avait. Comme il ne disait toujours rien, je lui ai expliqué qu'il devait exprimer ses émotions. Il a fini par me sortir que quelqu'un l'épiait. J'ai été pris de court, mais je me suis efforcé de ne pas le montrer. Je lui ai demandé qui. Il m'a répondu qu'il ne savait pas, mais qu'il avait entendu du bruit pendant la nuit… quelqu'un du côté de la buanderie. Ce n'est pas très grand chez nous et ni moi ni ma femme n'avons entendu quoi que ce soit. Je lui ai demandé vers quelle heure. Il n'avait pas de montre, il m'a juste dit qu'il faisait nuit. Et il a encore entendu des bruits le matin, à l'aube. Il s'est levé. Le portail était ouvert et il a vu une camionnette démarrer en trombe. On ferme toujours le portail la nuit, mais ce n'est qu'un simple loquet, il arrive qu'il s'ouvre avec un coup de vent quand il est mal mis, alors je n'y ai pas accordé plus d'importance que ça.

— Quel genre de camionnette ? demanda Milo.

– Un pick-up foncé, d'après lui. Mais je n'ai pas trop insisté pour ne pas l'inquiéter inutilement.

– Vous doutiez de sa crédibilité, dit Milo.

– Ce n'était pas le problème, dit Daney. Docteur Delaware, vous qui avez testé Rand, vous pouvez confirmer qu'il avait de graves difficultés d'apprentissage ?

Je fis oui de la tête.

– Ajoutez-y le défi de la réintégration.

– Vous aviez déjà eu l'occasion de vous rendre compte qu'il s'imaginait des choses ? demandai-je.

– Des hallucinations, vous voulez dire ? Non, ce n'est pas ce qui s'est produit vendredi. Je dirais plutôt… exagérer des choses banales. Je me suis dit qu'il avait dû entendre un oiseau ou un écureuil.

– Et maintenant vous n'êtes plus si sûr, dit Milo.

– Compte tenu de ce qui est arrivé, dit Daney, je serais idiot de ne pas me poser la question.

– Et aucun incident ne s'est produit entre vendredi et samedi soir ?

– Il ne m'a pas reparlé du pick-up foncé ni de la personne qui l'épiait, et je n'ai pas abordé le sujet. Il est sorti faire un tour. En rentrant, il nous a expliqué qu'il était passé devant un chantier et qu'il devait y retourner l'après-midi pour rencontrer le patron.

– À quelle heure est-il sorti la première fois ? s'enquit Milo.

– On prend le petit déjeuner tôt… disons vers huit heures, huit heures et demie.

– Quel genre de boulot cherchait-il ?

– Un peu n'importe quoi, j'imagine. Il ne savait pas faire grand-chose.

– La réinsertion façon CYA, fis-je remarquer.

Daney rentra ses épaules carrées.

– Ne me lancez pas sur le sujet !

– D'après votre épouse, reprit Milo, Rand est sorti vers dix-sept heures, mais le chantier fermait à midi.

– Rand avait dû mal comprendre, inspecteur. À moins qu'on ne l'ait induit en erreur.

– Dans quel but ?

— Les personnes comme Rand se font souvent abuser, inspecteur. (Il jeta un nouveau coup d'œil à sa montre et se leva.) Désolé, mais je dois filer.

— Une dernière question, dit Milo. Je veux contacter la famille de Rand. Vous me conseillez de commencer par qui ?

— Peine perdue, inspecteur. Il n'y a plus personne. Sa grand-mère est décédée il y a pas mal d'années. D'une maladie du cœur. C'est moi qui ai annoncé la nouvelle à Rand.

— Comment a-t-il réagi ?

— Comme on pouvait s'y attendre. Ça l'a pas mal secoué. Je ne sais pas si ça vous aide beaucoup, dit-il en regardant sa Jeep, mais je préférais vous en parler.

— Je vous en suis reconnaissant, monsieur. Vous ne tenez pas à ce que votre femme soit au courant parce que…

— Inutile de la mettre dans tous ses états. Même si ça a quelque chose à voir avec le meurtre, ça ne la concerne pas.

— Et vous ne voyez rien d'autre à me dire, monsieur ?

Daney plongea la main dans sa poche. Jeta un nouveau coup d'œil vers la Jeep. Se passa l'autre main dans les poils acier de sa barbe.

— C'est… délicat. J'hésite à vous en parler.

— Quoi donc, monsieur ?

— Rand a été retrouvé loin de chez nous. Je me demandais… le pick-up… il se pourrait que quelqu'un l'ait emmené faire un tour.

S'y prenant à plusieurs reprises, il parvint à attraper un poil de sa barbe entre le pouce et l'index et tira dessus, ce qui lui déforma la joue.

— Un pick-up foncé, dit Milo. Ça vous dit quelque chose ?

— Justement oui, dit Daney. Mais ça m'embête beaucoup. Je sais bien qu'il s'agit d'une enquête pour meurtre, mais si vous pouviez rester discret…

— À quel sujet ?

— Si vous pouviez ne pas dire que ça vient de moi, répondit-il en se mordant la lèvre. C'est de l'histoire ancienne.

— Il y a un rapport avec ce qui s'est passé il y a huit ans ?

Une fois de plus, Daney s'étira la joue, affichant une moue difforme.

— Je serai le plus discret possible, monsieur, lui assura Milo.

— Je sais bien…

Daney suivit du regard un véhicule qui se garait. Un pick-up bleu foncé, chargé de sacs d'engrais. « Hernandez, Paysagiste » annonçait un autocollant. Deux moustachus, le jean poussiéreux et la casquette de base-ball vissée sur le crâne, descendirent et entrèrent dans l'échoppe.

— Vous voyez bien, dit Daney. Les pick-up, on en voit partout. Ça ne veut rien dire du tout.

— Ça vaut quand même la peine de nous en parler, monsieur. Pour Rand.

— OK, dit-il en soupirant. Barnett Malley, le père de Kristal, conduit un pick-up foncé. En tout cas, il en conduisait un.

— Il y a huit ans ? demanda Milo.

— Non, non, plus récemment que ça. Quand je l'ai croisé il y a deux ans dans un magasin de bricolage. Un True Value pas très loin d'ici. J'avais besoin d'une pièce pour réparer un broyeur à ordures. Lui s'achetait des outils. Je l'ai tout de suite reconnu et j'ai essayé de l'éviter. Mais on s'est retrouvés à la caisse. Je l'ai laissé passer devant moi, et je l'ai vu sortir et monter dans son pick-up. Un pick-up noir.

— Vous vous êtes parlé ? demanda Milo.

— J'aurais bien voulu. Pour lui expliquer que j'avais conscience de ne pas pouvoir partager sa douleur, mais que je priais pour sa fille. Pour lui dire que même si j'avais tendu la main à Troy et à Rand, je comprenais son drame. Mais il m'a lancé un regard qui m'a fait comprendre qu'il ne valait mieux pas.

Il croisa les bras.

— Hostile, ce regard, dis-je.

— Pire que ça, docteur.

— Ah bon ? dit Milo.

— Ses yeux étaient chargés de haine, dit Daney.


Nous regardâmes la Jeep blanche s'éloigner.

— Barnett Malley, murmura Milo. Ça se complique pour de bon. L'hypothèse de l'embuscade colle-t-elle avec l'emploi du temps qu'on a... et le coup de fil que tu as reçu une heure et demie après son départ de chez les Daney ?

— Il se peut que Rand leur ait menti quand il prétendait se rendre au chantier.

— Pourquoi leur aurait-il menti ?

— Parce qu'il avait un autre rendez-vous avant le mien et qu'il ne voulait pas les mettre au courant. Avec Barnett Malley, par exemple.

— Et pourquoi l'aurait-il contacté ?

— Je t'ai dit qu'il avait l'air embêté. Imaginons qu'il sentait le poids de la culpabilité et tenait à se prouver qu'il était quelqu'un de bien. Le mieux qu'il avait à faire était de demander pardon à Barnett Malley, non ?

— D'après Daney, il avait la trouille d'être épié.

— Mais le lendemain matin ça allait mieux. Peut-être avait-il décidé de prendre les devants et pu contacter Malley. La loi californienne prévoyant que la famille de la victime est avertie de la libération d'un criminel, Malley devait être au courant. Il s'est peut-être mis à le suivre, il l'a peut-être abordé quand il est sorti une première fois à huit heures du matin. Ils se fixent rendez-vous plus tard dans la journée et Rand invente le prétexte d'aller voir le chef de chantier.

— Il ne s'agirait donc pas d'une embuscade, dit Milo. Il monte de son plein gré dans le pick-up et ça dégénère.

— Rand était un garçon influençable, pas très futé, et très désireux de se faire pardonner. Si Malley s'était montré sympathique... voire indulgent, Rand n'aurait pas demandé mieux que d'y croire.

— OK, voyons ce que ça donne. Rand retrouve Malley vers cinq heures. Celui-ci l'emmène en ville et le dépose au centre commercial, d'où il t'appelle. Pourquoi ce coup de fil, Alex ?

C'était la première fois qu'il appelait Rand par son prénom. Un signe.

— Je ne sais pas. À moins qu'ils se soient réconciliés et que Rand ait cherché à pousser le processus plus loin.

Il se frotta vigoureusement les joues, comme pour se débarbouiller sans eau.

— Tu parles d'une réconciliation si l'autre l'a flingué ! Tu vois ça comment ? Malley le dépose et repasse le prendre ?

— Malley avait peut-être d'autres choses à lui dire.

— Ils font donc un tour ensemble pour parler du mauvais vieux temps et, pour finir, Malley décide de le buter avant qu'il puisse bouffer une pizza avec toi. C'est ça ? Je veux bien que tout ça finisse par s'expliquer, mais ça ne répond pas à la question principale : si c'est une affaire de vengeance, pourquoi Malley aurait-il attendu huit ans ?

— Peut-être qu'il était décidé à attendre le temps qu'il faudrait pour les deux garçons, mais qu'un membre de gang l'a devancé pour Troy.

— Il prend donc son mal en patience pour Rand, dit-il en portant son gobelet de café à ses lèvres. D'après Daney, Malley était toujours très remonté il y a deux ans.

— Malley aurait voulu la peine capitale, dis-je. Certaines blessures ne cicatrisent jamais.

— Des palabres tout ça, rien que des palabres. Tu proposes quoi ? Qu'on débarque chez un couple qui a perdu un enfant dans les pires circonstances qui soient, simplement parce que le mari a jeté un regard de travers à Daney il y a deux ans et parce que, manque de bol, il conduit un pick-up noir ?

— C'est délicat, reconnus-je.

— Sauf à faire preuve de doigté et de psychologie.

Je pris une bouchée de beignet aux pommes. Alors que je m'étais régalé quelques minutes auparavant, j'eus l'impression de manger de la poussière frite.

— Tu veux que je te mette les points sur les « i », Alex ? Je préférerais que tu t'en charges et que moi, j'observe.

— Tu ne crains pas que ma présence sème le trouble ?

— La défense te percevait comme favorable à l'accusation. Les Malley ont peut-être gardé un bon souvenir de toi pour le même motif.

— Je ne vois pas pourquoi ils se souviendraient de moi, dis-je. On ne s'est jamais rencontrés.

— Vraiment ?

— Il n'y avait aucune raison.

Je fus surpris de mon ton défensif.

— Eh bien, en voilà une toute trouvée.

# 15

Milo appela le DMV[1] pour obtenir la liste des véhicules imma-
triculés aux noms de Barnett et Lara Malley.

Rien pour elle. Un certain Barnett Melton Malley était domi-
cilié à Soledad Canyon, dans Antelope Valley.

— La date de naissance correspond, me dit-il. Un seul véhicule
à son nom. Un pick-up Ford acheté il y a dix ans. Noir à la date
d'immatriculation.

— Soledad est à soixante-dix ou quatre-vingts kilomètres de
Van Nuys, fis-je remarquer. Après leurs malheurs, on comprend
qu'ils aient voulu quitter la ville. Cela dit, à la campagne, on a
forcément besoin d'une voiture. Comment se fait-il qu'on n'ait
aucune immatriculation au nom de Lara Malley ?

— Ils sont séparés et elle vit dans un autre État ?

— Ce genre de drame peut détruire un couple.

— J'imagine bien le fossé immense que ça a pu créer, acquiesça
Milo. Kristal s'est fait enlever sous le nez de sa mère. Son mari
lui en a peut-être voulu.

— À moins qu'elle-même s'en soit voulu.

Nous rentrions en ville lorsque Sean Binchy appela. Le poste
de Van Nuys n'avait aucune trace d'un appel des Daney concernant la disparition de Rand.

— Rien de surprenant, dit Milo. En l'absence de disparition
officielle, il n'y avait pas lieu d'enregistrer quoi que ce soit.

---

1. Division of Motor Vehicles, l'équivalent de notre Service des Mines.

– Où en est ton hypothèse du comparse ?

– Est-ce que je l'écarte entièrement parce que Barnett Malley possède un pick-up noir ? Comme l'a très bien dit Daney, ce ne sont pas les pick-up qui manquent dans la Valley. Malgré tout, Malley avait de bonnes raisons d'en vouloir à Rand. Je serais crétin de négliger cette piste.

– As-tu l'intention de lui rendre visite ?

– J'irais bien demain dans la matinée. Assez tard pour éviter les embouteillages du matin, mais pas trop tard non plus, pour ne pas me taper les sorties de bureau. D'abord, je vais essayer de me renseigner sur son lieu de travail. Si par un coup de bol ça fait moins loin, je te préviens.

Il griffonna quelque chose dans son calepin et rangea celui-ci dans sa poche.

– Et si je suis vraiment très veinard, dit-il, on découvrira d'ici là un élément qui le disculpe. Genre un alibi en béton.

– Ça t'embêterait que ce soit lui, constatai-je.

– Hé, si on allait déjeuner ? Moi, je me ferais bien un agneau tandoori.

Nous passâmes d'abord au poste, où Milo prit connaissance de ses messages et vérifia le nom de Barnett Malley dans le NCIC[1] et les autres fichiers de criminels – sans résultat. Idem pour Lara Malley.

Je restai debout et pensai que nous n'allions pas tarder à nous diriger vers le Café Moghol. Mais il ne décolla pas de son fauteuil, passant le combiné d'une main dans l'autre. Il finit par appeler les Archives du centre-ville et demanda à parler à un employé qui lui devait un service. Il dut patienter un certain temps, mais une fois qu'il eut son interlocuteur la conversation fut brève. Quand il raccrocha, il était soucieux.

1. National Crime Information Center, fichier de recherches criminelles dépendant du FBI.

— Lara Malley est décédée. Elle s'est suicidée il y a sept ans. Avec une arme à feu. Je sais bien qu'on trouve de plus en plus de femmes qui se tirent une balle dans le crâne, mais, à l'époque, c'était assez rare. Je me trompe ? Les dames préfèrent bien les médicaments ?

— Pas nécessairement... si la personne est vraiment motivée...

— Maman tire donc sa révérence un an après le meurtre de Kristal. Le temps de voir que la vie ne s'améliore pas. Les Malley ont-ils reçu un soutien psychologique, Alex ?

— Je ne sais pas.

Il se mit à taper sur le clavier de son ordinateur comme sur un punching-ball, se connecta au fichier des armes à feu de l'État. Plissa les yeux et fixa l'écran, nota quelque chose, puis contracta les lèvres et afficha un sourire crispé qui ne donnait pas franchement envie d'être son ennemi.

— Le sieur Barnett Melton Malley s'est constitué un sacré arsenal. Pas moins de treize fusils, carabines et armes de poing, y compris deux calibres .38.

— Peut-être qu'il vit seul dans un coin isolé. Si quelqu'un a le droit d'être sur ses gardes, c'est bien lui.

— Qui nous dit qu'il vit seul ?

— Ça ne change rien, lui renvoyai-je. S'il a fondé une nouvelle famille, il tient à la protéger.

— Un type amer, en colère. Qui perd femme et enfant de manière violente, et part s'installer dans la cambrousse avec de quoi armer une milice. D'ailleurs, lui-même fait peut-être partie d'une secte... genre les allumés qui vivent retirés du monde en attendant que ça pète partout. Tu trouves que j'exagère quand je dis que ce type présente un vrai risque ?

— Pourquoi se donnerait-il la peine d'enregistrer ses armes s'il avait l'intention de commettre un meurtre ?

— Qui nous dit qu'il les a toutes enregistrées ?

Il fouilla dans un tiroir, en sortit un cigare muni d'un fume-cigare et le fit tourner dans sa paume.

— La manière dont Rand a été abattu, dit-il. Un tir de près, l'arme quasiment en contact avec la tempe gauche. Un tueur plus ou moins de la même taille que lui. L'effet de surprise, comme tu l'as suggéré. Comment vois-tu la scène ?

— L'assassin était assis à sa gauche. Juste à côté. Au volant d'un véhicule, par exemple.

Il pointa le cigare vers moi.

— On est exactement sur la même longueur d'onde. Pour ce qui est de la préméditation, il n'est pas certain que Malley ait tout prévu. Au départ, peut-être qu'il voulait seulement parler à Rand. Prendre entre quat'z'yeux le type qui a foutu sa vie en l'air. On est bien placés toi et moi pour savoir que certaines familles de victimes en ressentent très fortement le besoin.

— Malley a eu huit ans pour surmonter ses pulsions, dis-je, mais la libération de Rand a pu réveiller d'anciennes douleurs.

— Malley passe le prendre, le dépose au centre commercial, part faire un tour, mais décide qu'il n'a pas fini de régler ses comptes avec lui. Il l'emmène dans les collines et ça dérape.

— Rand avait du mal à s'exprimer. Il sort le truc à ne pas dire et déclenche une colère noire chez Malley.

— Genre « J'suis pas un mauvais bougre ».

— Je conçois que Malley le prenne mal.

Il bondit de sa chaise, prêt à faire les cent pas dans son bureau exigu, se contenta d'un demi-pas, se retrouva devant ma chaise et retourna s'asseoir. Je faisais obstruction. Mes pensées batifolaient dans New York sous la neige.

— D'un autre côté, dis-je, que Malley vienne armé pourrait indiquer la préméditation.

— Voyons, il avait rendez-vous avec l'assassin de sa fille. Comme tu l'as si bien dit toi-même, il avait toutes les raisons de se méfier.

— Un bon avocat pourrait plaider l'autodéfense.

— Tu te rends compte de ce qu'on est en train de dire ? dit-il en soupirant et lançant le cigare sur son bureau. On psychanalyse ce pauvre type qu'on n'a jamais rencontré. Qui nous dit qu'on n'a pas affaire à un bouddhiste végétarien pacifiste qui pratique la méditation transcendantale dans les bois au nom de la sérénité cosmique ?

— Avec treize armes à feu ?

— J'oubliais ce détail. Mince, je donnerais cher pour que les mecs du labo passent son pick-up au peigne fin. Encore faudrait-il pouvoir justifier ces examens. Ça te dérange si on saute le déjeuner ? C'est bizarre, mais j'ai l'appétit qui flanche.

– D'accord.

Il me tourna le dos et je sortis. J'avais à peine eu le temps de faire quelques mètres dans le couloir qu'il m'interpella.

– Faudra quand même qu'on se fasse ce tandoori. Mon secrétariat prendra contact avec le tien.


Il me rappela le soir même à huit heures moins vingt.

– Et ton secrétariat ? dis-je en plaisantant.

– Il fait grève. J'ai obtenu des renseignements supplémentaires sur Malley. Il y a huit ans, il avait sa boîte d'entretien de piscines. Qui a fermé l'année suivante.

– Après le suicide de Lara. Sans doute a-t-il préféré tirer un trait.

– Peu importe. Faute de connaître son lieu de travail, je pense partir demain matin, vers dix heures. Le type au sourire niais du bulletin météo nous annonce une masse d'air chaud en provenance d'Hawaï. Faudra s'en contenter en guise de vacances sous les tropiques. Ça te va ?

– Je passe te prendre chez toi ?

– Non, toi, tu joues les psychologues et moi je prends le volant. Il est temps qu'on fasse les choses dans les règles de l'art.


Il arriva à dix heures et quart dans une tenue réglementaire à sa façon : costume marron trop grand, chemise blanche, cravate mastic, bottes en cuir. Pour ma part, je m'étais habillé comme pour une déposition au tribunal : costume rayé à trois boutons, chemise bleue, cravate jaune. Que Barnett Malley soit un fou dangereusement armé et décidé à se venger ou un père éploré qui souffrait en silence, ce n'était pas notre accoutrement qui changerait quoi que ce soit.

En grignotant un bagel rassis déniché dans ma cuisine, Milo fila jusqu'à Sunset Boulevard, où il tourna à droite pour prendre la 405 direction nord. Cette fois, il ralentit et m'indiqua l'endroit où on avait retrouvé le cadavre de Rand Duchay. Des buissons sur le talus bordant la bretelle d'accès. Aucun arbre, juste du ficoïde glacial, du genévrier et des mauvaises herbes. On ne s'était pas vraiment donné la peine de dissimuler le cadavre.

C'était un point de passage obligatoire pour se rendre à Soledad Canyon.

Milo fit la déduction qui s'imposait.

– Il le bute, il se débarrasse du cadavre et il n'a plus qu'à rentrer à la maison.

Le trajet dura cinquante-huit minutes. Conduite facile sous un ciel bleu. Monsieur Météo n'avait pas menti : vingt-huit degrés, pas de pollution, l'air purifié par une de ces brises tropicales légèrement fruitées comme il en souffle trop peu souvent.

Nous traversâmes la partie nord de Bel Air et les collines verdoyantes où l'on avait eu l'optimisme de percher des demeures. Puis ce furent les cubes d'un blanc immaculé du Musée Getty – chef-d'œuvre architectural financé par la fondation d'un milliardaire vénal et abritant de l'art de second ordre. Los Angeles dans toute sa splendeur : le règne des puissants et des apparences.

Ça circulait bien dans la Valley. L'autoroute longeait ensuite l'énorme usine d'embouteillage Sunkist, quelques usines plus modestes, des magasins de déstockage, des concessionnaires automobiles. Un peu plus à l'est se trouvait la maison des Daney, où Rand avait passé ses trois jours de prétendue liberté. Une fois sur la 5, nous nous retrouvâmes pour ainsi dire seuls parmi les dix tonnes empruntant l'itinéraire des routiers. Trois minutes plus tard, nous filions sur la Cal 14 en direction d'Antelope Valley au nord-est. Les montagnes prirent un air majestueux, la feutrine beige râpée remplaçant le vert luxuriant. Paysage de chantiers de ferraille et de gravières, désert mis à part quelques lotissements de « pavillons grand standing ». D'éminents penseurs nous prédisent que l'avenir de Los Angeles est de s'étendre au nord-est, que la notion de « grand espace » finira par voler en éclats. En attendant, faucons et corbeaux continuent de s'agiter dans le ciel au-dessus d'une terre toujours aussi morne et plate.

On avait perdu trois ou quatre degrés. Nous remontâmes nos carreaux et le vent siffla à travers les joints.

Au bout de quinze kilomètres, Milo prit la sortie de Soledad Canyon et bifurqua à gauche vers le calme et le silence en tournant le dos à la ville champignon de Santa Clarita. La route montait, serpentait et tournicotait. Quelques bosquets d'épicéas isolés et de rares eucalyptus coupe-vent épousaient la chaussée côté ouest, mais les chênes californiens étaient les véritables maîtres des lieux, à l'aise sur ce terrain sec, leurs cimes gris et vert scintillant dans le vent. Les groupes de troncs majestueux s'étendaient sans interruption de crête en crête. Ce sont de vieilles créatures résistantes, à l'aise dans l'abnégation ; donnez-leur trop d'eau et elles meurent.

À mesure que le feuillage s'éclaircissait, la route exigeait davantage d'humilité dans la conduite, avec des virages en épingle à cheveux autour des parois abruptes de la montagne pelée. Milo gardait les yeux rivés devant lui pour contourner les éboulis. Le sifflement du vent était devenu un hurlement insistant. Les rapaces volaient plus bas, avec une confiance accrue. Seuls quelques rares poteaux électriques se dressaient sur leur passage.

Aucune autre voiture sur des kilomètres. Et puis soudain, une femme surgit d'un virage sans visibilité au volant d'un minivan, en pleine conversation sur son portable, et manqua de nous envoyer dans le décor.

– Bravo ! marmonna Milo qui faillit s'étrangler. Soledad. Ça veut dire « solitude », c'est bien ça ? Faut sacrément avoir envie de solitude pour venir s'installer par ici.

Trois cents mètres plus haut, nous aperçûmes enfin quelques ranchs – de maigres lopins broussailleux disséminés ici ou là au fond d'une ravine en contrebas et délimités par des clôtures métalliques. Une vache par-ci, un cheval par-là. Une pancarte battue par les vents promettait des « Promenades en poney le week-end » au beau milieu de nulle part. Aucun signe des bêtes en question.

– Tu veux bien me lire l'adresse, Alex.

Je lui lus l'adresse.

– On approche, dit-il.

Quinze kilomètres plus loin, nous croisâmes une série d'aires de pique-nique « privées » en bordure de la route de Soledad Canyon.

« Au Coin Tranquille »... « Smith Oasis »... « Au Ranch de Lulu »...

Le numéro correspondant au domicile de Barnett Malley était inscrit en chiffres pyrogravés sur un panneau bleu où l'on pouvait lire : « Au Relais Montagnard – Pique-niques et Détente ».

– Tout compte fait, dis-je, il n'est peut-être pas si asocial que ça.

Milo s'engagea dans l'allée en terre battue. Au bout d'un chemin cahoteux et bordé de chênes, nous arrivâmes devant un arroyo que franchissait un pont en bois bringuebalant. De l'autre côté, un panneau bleu « Bienvenue ! » surmontait une planche blanchie à la chaux, sur laquelle figurait la *Magna Carta* du règlement :

« Interdiction de fumer, interdiction de boire de l'alcool, interdit aux motos, interdit aux 4 × 4, pas de musique bruyante, animaux tolérés sur demande, les enfants doivent être surveillés, la piscine est réservée à la clientèle… »

– Thoreau[1] n'a qu'à se retourner dans sa tombe, dit Milo en appuyant sur l'accélérateur.

Une centaine de mètres plus loin, l'allée débouchait dans une cour pavée. D'autres chênes sur la gauche, un beau massif d'arbres matures. Face à nous, trois maisonnettes en bois peintes en blanc. À droite une zone pavée plus étendue, des lignes blanches au sol délimitant une série d'emplacements. Une demi-douzaine de mobil-homes décorés d'autocollants à motifs de truites et reliés à l'eau et à l'électricité. Le site offrait une vue imprenable sur les montagnes dorées.

Nous nous garâmes et descendîmes. À l'arrière des caravanes, un générateur de la taille d'un cabanon bourdonnait et grésillait. En fait de « pique-niques et détente », on vous proposait donc un emplacement, l'accès à une rangée de toilettes chimiques et quelques tables en séquoia. La piscine creusée, vidée pour l'hiver, faisait penser à un gigantesque bol en ciment. Derrière, on apercevait un manège d'équitation desséché par le soleil et entouré par une barrière en tubes d'acier. Quelques personnes, toutes ayant

1. Henry David Thoreau (1817-1862), écrivain et penseur américain, grand défenseur des libertés individuelles.

dépassé la soixantaine, se prélassaient dans des chaises pliantes devant leur mobil-home, à lire, tricoter ou grignoter.

– Ça doit être un lieu d'étape, dis-je.

– Sur la route de quoi ?

Je n'avais pas de réponse. Nous nous dirigeâmes vers les maisonnettes blanches. Des bungalows d'avant-guerre. Toit en papier goudronné vert, fenêtres à auvent, petite véranda en façade. Le plus grand était situé très à l'écart des caravanes. Un pick-up Dodge d'une trentaine d'années, carrosserie rouge et roues chromées, était garé dans l'allée gravillonnée.

Des panneaux en forme de main fixés sur des piquets identifiaient les deux autres bâtiments : « Réception » et « Buvette ». Dans le soleil éblouissant, difficile de distinguer s'il y avait de la lumière. Nous commençâmes par la réception.

Porte fermée à clé, rideaux tirés. Aucune réponse quand Milo frappa.

Tandis que nous nous dirigions vers la buvette, la porte s'ouvrit avec un grincement, et une grande femme à la silhouette élancée et vêtue d'une robe à imprimé marron se posta dans la véranda, les mains sur les hanches.

– Vous désirez ?

Milo afficha son sourire le plus avenant. La dame n'en resta pas moins sur ses gardes. Le badge et la carte de visite n'eurent pas plus d'effet.

– Des flics de L.A.

Voix de fumeuse. Bras secs et musclés, marqués de taches de rousseur. Visage ridé et buriné, qui avait dû connaître des jours meilleurs quelques décennies plus tôt.

Elle nous dévisagea de ses yeux couleur d'ambre, bien écartés et surmontés de cils roses. Nez droit et fort. Lèvres desséchées dont on devinait qu'elles avaient été charnues du temps de leur splendeur. Cheveux auburn permanentés qui dissimulaient en partie son cou couvert de caroncules. Des blancheurs au niveau des racines – quelques retouches s'imposaient. La mâchoire bien dessinée pour une femme de son âge ; je lui donnais soixante-cinq ans au bas mot. La cousine paysanne de Katharine Hepburn.

Elle voulut rendre sa carte à Milo.

– Vous pouvez la garder, madame.

Elle la plia en tout petit et la tint dans son poing serré. Sa robe en jersey à fleurs épousait ses épaules et son bassin saillants. Le décolleté en V dévoilait la partie supérieure de son buste tavelé. Poitrine plate.

– Avant j'habitais à L.A., déclara-t-elle. On ne m'y reprendra plus ! Je répète la question, lieutenant Sturgis. Que désirez-vous ?

– Un certain Barnett Malley habite-t-il ici ?

Elle cilla.

– Il lui est arrivé quelque chose ?

– Pas que je sache, madame. Si vous pouviez répondre à ma question...

– Barnett travaille ici et je l'héberge.

– Quel genre de travail ?

– Il me file un coup de main. Dès qu'il y a besoin.

– Un homme à tout faire ? dit Milo.

Elle fronça les sourcils, comme si elle le jugeait lent à la comprenette.

– Il fait un peu de bricolage, mais c'est bien plus que ça. Des fois, ça me prend d'avoir envie de faire un tour à Santa Clarita, pour me faire un ciné par exemple... soit dit en passant, je me demande bien pourquoi, avec les navets qu'ils nous sortent de nos jours... Barnett tient la boutique à ma place, et fort bien. Qu'est-ce que vous lui voulez ?

– Il loge ici ?

– Là-bas, dit-elle en indiquant la chênaie.

– Dans les arbres ? dit Milo. Comme Tarzan ?

Elle esquissa un sourire.

– Mais non. Il a une cabane. On ne la voit pas d'ici.

– Mais il n'est pas là en ce moment.

– Qu'est-ce qui vous fait dire ça ?

– Vous avez demandé s'il lui était arriv...

– Je pensais à des ennuis avec la police, pas à un accident qui lui serait arrivé.

Elle jeta un coup d'œil vers la route. À en juger d'après son expression, elle ne voyait pas trop l'intérêt de quitter le domaine.

– Barnett a-t-il déjà eu des ennuis avec la police, madame...

— Appelez-moi Bunny. Bunny MacIntyre. La réponse est non.

— Comme ça vous avez vécu à L.A., dit Milo.

— Je vois qu'on est passé au bavardage. Ouais, j'étais à Hollywood. J'avais un appart' dans Cahuenga, à côté des Studios Burbank. J'étais cascadeuse, dit-elle en se caressant les cheveux. J'ai été deux fois la doublure de M^lle Kate Hepburn. Elle était vachement plus âgée que moi, mais comme elle avait un corps superbe, je faisais l'affaire.

— Madame MacIntyre...

— On revient aux choses sérieuses ? Je vous dis, Barnett n'a jamais eu le moindre ennui avec la police. Mais je me doute bien que si deux flics de L.A. se donnent la peine de monter jusqu'ici et se mettent à poser des questions, c'est pas pour s'offrir une boisson fraîche. Soit dit en passant, mon distributeur marche parfaitement. Je peux vous proposer des nachos, des chips et de la viande de bison séchée. Importée. Le bison est excellent pour la santé, dit-elle en contemplant le tour de taille de Milo. Ça ne contient pas plus de graisses saturées que le poulet.

— Importé d'où ça ? lui demanda Milo.

— Du Montana.

Elle se retourna et rentra dans le bungalow. Nous la suivîmes dans une grande pièce mal éclairée. Un tapis à motifs de cercles concentriques recouvrait le plancher à grosses lattes, et une tête de chevreuil empaillée était accrochée au mur du fond. L'animal avait les bois de guingois, il lui manquait un œil de verre et un bout de langue grise pointait au coin de sa gueule.

— Je vous présente Bullwinkle, nous dit Bunny MacIntyre. Ce crétin n'arrêtait pas de venir bouffer mon potager en cachette. Avant je vendais des fruits et légumes frais aux touristes. Maintenant les gens ne veulent bouffer que des cochonneries. Je ne lui ai jamais tiré dessus parce qu'il était trop bête... il faisait vraiment pitié. Un beau jour il est mort de vieillesse en plein dans mes bettes, alors je l'ai emmené chez un taxidermiste à Palmdale.

Elle se dirigea vers un vieux distributeur de Coca-Cola flanqué de tourniquets avec des trucs gras en sachets. Une caisse enregistreuse reposait sur une table en chêne. Le bison séché se trouvait à côté – de gros morceaux quasiment noirs, dans des bocaux en plastique empilés sur le comptoir.

– Je vous sers un Coca Light ? proposa-t-elle à Milo.

– D'accord.

– Et pour le type muet, ce sera quoi ?

– La même chose, répondis-je.

– Et le bison ? Je vous en mets combien ? C'est un dollar pièce.

– Peut-être plus tard, madame.

– Vous avez vu dehors ? Ces fainéants qui restent garés là à longueur de journée avec leurs maudits chevalets et leur bouffe. Quel est l'idiot qui a inventé les congélateurs de voyage ! Je cours après les clients.

– Vous n'avez qu'à m'en mettre un morceau, dit Milo.

– C'est trois minimum, lui répliqua-t-elle. Trois pour trois dollars. Avec les Coca, ça vous fera six dollars cinquante.

Sans attendre de réponse, elle appuya sur des boutons et le distributeur cracha deux canettes. Puis elle emballa la viande séchée dans des serviettes en papier, attacha le tout avec un élastique et le plaça dans un sachet en plastique.

– Vous verrez, ça n'est pas du tout gras.

Milo la régla.

– Ça fait combien de temps que Barnett Malley travaille pour vous ?

– Quatre ans.

– Et avant ça, il bossait où ?

– Chez Gilbert, au Ranch Vert. Un peu plus loin dans Soledad, au 7200. Gilbert a eu une attaque et a dû se séparer de ses bêtes. Barnett est un gentil garçon, je ne vois vraiment pas ce que vous lui voulez. Et puis d'abord, je ne surveille pas ses allées et venues.

– Comment fait-on pour se rendre chez lui ?

– Passez derrière chez moi... la maison sans enseigne... vous verrez une ouverture entre les arbres. J'ai fait construire la cabane dans un endroit bien tranquille. Ça devait être mon atelier de peinture, mais je ne m'y suis jamais mise. Je m'en servais comme débarras. Et Barnett l'a joliment retapée pour s'y installer.

# 16

Sous une voûte de branches, le passage entre les arbres mesurait à peine deux mètres de large. Le pick-up Ford noir était garé devant la cabane.

Minuscule bâtisse en cèdre brut, avec une planche en guise de porte. Une seule fenêtre carrée, sur le devant. On aurait dit une maison dessinée par un enfant. Quelques bonbonnes de gaz sur la gauche, ainsi qu'un petit générateur et un fil à linge.

Les vitres du pick-up étaient remontées. Milo s'approcha et jeta un coup d'œil à l'intérieur.

– C'est nickel.

Il attrapa un pan de son veston et actionna la poignée.

– Verrouillé. On voit mal qui pourrait la lui faucher en rase campagne.

Nous nous dirigeâmes vers la porte d'entrée. Des rideaux de toile huilée verte obstruaient la fenêtre. Un bloc de béton tenait lieu de perron, avec un paillasson en chanvre portant l'inscription « Bienvenue ».

Milo frappa. La massive planche n'émit quasiment aucun son. La porte s'ouvrit néanmoins au bout de quelques secondes.

Barnett Malley nous dévisagea. Il était plus grand qu'il m'avait semblé à la télé – deux ou trois centimètres de plus que Milo et son mètre quatre-vingt-huit. Toujours aussi élancé et anguleux. Cheveux longs en bataille, blondasses et grisonnants. Ses favoris broussailleux en côtelette formaient un angle droit vers sa bouche sans lèvres. Peau tannée et burinée par le soleil. Chemise grise aux manches retroussées. Avant-bras veineux, poignets épais, ongles jaunis coupés droits. Jean poussiéreux, bottes de cow-boy en daim. Un collier argent et turquoise était coincé sous sa pomme d'Adam proéminente, avec le symbole de la paix accroché à la turquoise centrale. Hippie attardé plutôt que dangereux milicien.

Son regard bleu argenté restait immobile.

Milo lui montra sa plaque ; Malley y jeta à peine un coup d'œil.

— Monsieur Malley, sans vouloir vous déranger j'aurais quelques questions à vous poser.

Malley resta muet.

— Monsieur ?

Silence.

— Monsieur, êtes-vous au courant que Rand Duchay a été assassiné samedi soir ?

Malley fit claquer ses dents. Rentra à reculons. Referma la porte.

Milo frappa. Appela.

Aucune réponse.

Nous contournâmes la cabane du côté sud. Aucune fenêtre. À l'arrière une simple vitre horizontale, très en hauteur. Milo se hissa sur les talons et frappa au carreau. Des chants d'oiseaux, le bruit du feuillage. Soudain, des notes de musique. Du piano solo. Un de mes airs honky-tonk[1] préférés : *Last Date* de Floyd Cramer. Une version que je ne connaissais pas.

Une hésitation passagère, et l'air reprit. Une fausse note, puis un passage fluide.

Pas un enregistrement. De la musique vivante.

Malley joua l'air en entier, puis se lança dans un solo relativement simple mais joliment phrasé.

Retour au thème. Fin du concert.

Milo profita du moment de silence pour frapper de nouveau au carreau.

1. Variante populaire de la musique country.

Malley se remit à jouer. Le même air, avec une nouvelle improvisation.

Milo tourna les talons en maugréant. Je ne compris pas, mais ce n'était pas le moment de poser la question.

En quittant le campement, nous aperçûmes Bunny MacIntyre près des mobil-homes, en pleine conversation avec un couple âgé. Elle tendit la main et reçut quelques billets. Elle nous aperçut et nous tourna le dos.

— Charmants, les gens de la campagne, dit Milo en remontant dans la voiture banalisée. Ce ne serait pas la musique du film *Délivrance* qu'on entend au loin dans la forêt ?

— J'aurais dû prendre ma guitare.

— Un petit duo avec Barnett le pianiste. Tu penses qu'un innocent réagirait comme ça, Alex ? J'espérais pouvoir le rayer de ma liste et c'est l'inverse qui s'est produit.

— On se demande à quoi lui sert son paillasson « Bienvenue ».

— Ça doit être réservé à d'autres.

Il tourna le contact, sans démarrer.

— Le limier en moi ne demande qu'à gratter, poursuivit-il. Mais j'ai la faiblesse de croire que je prends le parti des victimes et ça m'embêterait si Barnett Malley s'avérait être un assassin. Ce type a eu sa vie fichue en l'air. La Bible n'est pas mon livre de chevet, mais quelque part « œil pour œil », ça me parle.

— Moi aussi, dis-je. Même si la formule n'est pas censée être prise au sens littéral.

— Qui dit ça ?

— Quand on se reporte aux textes bibliques d'origine, le contexte est assez clair. C'est du droit civil : il s'agit de la compensation monétaire d'un préjudice physique.

— T'as pigé ça tout seul ?

— Non, c'est un rabbin qui me l'a expliqué.

— Alors il savait de quoi il parlait.

Il quitta le site, rejoignit la route principale et se brancha sur la fréquence de la police.

Malgré la criminalité en baisse, le dispatcher n'arrêtait pas de signaler des délits.

– C'est pas la joie, maugréa Milo.

Le jeudi matin, il m'appela à onze heures et quart.

– C'est le moment de se faire un tandoori.

Je venais de raccrocher avec Allison. On avait pu se parler quelques instants avant que sa grand-mère l'appelle – elle était en manque de thé et de réconfort. Allison comptait rentrer d'ici deux ou trois jours. Dans la mesure du possible.

– Quoi de neuf ? dis-je.

– Je préfère qu'on en parle en déjeunant. On va voir si tu as l'estomac solide.

Le Café Moghol est situé dans Santa Monica Boulevard, quelques pâtés de maisons à l'ouest de Butler. Milo peut s'y rendre à pied du poste. Avec une vitrine sur la rue, l'établissement présente un décor de moulures et d'arceaux blanc cassé imitant l'ivoire, de tapisseries murales dépeignant des scènes colorées de l'Inde rurale, d'affiches de films de Bollywood. La musique alterne la cithare monotone et les voix suraiguës de la pop du Pendjab.

La patronne m'accueillit avec son sourire habituel. On se retrouve toujours comme de vieux amis, et pourtant, je ne connais même pas son prénom. Ce jour-là, elle portait un sari de soie bleu canard orné de broderies dorées en spirale. Elle avait retiré ses lunettes ; pour la première fois je remarquai ses grands yeux chocolat.

– Je porte des lentilles, m'expliqua-t-elle. Pour changer.

– C'est bien.

– J'ai l'air de bien les supporter. Il s'est mis là-bas.

Elle m'indiqua l'arrière du restaurant, comme si je risquais de me perdre. La salle comportait en tout et pour tout quatre tables à droite et quatre à gauche, de part et d'autre d'une allée centrale. Un groupe de jeunes d'une vingtaine d'années avait rapproché deux tables. Ils trempaient des nans dans des bols de chutney et de pâte au curry, arrosant quelque succès à la bière Lal Toofan.

Milo était le seul autre client. Penché au-dessus d'une énorme salade, il piochait ce qui ressemblait à des morceaux de poisson parmi des feuilles de laitue. Un pichet de thé glacé au girofle était posé à côté de son coude. Dès qu'il m'aperçut, il me servit un verre.

— La salade du jour, déclara-t-il en faisant tinter sa fourchette sur le rebord de l'assiette. Saumon, panir, petites pâtes de riz, ces machins verts, avec une vinaigrette au citron. Rien que des trucs bons pour la santé.

— Tu commences à m'inquiéter.

— Et je ne t'ai pas tout dit. C'est du saumon sauvage du Pacifique. Le genre intrépide qui remonte les ruisseaux à contre-courant pour s'envoyer en l'air. Apparemment, les poissons d'élevage ne sont que des mollassons ternes et paresseux. Et bourrés de toxines.

— Les politiciens du monde marin, dis-je.

— Je t'ai commandé la même chose, dit-il en piquant un morceau de poisson.

Je bus une gorgée de thé.

— C'est quoi qui est censé me couper l'appétit ?

— Le suicide de Lara Malley. J'ai obtenu le rapport de Van Nuys. En fait, les inspecteurs qui se sont chargés de l'enquête sont ceux qui avaient arrêté Troy et Rand.

— Une certaine Sue Kramer qui avait un type pour partenaire, dis-je. Un nom commençant par « r ».

— Fernie Reyes. Tu m'épates.

— J'ai lu le rapport sur Kristal trop de fois à mon goût.

— Fernie s'est installé à Scottsdale, où il s'occupe de la sécurité dans un hôtel. Sue a pris sa retraite et bosse dans une agence privée. Je l'ai appelée... voilà ta bouffe.

La dame au sari bleu posa une assiette devant moi. Très copieuse, et j'avais pourtant droit à une portion deux fois plus petite que celle de Milo.

— Pas mal, hein ? me lança-t-il.

Je n'avais pas encore levé ma fourchette. Il me fixa en attendant que je m'y mette, et me regarda manger.

— Délicieux, dis-je.

Objectivement parlant. Mais la tension avait coupé toute communication entre mes papilles gustatives et mon cerveau, et j'aurais tout aussi bien pu être en train de mastiquer une serviette en papier.

— Qu'est-ce qui ne colle pas avec le suicide ?

— Elle est morte d'une seule balle à la tempe gauche. Calibre .38. Comme elle était gauchère, le coroner a jugé que ça allait dans le sens d'une blessure auto-infligée.

— La balle a traversé de part en part ? demandai-je.

— Ouais. Elle s'est logée dans la portière côté passager. Revolver Smith & Wesson à double action, enregistré au nom de Barnett Malley. Il le gardait toujours chargé, dans sa table de nuit. D'après lui, Lara a dû s'en emparer pendant qu'il était au boulot. Puis elle prend sa voiture, se trouve un coin calme dans le parc de Sepulveda et pan !

— Elle a laissé une lettre ?

— Rien là-dessus dans le rapport du coroner.

— A-t-on rendu l'arme à Malley ?

— On n'avait aucune raison de ne pas le faire. Elle lui appartenait légalement et on n'a relevé aucun détail suspect.

Il enfourna plusieurs morceaux de poisson et des cubes de panir.

— Tout compte fait, dit-il, mon ambivalence à l'égard de Malley n'était peut-être pas fondée. Il a eu sa vie bousillée, mais on dirait qu'il a réagi en zigouillant tous ceux qu'il rendait responsable de la mort de Kristal. En commençant par Lara, qui avait mal surveillé sa gamine. Puis la CYA a eu raison de Turner. Il ne restait plus qu'à régler le cas de Rand.

— Pourquoi aurait-il attendu un an après la mort de Kristal pour se débarrasser de sa femme ? demandai-je.

— C'est moi qui n'ai pas été précis. En fait, elle est morte il y a sept ans et sept mois. Juste un mois après l'incarcération de Turner et Duchay. Quelle est la première explication qui vient à l'esprit ?

— Le chagrin maternel.

— Exact. La couverture parfaite, dit-il en poussant des aliments du bout de sa fourchette. Ce Malley est vraiment bizarre, Alex. Tu as vu comment il s'est mis à taper sur son piano ? Je veux dire… quand les flics débarquent, la manière intelligente de réagir est de faire semblant d'être coopératif. Dans ce cas, j'aurais peut-être laissé tomber.

J'en doutais.

— *Last Date*, dis-je.

— Comment ?

— L'air qu'il jouait.

— Tu penses que c'était un clin d'œil ? Le « dernier rendez-vous » de Rand sur Terre ?

Je haussai les épaules.

— Ce mec ferme son pick-up à clé, enchaîna-t-il. Alors qu'il vit en pleine cambrousse et le gare pile devant sa cabane. Parce qu'il sait qu'on ne peut jamais faire disparaître toutes les traces. Peut-être qu'il croit dur comme fer à l'Ancien Testament et se fiche pas mal de savoir ce que voulait dire « œil pour œil » dans le contexte de l'époque.

— Mis à part les similitudes avec la mort de Rand, tu as repéré autre chose de louche dans le suicide de Lara ?

— Rien dans le rapport de Sue.

— Elle était bon inspecteur ?

— Ouais. Fernie aussi. Je dirais qu'en temps normal ils ne laissaient rien passer. Cette fois, peut-être qu'ils ont vu Barnett comme une victime et en sont restés là. (Il plissa le front.) Bunny MacIntyre aime bien Barnett, mais elle ne lui a fourni aucun alibi pour dimanche. (Il se servit du thé, mais n'y toucha pas.) Il faut que je me procure le dossier complet avant de voir Sue. Voilà qui promet d'être amusant : rouvrir une enquête qu'un collègue pensait avoir bouclée depuis belle lurette. Je pourrais la jouer « le type dans une impasse ». Voici où j'en suis, Sue. J'ai besoin de ton aide. (Il reprit sa fourchette et l'approcha de son assiette.) Alors, comment va l'appétit ?

— Ça va.

— Je suis fier de toi.

Il s'enfila deux Bengal Premium, demanda l'addition et venait de mettre de l'argent sur la table quand son portable entonna la *Cinquième* de Beethoven.

– Sturgis... Tiens, salut... Ça fait plaisir de t'entendre... Merci. Ça ne te dérange pas ?... Attends, je note... (Il coinça le téléphone contre son épaule et griffonna sur une serviette en papier.) Merci. J'en ai pour vingt minutes.

Il se leva et me fit signe de le suivre vers la sortie. Les jeunes s'arrêtèrent de rigoler pour le regarder quitter le restaurant. Un grand type inquiétant. Il n'était pas à sa place parmi les fous rires.

– C'était Sue Kramer, me dit-il une fois sur le trottoir. Elle est en ville. Elle bosse sur un suicide, figure-toi. Elle est partante pour nous parler de Lara. Pas le temps de lire le dossier.

– On est à L.A., Milo. Tu n'as qu'à improviser.

# 17

Rexford Drive, un quartier d'immeubles résidentiels, se trouve à Beverly Hills entre Wilshire et Olympic Boulevard.

– C'est elle, dit Milo en m'indiquant une femme svelte aux cheveux foncés qui promenait un caniche nain champagne autour du pâté de maisons.

Il se gara et Sue Kramer nous fit signe en souriant, puis se pencha et prit le chien dans ses bras.

– J'espère que tu n'es pas allergique, Milo, dit-elle.

– Juste à la paperasse.

Elle monta à l'arrière et huma l'air au moment où il redémarra.

– Ah, cette bonne vieille odeur de menottes ! s'écria-t-elle. Ça faisait longtemps.

– Elle conduit quoi de nos jours, la dame qui s'est vendue au privé ? Une Jag' ?

– Une Lexus. Et une Range Rover.

Kramer avait la cinquantaine. Taille de guêpe et longues jambes mises en valeur par un fuseau noir à fines rayures blanches, veste anthracite et chemisier sans manches en soie blanche. Cheveux noir d'encre, coupés court et coiffés en pointes. Aucun bijou. Sac à main noir Kate Spade.

– On s'embête pas ! dit Milo.

– J'ai bossé dur pour me payer la Lexus. Mon nouveau mari est dans la finance. C'est lui qui m'a offert la Rover pour me faire une surprise.

– Un type bien.

– Peut-être que le troisième sera le bon…

Le caniche se mit à respirer bruyamment.

– Tout doux, Fritzi. Ces messieurs sont gentils… Ça doit sentir le voyou à l'arrière.

– Mon dernier passager était le chef adjoint Morales, dit Milo. Je me suis farci de le conduire à une réunion à Parker Center.

– Faut pas chercher plus loin, dit-elle.

Milo croisa Rexford au niveau d'Olympic et prit à gauche dans Whitworth.

– Qu'est-ce que tu deviens, Sue ?

– Ça va super… Du calme, Fritz.

– Tu te plais à San Bernardino ?

– Je me passerais bien de la pollution, mais Dwayne et moi avons une super-maison à Arrowhead, pour les week-ends. Et toi ?

– Ça baigne. Qu'est-ce qui t'amène à Beverly Hills ?

– Comme disait Willy Sutton[1], c'est là qu'on trouve le fric. Plus sérieusement, c'est une triste histoire. Un divorce, des Coréens, comme toujours on se déchire pour l'argent et les gosses. Le mari décide de se suicider et s'arrange pour que ce soit sa femme qui le retrouve.

– Une balle ?

– Couteau. Il s'est fait couler un bain et s'est tranché les poignets. Après avoir appelé son ex pour lui dire qu'elle pouvait avoir les enfants, la voiture et la pension qu'elle exigeait. Il lui demandait seulement de passer pour en discuter comme des adultes responsables. En arrivant, elle a découvert l'appartement inondé de sang. Le coroner a conclu à un suicide, mais l'avocat du mari préfère s'en assurer.

– C'est suspect ? demanda Milo.

– Pas du tout, mais tu connais les avocats. Celui-ci tient beaucoup à facturer quelques heures supplémentaires avant de boucler le dossier. Bob… mon patron… n'a rien contre. On est là

1. Célèbre braqueur de banques, avec une centaine de hold-up à son actif entre 1920 et 1950.

pour faire le boulot, pas pour juger moralement. L'appartement se trouve là-bas. Je suis censée le surveiller pendant quelques jours, noter les allées et venues. Jusqu'ici, que dalle. Je vais devenir dingue ! Heureusement que tu m'as appelée. Bonjour, dit-elle en se penchant pour m'observer. Sue Kramer.

– Alex Delaware.

Je lui serrai la main. Milo lui expliqua qui j'étais.

– Je connais votre nom, dit-elle. C'est bien vous qui avez évalué Turner et Duchay ?

– Tout à fait.

– Triste affaire !

– Duchay est mort, Sue, lui confia Milo. C'est pour ça qu'on est là.

– Vraiment ? dit-elle en caressant son caniche. Raconte-moi

– En supposant que Malley ait commis ces meurtres par vengeance, dit-elle quand il eut terminé, vous vous demandez donc s'il n'aurait pas aussi tué Lara.

– Je suis certain que tu as fait ce qu'il fallait, mais tu sais comment c'est : on tombe sur quelque chose de nouveau et…

– Pas la peine de me caresser dans le sens du poil, Milo. Si j'étais à ta place, je ferais pareil.

Elle se cala dans son fauteuil. Son chien respirait calmement. Elle lui chuchota quelque chose à l'oreille.

– Fernie et moi avons fait notre boulot. Le coroner a confirmé que Lara s'était suicidée et on n'avait aucune raison d'en douter. Elle était profondément déprimée, pour parler comme les psys. Depuis la mort de Kristal, elle était sous calmants et avait pris du poids ; elle passait ses journées au lit sans voir personne.

– C'est Barnett qui t'a raconté ça ?

– Oui.

– J'ai trouvé le bonhomme plutôt taciturne.

– Ouais, dit-elle. Il avait un peu tendance à se prendre pour Clint Eastwood. Mais Fernie et moi avions un bon contact avec lui parce que c'était nous qui avions arrêté les deux monstres.

– Comment a-t-il réagi à la mort de Lara ?

– Triste, effondré. Il se sentait coupable de ne pas avoir pris sa déprime plus au sérieux, d'autant qu'ils avaient des problèmes et qu'il s'était réfugié dans le boulot.

– Quel genre de problèmes ?

– Des histoires de couple. Je n'ai pas insisté. Ce type avait tout perdu.

– Il s'en voulait donc de ne pas avoir fait assez attention à elle ?

– C'est courant en cas de suicide. N'est-ce pas, docteur ? Il reste toujours un résidu de culpabilité. Comme l'affaire sur laquelle je bosse en ce moment. L'épouse en avait ras le bol de son mari, elle a fait tout ce qu'elle pouvait pour le plumer pendant le divorce. Mais elle a été complètement bouleversée de le retrouver vidé de son sang dans la baignoire et maintenant elle se souvient des bons moments et croule sous les remords.

– Barnett s'est-il reproché que Lara se soit servie de son arme ? lui demanda Milo.

– Non, répondit Kramer. Pas du tout. J'ai aussi parlé à la mère de Lara, qui m'a fait en gros le même topo.

– Elle s'entendait bien avec Barnett ? demandai-je.

– J'ai eu le sentiment que non, mais elle n'a dit aucun mal de son gendre devant moi. Elle m'a expliqué que Lara avait eu énormément de difficultés après la mort de Kristal, mais la pauvre femme se sentait impuissante pour aider sa fille. Elle s'appelait Nina. Nina Balquin. Elle était effondrée. Forcément.

– Lara était sous calmants, dis-je. C'est leur médecin de famille qui lui avait prescrit le traitement ?

– Non. Lara refusait de voir quelqu'un, alors Nina lui a donné des cachets qu'elle avait sous la main.

– Maman déprimait, elle aussi ?

– À cause de Kristal, expliqua Kramer. Peut-être autre chose. J'ai eu l'impression que la famille avait traversé beaucoup d'épreuves.

– Du genre ? demanda Milo.

– C'est juste un sentiment. Je suis sûre que vous connaissez ça, docteur. Des familles poursuivies par le malheur. Mais je me suis peut-être monté la tête parce qu'ils étaient vraiment au fond du trou.

– Deux drames coup sur coup, dis-je. C'est vraiment moche.

– Moi, je déprime rien que d'y penser, dit Kramer qui rigola doucement en caressant son caniche. Fritzi est ma psy. Elle adore les planques.

– La partenaire idéale, dit Milo. Elle marche droit et ne bronche pas.

– Et elle n'a pas besoin d'aller au petit coin pour faire pipi !

Milo pouffa.

– Tu vois autre chose qui pourrait nous être utile ?

– C'est tout, les gars. Ces deux enquêtes m'ont tellement fichu le mouron que je n'ai pas perdu de temps à les boucler. Peut-être que j'ai négligé un détail pour Lara, je n'en sais rien. Mais on n'avait vraiment aucune raison de soupçonner Barnett.

Elle soupira.

– J'aurais fait pareil que toi, Sue.

– Tu le crois vraiment capable de l'avoir tuée ?

– Tu le connais mieux que moi.

– J'ai surtout connu un père éploré.

– Et en colère.

– La colère est une réaction bien masculine, non ?

Milo et moi restâmes silencieux.

– En tout cas, poursuivit-elle, Barnett ne m'a jamais laissé entendre qu'il reprochait à Lara d'avoir été négligente. Serait-il capable d'attendre la sortie de Duchay pour se venger ? Sans doute. Je sais que ça lui a fait plaisir que Turner se fasse suriner en prison.

– Il te l'a dit ?

– Ouais. Je l'ai appelé pour le prévenir, parce que je ne voulais pas qu'il l'apprenne par la presse. Il m'a écouté sans rien dire. Après un long silence, j'ai dit : « Barnett ? » Et il m'a répondu : « Je vous ai entendue. » Je lui ai demandé si ça allait, et il m'a répondu : « Merci pour le coup de fil. Bon débarras », et il a raccroché. Je dois dire que ça m'a fait froid dans le dos, parce que Turner n'avait jamais que quatorze ans et il est vraiment mort de façon atroce. Mais bon, ce n'est pas moi qui ai eu ma fille assassinée. Plus je pensais à sa douleur et plus je me disais que c'était son droit.

– Barnett ne t'a jamais parlé de Rand ?

– Seulement avant la sentence. Il disait qu'on devait leur donner ce qu'ils méritaient. Ce qui est plus ou moins arrivé, en fin de compte.

Milo s'arrêta à un feu rouge, au croisement avec Doheny.

– Je me souviens des articles sur la mort de Turner, reprit Sue Kramer, mais je n'ai rien vu sur Duchay. La presse en a parlé ?

– Non, répondit Milo.

– Ce genre de sujet… c'est étonnant qu'il n'y ait rien eu.

– Ç'aurait exigé du journaliste qu'il en sorte quelque chose, dit Milo.

– C'est vrai, reconnut-elle. La plupart se contentent des dépêches.

Elle marqua un silence avant de poursuivre.

– C'est pas comme nous, hein, Milo ? Nous, on n'arrête pas de chercher les ennuis. On met les doigts où il faut pas pendant qu'autour de nous c'est le déluge.

Milo acquiesça d'un grognement.

– Bon, dit-elle. Va falloir que je vous laisse, les garçons. Ce serait vraiment pas de chance qu'il se passe quelque chose de passionnant pendant mon absence. Et c'est bientôt la pause pipi de Fritzi.

Milo retourna dans Rexford.

– Tu n'as qu'à me déposer dans l'impasse derrière l'immeuble. J'ai mis un morceau de scotch en bas de la porte de l'appartement. Je tiens à vérifier qu'il n'est pas déchiré.

– Quel fin limier ! plaisanta Milo.

– Je peux te dire qu'il me tarde de boucler cette enquête. Dès que j'ai terminé, Dwayne m'emmène aux Fidji.

– Aloha.

– Toi aussi, un peu de soleil te ferait le plus grand bien.

– Je ne bronze pas.

– Ici, c'est parfait, mon grand…

Milo s'arrêta devant un petit immeuble blanc entouré d'un parking. Kramer descendit, posa le caniche, se pencha par le carreau ouvert de Milo et lui toucha l'épaule.

– La bureaucratie est sympa avec toi ?

– On me laisse tranquille.

– Ce n'est pas si mal.

– Dis carrément que c'est le nirvana.

– Alors ? me demanda-t-il tandis que nous quittions l'impasse pour prendre Gregory Drive vers l'ouest.

– Elle a fait son boulot, sans trop creuser.

– Et quand elle parle d'une famille poursuivie par le malheur ?

– Ça m'a l'air d'être la vérité.

Il grogna.

– Il nous reste un membre de la famille à retrouver. On va voir quelle est sa vérité.

# 18

Nina Balquin était domiciliée à Hollywood Nord, dans Blue-bell Avenue.

À proximité de l'endroit où s'était suicidée sa fille.

Et du centre commercial Buy-Rite, et du parc où sa petite-fille s'était fait assassiner.

Un petit coup de voiture suffisait aussi pour se rendre chez les Daney à Van Nuys.

Mis à part Barnett Malley parti s'isoler à la campagne, l'affaire restait cantonnée à un périmètre assez restreint.

Milo obtint le numéro de téléphone et eut une conversation rapide, qu'il conclut d'un « Merci, madame. On arrive. »

– En route, me dit-il. Elle est étonnée que je veuille lui parler de Barnett, pas du tout embêtée. Au contraire, elle se sent très seule.

– Tu as perçu tout ça dans une conversation de trente secondes ? m'étonnai-je.

– Je n'ai rien perçu du tout. C'est elle qui me l'a sorti tout de go. « Je suis très seule, lieutenant. Toute compagnie est la bienvenue. »


De plain-pied, la demeure orange citrouille et de style ranch se trouvait dans une rue chaude et ensoleillée. Petits cailloux verts en guise de gazon. Un tuyau d'arrosage grossièrement enroulé à côté du perron ; sans doute destiné à arroser les oreilles d'élé-phant qui tapissaient une bonne moitié de la façade. Paillasson de sisal, où figuraient des armoiries et le monogramme DJB. La sonnette entonna « Do le do, il a bon dos ».

La femme qui nous ouvrit était menue, d'un âge mûr mais incertain, avec de petits yeux bleus et des pommettes d'une fermeté éclatante qui vantait les mérites du bistouri. Elle portait un chemisier ajusté de crêpe orange par-dessus des leggings noirs et des mules rouges ornées de dragons brodés. Cheveux bruns coupés à la garçonne, avec des pattes duveteuses retroussées vers l'avant. La télécommande dans la main droite et la cigarette dans la gauche, dont s'échappait un filet de fumée qui se dissipait avant d'avoir atteint la hanche.

– Lieutenant ? dit-elle en glissant la télécommande sous son bras. Vous avez fait vite. Nina.

La bouche sourit, mais la peau vitreuse tout autour refusant de coopérer, son expression resta privée d'émotion.

En l'absence de vestibule, nous entrâmes directement dans une pièce lambrissée, avec un plafond incliné aux poutres apparentes. Chêne cérusé, jauni au fil des ans. Épaisse moquette rouille mouchetée de bleu, mobilier beige aux tissus bien tendus, qui paraissait neuf et tout droit sorti d'une vitrine. Bar en bois avec évier encastré, équipé de bouteilles et de verres. Le téléviseur sur le comptoir en carrelage marron était allumé. Une altercation au tribunal, sans le son – des personnes s'apostrophant comme des muets, un juge chauve à la mine furieuse et brandissant son marteau d'une manière qui n'aurait pas échappé à un psychanalyste freudien.

– J'adore, dit Nina Balquin. Ça fait plaisir de voir des crétins prendre ce qu'ils méritent.

Elle pointa la télécommande et éteignit le poste.

– Je vous sers quelque chose à boire, messieurs ?

– Non, merci.

– Il fait un peu chaud.

– On est très bien comme ça, madame.

– Eh bien moi j'ai soif… Mettez-vous à l'aise.

Elle se dirigea vers le bar, prit un pichet chromé et se servit un breuvage incolore. Milo et moi prîmes place sur un des canapés beiges. Le tissu était rêche et grumeleux ; j'en sentis les aspérités contre mes mollets. Nina Balquin prit son temps pour mettre des glaçons dans son verre. Je remarquai que sa main tremblait légèrement. Comme Milo, j'observai les lieux.

Quelques photos de famille de guingois sur le mur du fond, trop loin pour les distinguer. Derrière une porte vitrée coulissante, on apercevait une petite piscine rectangulaire. Des feuilles mortes et des saletés flottaient à la surface de l'eau verdâtre. Le pourtour en ciment, trop étroit pour s'y asseoir, occupait le reste du jardin.

Piquer une tête et rentrer illico.

Nina Balquin prit un siège perpendiculaire au nôtre et sirota sa boisson.

— Je sais, l'eau est sale. Je ne nage pas. Je n'ai jamais fait appel à Barnett pour la piscine. J'aurais dû, il se serait montré utile, pour une fois.

— Vous n'appréciez pas Barnett, dit Milo.

— Je ne peux pas le sentir. À cause de la façon dont il a traité Lara. Et moi. Pourquoi souhaitez-vous parler de lui ?

— La façon dont il traitait Lara avant ou après la mort de Kristal ?

Elle tressaillit en entendant le nom de sa petite-fille.

— C'est vous qui posez les questions et moi qui réponds ? Très bien. Dites-moi seulement une chose : ce salaud a des ennuis ?

— C'est possible.

Elle hocha la tête.

— Réponse : il était odieux avec Lara avant et après. Elle l'avait rencontré à un rodéo... non mais, vous vous rendez compte ? On lui a toujours payé les meilleures écoles, son père était dentiste. On comptait l'envoyer à l'université, mais ses notes sont devenues franchement nulles au lycée. Alors on est passés au plan B : Valley College. Son diplôme en poche, elle ne trouve pas mieux que de se faire embaucher dans un ranch pour vacanciers à Ojai, où elle rencontre son beau cow-boy, et c'est tout juste si elle m'appelle pour m'annoncer leur mariage.

Elle but une gorgée, fit tourner le liquide dans sa bouche avant de l'avaler et tira la langue.

— Lara avait dix-huit ans, et lui vingt-quatre. Elle l'admire en train d'attraper au lasso des canassons, des clébards ou Dieu sait quoi, et soudain les voilà qui se retrouvent dans une de ces chapelles drive-in glauques à Las Vegas. Mon mari aurait pu... les tuer. (Elle eut un rire forcé.) Façon de parler.

— Je comprends qu'il n'ait pas été ravi, dit Milo.

— Ralph était furieux. On le serait à moins, non ? Mais il n'a jamais fait la moindre remarque à Lara, il a tout gardé pour lui. L'année suivante, on lui a diagnostiqué un cancer de l'estomac et il nous a quittés quatre mois plus tard... (Elle jeta un coup d'œil à la piscine laissée à l'abandon.) Non, excusez-moi : il ne nous a pas quittés, il est mort. À l'époque, nous venions de déménager et la maison était encore sous hypothèque. À Encino, au sud du Boulevard. C'était ravissant et immense. Dieu merci, Ralph avait une bonne assurance-vie.

— Lara a-t-elle des frères et sœurs ? demandai-je en m'efforçant une nouvelle fois de distinguer les photos.

— Mark, mon aîné, est expert-comptable à Los Gatos. Avant il était contrôleur financier dans une start-up, et il se débrouille très bien à son compte. Sandy, la petite dernière, fait un doctorat en sociologie à l'Université du Minnesota. C'est un peu l'éternelle étudiante. Elle a déjà fait un master. Mais je n'ai jamais eu à me plaindre d'elle.

Elle mit un glaçon dans sa bouche, joua avec, puis le croqua.

— Lara était infernale. Il m'a fallu toutes ces années pour accepter que j'étais en pétard contre elle.

— D'avoir épousé Barnett ?

— Ça et tout le reste... de s'être suicidée.

Elle se mit à trembler et posa son verre qui cliquetait sur la table basse.

— Mon thérapeute m'a expliqué que le suicide constitue l'agression suprême. Lara n'avait pas besoin d'en arriver là, vraiment pas. Elle aurait pu parler à quelqu'un. Combien de fois je lui ai conseillé de le faire !

— De suivre une thérapie, dit Milo.

— Je suis une grande fan des psys, dit-elle en reprenant son verre. Psy, gin tonic et Prozac.

— Lara était donc une rebelle, dis-je.

— Dès son plus jeune âge. Vous lui disiez « noir », elle répondait « blanc ». Au lycée, elle s'est mise à avoir de mauvaises fréquentations... c'est pour ça que ses notes ont baissé. C'était la plus intelligente des trois, elle n'avait qu'à bosser un minimum. Mais non, il a fallu qu'elle épouse ce minable. À Vegas, je vous jure ! On se serait cru dans une série Z. Il était... Vous avez vu ses dents ?

Pendant notre face-à-face de quelques secondes, Barnett Malley n'avait pas desserré les lèvres.

— Pas en très bon état ? dit Milo.

— Des chicots pourris. Vous pouvez imaginer ce que Ralph en pensait.

Pour illustrer le contraste, elle dévoila deux rangées de jaquettes en porcelaine étincelantes.

— Ce pauvre type n'avait même pas de famille.

— Vraiment aucune ?

— Chaque fois que je lui posais des questions sur son enfance et ses parents, il changeait de sujet. Je veux dire... quand on accueille quelqu'un de nouveau dans sa famille, il est tout de même normal de lui poser des questions, non ? Cause toujours ! Monsieur faisait le fier et gardait le silence. Sauf qu'il n'était même pas capable de gagner sa vie décemment.

Elle vida son verre, se servit d'une main pour stabiliser l'autre.

— Nous sommes des gens éduqués et distingués... j'ai un diplôme de design et mon mari était un des orthodontistes les plus réputés de la Valley. Et qui voilà ? Un vrai péquenaud.

— Lara l'a donc rencontré dans un ranch pour touristes, dit Milo.

— Où elle avait décroché un fabuleux job d'été, dit Balquin en faisant la grimace. Ici, elle n'était pas fichue de faire son lit, mais là-bas, elle avait le plaisir de faire les chambres pour le salaire minimum ! Elle prétextait qu'elle voulait gagner un peu d'argent pour s'acheter une voiture plus belle que celle que son père était prêt à lui offrir.

— « Prétextait » ?

— Elle a démissionné au bout de quinze jours pour filer avec lui à Vegas. Elle n'a jamais eu de voiture avant qu'on lui donne une Taurus d'occasion. Partir à Ojai, c'était juste une façon de se rebeller, comme d'habitude.

— Vous dites que Barnett travaillait pour un rodéo ambulant ?

– Si vous voulez mon avis, il a ébloui ma fille avec quelques tours de lasso. Moi, je suis allergique aux chevaux... la voilà donc mariée du jour au lendemain et elle m'explique qu'elle veut des bébés. Mieux que ça, plein de bébés. Je lui ai demandé qui allait payer, et mademoiselle avait une réponse toute faite. Son beau cow-boy allait raccrocher ses éperons pour se trouver un vrai boulot. (Elle pouffa.) Et il aurait fallu l'applaudir ! Et quelle carrière sensationnelle mon gendre envisageait-il ? Nettoyer des piscines.

– Ça faisait déjà un certain temps qu'ils étaient mariés quand ils ont eu Kristal, lui fis-je remarquer.

– Sept ans, dit-elle. J'ai trouvé ça très bien. Je me disais que Lara avait enfin la tête sur les épaules, qu'elle mettait un peu d'argent de côté. Elle avait un nouveau boulot... encore un truc super : caissière au supermarché Voss. Et le cow-boy s'était acheté du chlore pour se mettre à son compte.

– Vous les voyiez souvent ?

– Quasiment jamais. Et puis un jour Lara débarque, nerveuse et penaude. J'ai compris qu'elle voulait quelque chose. Elle m'a demandé de l'argent pour un traitement contre la stérilité. Ça faisait des années qu'ils essayaient en vain. Elle m'a expliqué qu'elle avait fait plusieurs fausses couches, et ensuite plus rien. Son médecin pensait à une incompatibilité. Pour qu'elle passe me voir, c'est forcément qu'elle avait besoin de quelque chose.

– Comment se fait-il que vous vous soyez si peu vues ? demandai-je.

– C'étaient eux qui ne voulaient pas. On les invitait à toutes les réunions de famille, mais ils ne venaient jamais. À l'époque, je croyais que c'était de sa faute à lui, mais je n'en suis plus si certaine. Mon thérapeute dit que je dois admettre la possibilité que Lara ait eu sa part de complicité dans le binôme destructeur. Ça fait partie du processus.

– Du « processus » ? répéta Milo.

– Le processus de guérison. Il faut que je me ressaisisse. Je souffre d'un déséquilibre biochimique qui affecte mes humeurs, mais je dois aussi accepter ma part de responsabilité dans ma façon de réagir au stress. J'ai une nouvelle thérapeute qui s'y connaît très bien en deuil, et grâce à elle j'en suis arrivée au point où j'arrive à parler de Lara sans prendre de gants. C'est pour ça que votre coup de fil tombait vraiment à pic. Je l'ai tout de suite appelée pour lui dire que j'allais vous parler. Elle m'a dit que c'était mon karma.

Milo opina du chef et croisa les jambes.

— Avez-vous donné de l'argent à Lara pour son traitement ?

— Ces deux-là n'avaient aucune couverture sociale. Je ne sais même pas si les traitements contre la stérilité sont remboursés. J'ai eu pitié d'elle, je me rendais bien compte que ça n'était pas facile de venir mendier. Je lui ai dit que j'en parlerais à son père et elle m'a remerciée. Elle m'a même serrée dans ses bras.

Elle cilla et se leva pour aller se resservir.

— Je peux vous proposer quelque chose de moins fort.

— C'est bon, madame. Votre mari a-t-il accepté de les financer ?

— Dix mille dollars. Au début il a refusé tout net, mais il a fini par céder, bien entendu. Ralph était une bonne pâte. Lara a encaissé le chèque et je n'ai plus entendu parler de rien. C'est redevenu comme avant, elle ne me rappelait jamais. Ma thérapeute dit que je dois faire face à la possibilité qu'elle se soit servie de moi.

— C'est-à-dire ?

— Il se peut que l'argent n'ait pas servi au moindre traitement.

— Qu'est-ce qui vous fait dire ça ?

Son poing pâlit autour du verre.

— J'ai porté Lara neuf mois et parfois elle me manque tellement que je ne peux pas supporter d'y penser. Mais je dois être objective, pour mon propre équilibre mental. Je les ai toujours soupçonnés d'avoir utilisé l'argent autrement, parce que, peu de temps après, ils ont emménagé dans quelque chose de plus grand et elle n'est pas tombée enceinte. Lara m'a expliqué que Barnett avait besoin de place pour son piano. J'ai pensé que c'était un beau gâchis, vu qu'il ne jouait que des airs country, et même pas très bien. Kristal n'est arrivée que des années plus tard, quand Lara avait vingt-six ans.

— Ça a dû être quelque chose, dis-je.

— Kristal ? dit-elle en clignant des yeux. Elle était toute mignonne et toute belle. Je vous dis ça, mais je la voyais très peu. J'étais grand-mère et je n'avais même pas le droit de voir ma petite-fille. Lara a fait des choix, mais je sais que lui aussi y était pour quelque chose. Il l'a isolée.

— Pourquoi ?

— Je n'en sais rien. Cet homme n'a jamais eu la moindre gentillesse à nous dire. Malgré notre opposition à leur mariage, nous avons tout fait pour lui être agréables. À leur retour de Vegas, nous leur avons organisé une petite réception au Sportman's Lodge. Il était précisé « tenue stricte » sur le carton, mais il a trouvé le moyen de venir avec un jean sale et une chemise de cowboy à boutons pression. Les cheveux longs et en bataille. Mon Ralph était toujours très élégant, vous vous en doutez. Avant, Lara était très coquette, mais plus après son mariage. Elle aussi portait un jean sale et une espèce de débardeur tout moche. Il y avait de quoi avoir honte, dit-elle en secouant la tête. Mais c'était Lara tout craché. Avec elle, on n'était jamais au bout de ses surprises.

— Madame, dit Milo, vous serait-il trop douloureux d'évoquer son suicide ?

Nina Balquin leva les yeux au ciel.

— Vous laisserez tomber si je vous réponds oui ?

— Bien sûr.

— C'est effectivement douloureux, mais je tiens à vous en parler. Parce que les gens ont beau dire, ce n'est pas de ma faute. Lara a fait des choix toute sa vie, et puis elle a fait ce choix épouvantable, horrible et dégueulasse de mettre fin à ses jours.

— Qui dit que c'est de votre faute ? lui demandai-je.

— Personne, répondit-elle, et tout le monde, implicitement. Si vous perdez un enfant de maladie ou dans un accident, les gens ont pitié de vous. Si votre enfant se suicide, on vous regarde comme le plus horrible des parents.

— Comment Barnett a-t-il réagi après le suicide ?

— Je n'en sais rien, on n'en a jamais parlé. Il l'a fait incinérer, dit-elle en fermant les yeux. Il n'a même pas eu la décence d'organiser le moindre office religieux. Pas d'obsèques, pas de cérémonie. Il m'a volé ça... le salaud. Vous ne pouvez pas me dire de quoi vous le soupçonnez ? Une histoire de drogue ?

— Barnett se droguait ? dit Milo.

— Ils fumaient de l'herbe tous les deux. Ce qui explique peut-être ses difficultés pour tomber enceinte... c'est pas censé vous détraquer les ovaires ?

— Comment savez-vous qu'ils fumaient ?

— Je connais les signes, inspecteur. Lara a commencé à se camer au lycée et je n'ai aucune raison de croire qu'elle ait arrêté.

— Ses mauvaises fréquentations, dis-je.

— Une bande de gamins pourris gâtés. Qui se baladaient dans la BM de leurs parents, la musique à plein tube pour jouer les voyous. Son frère et sa sœur n'ont jamais fait des idioties pareilles.

— Vous pensez que Lara a continué à se droguer après son mariage ?

— J'en suis sûre. Les rares fois où j'allais chez elle... quand on daignait me laisser entrer... c'était le souk et on sentait l'odeur.

— Ils n'ont jamais essayé quelque chose de plus fort que la marijuana ? demanda Milo.

— Ça ne me surprendrait pas, dit-elle en le regardant droit dans les yeux. C'est donc bien une affaire de drogue. Barnett est devenu dealer ?

— Il trafiquait de la drogue, à votre connaissance ?

— Non, mais c'est logique. Quand on consomme, on finit par dealer pour financer ses besoins, non ? Et puis cette manie de collectionner les armes ! Lara n'a pas du tout été élevée comme ça, on n'avait même pas de carabine à air comprimé. Soudain ils se mettent à acheter des fusils, des revolvers, toutes sortes d'armes épouvantables. Et il ne les gardait même pas sous clé. Exposées dans une vitrine, comme les livres chez les gens bien. Si on ne trempe pas dans des histoires louches, à quoi bon avoir des armes ?

— Vous lui avez posé la question ?

— J'en ai parlé une fois à Lara. Elle m'a répondu de me mêler de mes oignons.

Je cherchai en vain une bibliothèque dans son salon. Rien que des boiseries en chêne cérusé et les photos sur le mur du fond.

— Lara s'est suicidée avec un de ses revolvers. J'espère qu'il est satisfait, dit-elle en serrant les poings. Si Barnett est un dealer, je serais ravie que vous puissiez le coincer et l'envoyer en prison pour le restant de ses jours. Ma fille n'avait vraiment pas besoin de sa mauvaise influence.

Elle se gratta une incisive, porta son verre à ses lèvres et but lentement mais sûrement. Elle le vida d'un seul trait, sans reprendre son souffle.

— Vous avez quelque chose à ajouter, madame ? lui demanda Milo.

— Je ne devrais pas dire ça, mais… et puis, après tout, elle est morte et Kristal aussi, et je dois surtout m'efforcer de reconstruire ma propre vie.

Son visage se crispa à nouveau, avec tellement d'insistance que les muscles refaits de ses joues et de son menton finirent eux aussi par céder.

— Je me suis toujours demandé si ce n'était pas à cause de la drogue que Lara avait perdu Kristal. Elle soutenait qu'il avait suffi d'une seconde, qu'elle avait à peine eu le temps de tourner la tête que Kristal avait disparu dans la cohue. Mais on a moins de réflexes quand on se drogue, non ?

Milo sortit son calepin, sans rien écrire.

— C'est terrible de dire une chose pareille sur sa fille, reprit-elle, mais vous voyez une autre explication ? J'ai élevé trois gamins et Mark était un sacré loupiot qui ne tenait jamais en place, toujours en train de courir partout. Et moi, je ne l'ai jamais perdu. Vous pouvez m'expliquer comment on s'y prend pour perdre un enfant ?

Elle hurlait presque. Elle se laissa retomber lourdement et se massa la tempe gauche.

— Ces maudites migraines… Loin de moi l'envie d'accuser ma fille, mais objectivement… C'est peut-être le sentiment de culpabilité qui a poussé Lara à… à… Bon sang, accouche Nina ! À se suicider !

Ses mains se mirent à trembler violemment. Elle les glissa sous ses fesses et ferma les yeux. Une plainte aiguë perça derrière ses lèvres serrées.

— Nous voyons bien à quel point c'est éprouvant, madame, lui dit Milo. Nous apprécions votre franchise.

Nina Balquin ouvrit les yeux. Elle avait le regard absent.

— Chienne de clairvoyance ! s'exclama-t-elle.

Je profitai de ce que Milo la remerciait pour aller jeter un coup d'œil aux photos sur le mur du fond. Un couple d'une trentaine d'années et leurs deux enfants – l'expert-comptable et sa famille. Une femme qui ressemblait à Lara Malley, portant la toge et la toque. Le visage plus épais que Lara, quelques boucles rousses dépassant de la coiffe – Sandy, l'éternelle étudiante. Aucun portrait de Lara. En revanche, sous le frère et la sœur était accroché un cadre bon marché avec un cliché 10 × 13 de Kristal. Elle devait avoir moins d'un an et ne tenait pas assise toute seule. Robe de cow-girl rose et chapeau assorti. Chevaux fougueux et cactus à l'arrière-plan, croissant de lune au-dessus de la plaine, parfaitement léché. Sans doute un de ces photomatons pour enfants comme on en trouve dans les centres commerciaux.

Une fillette aux joues roses, souriante et potelée. De grands yeux marron dévorant l'objectif. De la bave au menton ; elle faisait ses dents.

– On me l'a donnée quand je suis passée déposer un cadeau de Noël pour Kristal, m'expliqua Nina Balquin. Ils en avaient toute une pile. Il a fallu que je la réclame.


Nous la quittâmes sur le pas de la porte, un nouveau verre à la main.

– Des fois je me dis que je ne suis pas si mal tombé avec les énergumènes de ma famille, marmonna Milo en démarrant.

– La belle-mère ne peut pas sentir Barnett, mais elle n'envisage pas une seconde qu'il ait pu assassiner Lara, lui fis-je remarquer.

– Cette pauvre femme est tellement fragile que je m'attendais à devoir ramasser les morceaux. Je me demande comment elle réagira si on découvre que son gendre est encore pire qu'elle ne l'imagine.


Délaissant la voie express, Milo rejoignit Beverly Glen en prenant Van Nuys Boulevard vers le nord.

— Tu ne trouves pas qu'on se croirait du côté de chez Barnett Malley ? me dit-il tandis que nous serpentions à travers le canyon. Mis à part les baraques qui coûtent la peau des fesses, les courts de tennis, les voitures étrangères, toute la verdure et l'absence de terrains pour mobil-homes.

— Ça correspond tout à fait.

— Que penses-tu du portrait psychologique de Malley qu'elle nous a dressé ?

— Mettons qu'elle soit crédible. Il isolait Lara de sa famille, taisait ses origines et fumait du hasch. On sait aussi qu'il possède toutes sortes d'armes. Ajoute la manière dont il a réagi avec nous et tu as tous les ingrédients d'un drame.

— Les types qui isolent leur femme n'ont pas aussi tendance à la battre ?

— C'est un facteur de risque, dis-je. Si Malley envisageait la vie comme un combat entre eux et le reste du monde, le meurtre de Kristal ne pouvait que le conforter dans cette position.

— Dans ce monde pourri et dangereux, autant s'armer et rester sur ses gardes.

— Et se venger. Je trouve intéressant que Nina soupçonne Lara d'avoir été négligente à cause de la drogue. Ce n'est pas facile de s'aventurer sur ce terrain-là en parlant de son propre enfant. Même au bout d'une longue thérapie.

— Voilà pourquoi Barnett en voulait à Lara. Même s'il fumait lui aussi.

— Lara était la mère, dis-je. C'est toujours la mère qui essuie les reproches. Une fois Troy et Rand en prison, Lara et Barnett se sont penchés sur leur propre vie. Ils ont eu toutes les peines du monde à avoir un enfant. Ils y parviennent enfin, mais leur fillette leur est arrachée de la manière la plus horrible qui soit. Une sacrée épreuve pour un couple. La tension monte, on se sort ses quatre vérités. Plus l'isolement, la drogue et les violences conjugales, qui ne peuvent qu'envenimer les choses. Lara en avait peut-être assez des gifles.

— Elle prend de l'assurance et ça ne plaît pas au cow-boy, dit-il en faisant mine de tirer à deux doigts sur le pare-brise. Et pan !

— Comme tu dis : « Et pan ! »

# 19

Pendant une bonne partie du trajet de retour, Milo louvoya parmi la bureaucratie du LAPD afin d'obtenir le dossier complet du suicide de Lara Malley.

Je laissai, moi, libre cours à mes pensées, qui m'entraînèrent dans des directions étonnantes.

Il s'arrêta devant chez moi.

— Merci, Alex. Je file. Dieu sait où.

— Es-tu d'humeur à entendre d'autres spéculations ?

— Vas-y.

— Nina Balquin soupçonne Malley d'avoir touché au trafic de drogue. Si c'est vrai, il connaît sans doute des types peu recommandables. Le genre à pouvoir monter un coup derrière les barreaux.

Il se tourna pour me faire face.

— Le meurtre de Troy Turner ? D'où tu nous sors ça ?

— Par libre association d'idées.

— La mort de Turner a été attribuée à un règlement de comptes entre gangs. Il avait agressé un Vato Loco.

— Et c'est peut-être ce qui s'est véritablement passé, dis-je.

— Pourquoi ça serait faux ?

— Pourquoi un gamin de treize ans est-il resté pendu dans une remise, à se vider de son sang pendant une heure sans que personne ne remarque rien ?

— Parce que c'est le bordel à la CYA.

— Bon, dis-je.

Il repoussa brusquement son siège et étendit les jambes.

– Malley fait buter Turner au bout d'un mois d'incarcération, mais il patiente huit ans avant de régler son compte à Rand ?

– C'est vrai que là il y a un problème, reconnus-je.

– Tu peux le dire.

– Je vois une explication, mais ce sont vraiment de pures conjectures.

– Et non plus de simples spéculations fantaisistes ?

– Malley avait soif de vengeance immédiatement après le meurtre de Kristal. Turner était le principal coupable à ses yeux, il a donc payé tout de suite. Assouvie, la colère de Malley s'est atténuée. Peut-être qu'il n'avait même pas décidé que Rand méritait le châtiment suprême. Mais ils se sont rencontrés et ça a mal tourné.

– Malley liquide sa femme rapidement alors qu'il accorde huit ans de répit à Rand ?

– S'il reprochait à Lara la mort de Kristal, c'était une colère d'un autre registre.

– Qui aime bien châtie bien ? Je ne sais pas, Alex. C'est pousser le bouchon un peu loin.

– La propre mère de Lara lui en veut toujours. Elle a une photo de Kristal, pas de Lara. Mets-toi à la place de Barnett : tu te bats des années pour concevoir un enfant et ta femme fait la connerie de sa vie.

– C'est vrai.

– Et il y a aussi une raison de bon sens pour ne pas éliminer Rand juste après Troy. Si les deux garçons étaient morts en même temps, on aurait soupçonné une vengeance. Pour Lara c'était différent. On n'avait aucune raison de douter qu'elle se soit vraiment suicidée.

– Même une inspectrice aussi futée que Sue y a cru. Peut-être…

– Si c'est bien Malley qui a assassiné Lara en mystifiant le coroner et les flics, on a affaire à quelqu'un de rusé et de calculateur. Ce qui s'accorde avec la capacité de différer son plaisir. Idem pour le mode de vie de Malley… ascétique. Il se peut qu'il ait ruminé le sort de Rand pendant des années et décidé de tester son repentir.

– T'es nul tu crèves, dit-il. Un revolver de calibre .38. Une arme de cow-boy... Malgré tout, huit ans ça fait long.

– Peut-être que les huit années ont été entrecoupées de rencontres... une sorte de longue période d'essai pour Rand.

– Malley lui aurait rendu visite en prison ? Face à face avec l'assassin de sa fille ?

– Ou bien des lettres, des coups de fil. Tu connais. Les victimes et les criminels qui entrent en relation après le procès. L'initiative aurait même pu venir de Rand. Il prend contact pour soulager sa conscience.

– Et tu vois Malley donner suite ? Ce n'est pas le type le plus ouvert ni le plus causant.

– Les gens changent en huit ans. Et ce n'est pas parce qu'il est armé jusqu'aux dents qu'il ne souffre pas.

– Je croirais entendre l'avocat de la défense.

La radio crachota. Il l'éteignit d'un geste brusque.

– Je serais bête de ne pas vérifier la liste des visites qu'a reçues Rand. Ça ne va pas être simple, quand on sait le bordel qui règne à la CYA. Quitte à brasser de la paperasse, autant se renseigner aussi sur la mort de Turner. Et il y a aussi le passé de Barnett Malley à creuser.

– Toujours ravi de veiller à ton bonheur.

– Sans ta libre association, j'aurais moins de grain à moudre.


Cinq messages sur mon répondeur. Quatre démarcheurs et Allison, la voix enjouée : « Je suis libre ! Je prends un vol à sept heures demain matin sur JetBlue. Je devrais arriver à Long Beach vers dix heures et demie. »

Je l'appelai sur son portable.

– Je viens d'apprendre la bonne nouvelle.

– J'ai culpabilisé à fond le cousin Wesley, me dit-elle. Pour une fois que mon Ph.D. me sert à quelque chose ! Il arrive de Boston ce soir. Ma valise est faite, je suis prête à partir.

– Et Bonne-Maman prend la chose comment ?

– J'ai eu droit à quelques reniflements distingués, mais elle n'a pas eu un mot de travers.

— Si tu décolles de New York à sept heures, ça veut dire que tu dois partir du Connecticut en pleine nuit.

— Le taxi passe me prendre à trois heures et demie. Tu vois à quel point je suis motivée ? J'ai des patients après-demain, mais si tu es libre demain, on pourrait se la couler douce.

— Je ne demande pas mieux. Je viens te chercher.

— Non, j'ai aussi réservé un taxi à Long Beach.

— Tu n'as qu'à le décommander.

— Oh, je vois que Monsieur ne plaisante pas…


Mon secrétariat appela à vingt et une heures. J'avais avalé un sandwich et une bière et m'apprêtais à me détendre avec quelques revues.

— Une certaine Clarice Daney demande à vous parler, docteur, m'informa l'opératrice.

— Cherish Daney ?

— Pardon ?

— Je connais une Cherish Daney.

— Ah… ça pourrait être ça. Loretta a une écriture de cochon… oui, c'est possible. Je vous la passe ou bien je note son numéro ? Elle dit que ça n'a rien d'urgent.

— Je la prends.

Elle nous mit en relation.

— Oh, dit Cherish Daney, je suis désolée. Je comptais juste vous laisser un message. On n'aurait pas dû vous déranger le soir.

— Aucun problème. Que se passe-t-il ?

— En fait, je cherchais à joindre le lieutenant Sturgis, mais on m'a dit qu'il était en déplacement. J'ai eu l'idée de vous appeler. J'espère que ça ne vous dérange pas.

En déplacement ?

— Pas du tout. Que puis-je faire pour vous, madame Daney ?

— Après votre départ, je me suis aperçue que je ne vous avais pas dit grand-chose sur Rand. Mon mari vous a parlé, mais j'ai quelque chose à ajouter.

— Je vous en prie.

– OK. Ce n'est sans doute rien, mais je préfère que vous sachiez que Rand a été nerveux tout le week-end. Même plus que ça. Il était vraiment agité.

– Votre mari nous a expliqué qu'il avait peur.

– Il vous a dit pourquoi ?

Je me souvins de l'attitude protectrice de Drew Daney. Malgré tout, Cherish était une adulte et sa réaction m'intéressait.

– Il nous a dit que Rand avait entendu quelqu'un rôder près de sa chambre la nuit. Le lendemain matin, Rand a aperçu une camionnette foncée qui démarrait devant chez vous et ça l'a inquiété.

– La camionnette foncée, dit-elle. Drew m'en a parlé, mais je pensais à autre chose. Quelque chose qui lui pesait avant même d'être libéré. En fait, ç'avait commencé plusieurs semaines avant sa sortie. Je voulais l'amener à s'ouvrir, mais je trouvais préférable d'y aller doucement à cause de ce qu'il avait vécu.

– « L'amener à s'ouvrir », répétai-je.

– Sans être psychologue, j'ai quand même un certificat de soutien spirituel. Tous les signes non verbaux étaient là, docteur. Troubles de la concentration, perte d'appétit, insomnie, fébrilité générale. Je me suis dit que c'était la nervosité à l'approche de sa libération, mais je ne sais plus trop. Et vu que cela a commencé longtemps avant qu'il vienne à la maison, je ne pense pas que ça ait quelque chose à voir avec la peur d'être suivi par un pick-up.

– Vous pouvez m'en dire un peu plus ?

– Comme je vous l'ai expliqué, il était sur les nerfs depuis un certain temps. Quand on est venus le chercher à Camarillo, il était vraiment mal en point. Tout pâle et tremblotant, pas du tout dans son assiette. Pendant le trajet, mon mari est allé aux toilettes quand on s'est arrêtés pour faire le plein, et on s'est retrouvés seuls quelques minutes, lui et moi. Voyant qu'il avait du mal à tenir en place, je lui ai demandé quel était le problème. Mais il est resté muet. J'ai décidé d'insister un peu et il a fini par me dire qu'il voulait me parler de quelque chose. Je lui ai demandé quoi et, après bien des « euh » et des « hmm », il m'a dit qu'il avait quelque chose à me dire au sujet de la mort de Kristal. Puis il s'est mis à pleurer. Il s'est senti gêné, a ravalé ses larmes et s'est efforcé de sourire. Avant que j'aie le temps de le cuisiner, Drew est revenu avec des boissons et à manger, et j'ai senti que Rand ne voulait pas que j'en parle à mon mari. Je comptais aborder le sujet pendant le week-end, mais je n'ai jamais trouvé le bon moment. Ce que je regrette de ne pas l'avoir fait, docteur !

— Quelque chose sur la mort de Kristal ? dis-je. Vous voyez de quoi il pourrait s'agir ?

— Je présume qu'il avait besoin de se libérer. Parce qu'il n'avait jamais vraiment assumé la chose. Pendant nos visites, il avait exprimé quelques remords. Maintenant qu'il entrevoyait la liberté, il en arrivait peut-être à un stade où il était capable d'assumer une plus grande part de responsabilité.

— C'est-à-dire ?

— En intégrant sa rédemption à un état de conscience. Peut-être en adoptant une attitude pro-active.

— Je ne vous suis pas vraiment.

— Je sais, dit-elle. Vous trouvez sans doute que c'est du charabia. Moi-même je ne suis pas sûre d'y comprendre grand-chose. En fait, j'ai vraiment l'impression que Rand voulait me confier quelque chose qu'il n'avait jamais dit. Je ne sais pas quoi, mais je m'en veux beaucoup de ne pas lui avoir tiré les vers du nez.

— On peut dire que vous vous êtes occupée de lui comme personne d'autre.

— C'est gentil, docteur, mais à la vérité mon attention est toujours accaparée, avec tous les enfants. J'aurais dû réagir avec... de manière plus affirmée.

— Vous êtes en train de me dire que le sentiment de culpabilité de Rand a un rapport avec sa mort ?

— Je ne sais pas. Pour être honnête, je me sens plutôt bête. De vous déranger.

— Pas du tout. Dites-moi ce que Rand vous avait confié auparavant.

— Au début, il disait qu'il ne se souvenait de rien. Ce qui était peut-être vrai... vous savez, le refoulement. Et même si c'était faux, la psychodynamique serait la même, n'est-ce pas docteur ? La transgression était trop colossale pour que son âme puisse la supporter. Il s'est donc replié sur lui-même en élevant ses défenses. Ce que je dis vous semble cohérent, docteur ?

– Oui.

– Je veux dire… ce garçon avait déjà fort à faire pour survivre au jour le jour. Ils appellent ça un centre de détention juvénile, mais c'est tout sauf ça.

– On a relevé de vieilles cicatrices sur le corps de Rand, dis-je.

– Oh, je sais, dit-elle, la gorge nouée. J'étais au courant chaque fois qu'il se faisait agresser, parce qu'on n'avait pas le droit de lui rendre visite à l'infirmerie. Quand nous sommes arrivés à la maison, il s'est changé et j'ai pris ses vieux habits pour les laver. J'ai aperçu son dos au moment où il a retiré son tee-shirt. J'avais beau être prévenue, c'était horrible.

Parlez moi des agressions.

– Le pire, c'est quand il s'est fait surprendre par les membres d'un gang. Il s'est pris plusieurs coups de couteau sans aucune raison. Rand n'était pas du genre bagarreur, bien au contraire. Vous croyez que ça les aurait retenus ?

– Il a été grièvement blessé ?

– Il a passé plus d'un mois à l'infirmerie. Une autre fois, il s'est fait attaquer par-derrière sous la douche et il a pris un coup à la tête. Je suis sûre qu'il m'a caché d'autres incidents. C'était un garçon costaud, il s'en remettait. Physiquement. Après les coups de couteau, je me suis plainte au directeur, mais autant parler dans le vide. Même les gardiens frappent les détenus. Vous savez comment ils se font appeler ? Des « éducateurs » ! On croit rêver.

– C'est le genre d'expérience qui peut rendre nerveux.

– Bien sûr, acquiesça-t-elle. Mais Rand s'était adapté. Les symptômes ne sont apparus qu'à l'approche de sa libération. C'était vraiment quelqu'un d'étonnant, docteur. Pour ma part, je crois que je serais devenue folle au bout de huit ans. Si seulement j'avais su mieux le guider… Quand on travaille avec l'humain, on se voit constamment rappeler que Dieu seul est parfait.

– Vous avez aussi rendu visite à Troy ?

– Deux fois. Le temps nous a manqué.

– Vous a-t-il exprimé un sentiment de culpabilité ?

Silence.

– Troy n'a jamais eu l'occasion de mûrir spirituellement, docteur. Cet enfant n'avait aucune chance. Enfin bon… voilà ce que je tenais à vous dire. Je ne sais pas si ça a un rapport.

– J'en ferai part à l'inspecteur Sturgis.

– Merci. Autre chose, docteur Delaware…

– Oui ?

– Votre rapport sur les garçons… Je n'ai pas eu l'occasion de vous le dire à l'époque, mais je l'ai trouvé très bien.

Ce fut Rick Silverman qui décrocha chez Milo.

– J'étais sur le pas de la porte, Alex. Milo a pris un vol pour Sacramento il y a quelques heures.

– Il descend à quel hôtel ?

– Quelque part à Stockton, près d'une prison pour jeunes. Je dois filer. Un accident de voiture, lésions multiples. Je ne suis pas de garde, mais on a besoin de tous les médecins disponibles.

– Vas-y.

– À la prochaine. Si tu lui parles avant moi, dis-lui que je m'occupe de Maui.

– Des projets de vacances ?

– À ce qu'il paraît.

# 20

Se la couler douce.

Le corps d'une femme lovée contre soi, le parfum de sa peau et de ses cheveux.

Sentir le renflement de la hanche sous sa main, passer le doigt sur le xylophone des côtes et les contours de l'épaule.

Je me relevai sur un coude et regardai Allison dormir. M'imprégnai du rythme de sa respiration et observai la disparition progressive des rougeurs qui avaient gagné sa poitrine.

Je me levai, enfilai un short et un tee-shirt et m'éclipsai.

Quand elle me rejoignit dans la cuisine vêtue de ma vieille robe de chambre jaune, j'avais eu le temps de faire du café, de vérifier mes messages auprès de mon secrétariat et de longuement ressasser le coup de fil de Cherish Daney.

Rand souhaitait lui parler de Kristal. Comme il me l'avait dit à moi aussi au téléphone.

Non, pas tout à fait. Il avait bafouillé, j'avais évoqué la question et il avait acquiescé.

« L'amener à s'ouvrir ».

Le pas incertain, Allison marmonna un vague « Salut ! ». Ses longs cheveux noirs étaient en bataille, mais elle pouvait se le permettre avec son épaisse chevelure. Elle cligna plusieurs fois des paupières, ouvrit péniblement les yeux, se dirigea vers l'évier, fit couler l'eau et se débarbouilla. Serrant la ceinture du peignoir, elle s'essuya avec une serviette en papier et secoua la tête comme un jeune chiot.

Bâillement. Sa main tarda à se placer devant sa bouche.

– Déjolée…

Quand je la pris dans mes bras, elle se laissa tomber si lourdement que je crus qu'elle s'était rendormie. En talons, elle n'a rien d'une géante. Pieds nus, elle m'arrive à peine aux épaules. Je l'embrassai sur le sommet du crâne. Elle me tapota le dos, geste d'un platonisme déconcertant.

Je la fis s'asseoir, lui servis un mug de café et mis quelques biscuits au gingembre dans une assiette. Elle les avait achetés plusieurs semaines auparavant, mais je n'y avais pas touché. Je me dis sans cesse que je devrais apprendre à faire la cuisine, mais dès que je suis seul je me rabats sur du vite-fait.

Elle fixa les gâteaux comme une curiosité exotique. J'en pris un et le portai à sa bouche. Elle le mordilla, mâcha péniblement et déglutit.

Je lui fis boire du café et elle me regarda avec un sourire hébété.

– Quelle heure est-il ?

– Deux heures.

– Ah… T'étais où ?

– Juste ici.

– Tu n'arrivais pas à dormir ?

– J'ai fait un petit somme.

– Moi, je me suis effondrée comme une ivrogne ! Je ne sais même plus dans quel fuseau horaire je suis… dit-elle en posant son regard sur le mug vide. Il en reste ? Merci. Super.

Une demi-heure plus tard, elle était douchée, maquillée et coiffée, et avait enfilé un chemisier blanc, un pantalon noir et des bottines, dont les talons n'auraient pas supporté le poids d'un chihuahua.

Elle n'avait rien avalé depuis le thé de la veille avec Bonne-Maman et suggéra à voix haute qu'elle manquait de protéines. Le choix s'imposa d'un commun accord : un grill de Santa

Monica, où l'on se retrouvait quand on avait besoin d'un peu de calme. Viande de bœuf vieillie à sec, bar bien approvisionné. De plus, c'est là qu'on s'était rencontrés.

Dehors il faisait vingt-quatre degrés. Nous optâmes pour sa Jaguar XJS noire, décapotable. Je pris le volant et elle garda les yeux fermés pendant tout le trajet, la main posée sur ma cuisse.

Une journée magnifique. Je me demandai quel temps il faisait à Stockton.

J'y étais passé plusieurs années auparavant, pour une évaluation à la requête d'un tribunal. C'est une petite ville rurale sympathique à l'est de Sacramento, au cœur de la San Joaquin Valley, avec un port fluvial. Située à l'intérieur des terres, dans un paysage de champs plats ; il y faisait forcément beaucoup plus chaud.

Sans doute en nage, Milo devait pester.

En rêvant de Maui ?

Un juge aux affaires familiales m'avait dépêché sur place. Un chauffeur de taxi croate récemment divorcé s'était enfui avec ses trois enfants, pour se faire prendre trois mois plus tard alors qu'il braquait une épicerie aux abords de Delano, sa progéniture faisant le guet. Condamné à dix ans ferme, du fond de sa cellule il avait demandé la garde conjointe et des visites régulières en prison. La mère, accro aux amphétamines, traînait avec une bande de motards marginaux. La machine judiciaire avait estimé qu'il y avait matière à se mettre en branle.

J'avais fait de mon mieux pour protéger les gamins. Un imbécile de juge s'en était mêlé...

La main d'Allison quitta ma cuisse pour m'effleurer la joue.

– À quoi tu penses ?

Robin n'aimait pas que je lui raconte des atrocités. Allison adore ça. Elle ne sort jamais sans un petit revolver au fond de son sac, mais j'ai toujours le réflexe de la protéger.

– Alex ?

– Oui ?

– Ce n'est pas une question piège, chéri.

Le restaurant n'était plus très loin. J'entamai mon récit.

Une brève interruption, le temps de commander une entre-côte pour deux et un vin rouge français.

– On dirait que M. et M^{me} Daney ont des problèmes de communication, fit-elle remarquer.

– Qu'est-ce qui te fait dire ça ?

– Le mari fait des cachotteries à sa femme et te raconte que Rand avait peur d'être suivi par le pick-up noir. Ce qui paraît fondé au vu de son assassinat. Alors que madame minimise cette histoire et t'oriente sur une autre piste.

– N'exagérons pas, elle m'a surtout sorti sa psychologie de bazar.

– Elle se sent coupable de ne pas l'avoir « amené à s'ouvrir ». Elle a vraiment dit ça ?

Je fis oui de la tête.

– Elle est thérapeute ?

– Elle a un vague certificat de soutien spirituel.

– À l'avenir, les gens seront trop occupés à jouer les thérapeutes pour suivre une thérapie ! Je ferais mieux d'entamer une reconversion comme vétérinaire.

– Tu serais prête à envisager ça alors que tu connais Spike ?

– Voyons, tu l'aimes comme ton frère. Avoue-le.

– Tu as entendu parler de Caïn et Abel ?

Elle rigola, se servit du vin et prit l'air songeur.

– On dirait que cette femme considérait Rand comme son projet personnel, avec l'idée de le guérir. Maintenant qu'il est mort, elle se tourmente en s'imaginant qu'il portait un terrible secret qu'on aurait dû mettre au jour. Ce qui est peut-être vrai, puisqu'il t'a laissé entendre la même chose quand il t'a appelé. Toute la question est de savoir si ça a un rapport avec son assassinat. Je n'ai pas l'impression que M^{me} Daney ait grand-chose à t'apprendre de ce côté-là. Elle est surtout préoccupée par le poids de sa propre culpabilité.

– Dans ce cas, pourquoi a-t-elle appelé Milo ?

– Pour pouvoir se dire qu'elle avait fait son devoir, répondit Allison en tripotant mes doigts. D'un autre côté, Rand lui aussi devait bien avoir une raison de t'appeler, et quelques heures plus tard il était mort.

On nous apporta nos plats.

— Tu n'as vraiment aucune idée de ce qu'il voulait te dire ? me demanda-t-elle.

— Il a fini par me sortir qu'il était quelqu'un de bien. Je pense qu'il était en quête d'absolution.

— C'est possible. On est un peu comme des prêtres.

— Ce qui m'intrigue, c'est qu'il m'ait contacté, moi. Je n'ai joué qu'un rôle mineur dans l'affaire.

— Peut-être pas à ses yeux, Alex. Et peut-être qu'il avait décidé de s'expliquer avec toutes les personnes impliquées dans cette histoire. Ce qui inclurait forcément le père de Kristal. Lequel conduit justement un pick-up noir.

— Retour à la case Barnett, dis-je.

— Qu'est-ce que tu sais de lui ?

— La mère de Lara est persuadée que sa fille et son gendre se droguaient et soupçonne même Barnett d'avoir vendu de la came. Elle prétend aussi qu'il isolait Lara, ce qui pourrait cacher des violences conjugales. Il habite en pleine cambrousse et dispose d'un véritable arsenal.

— Un type charmant.

— La mère nous a aussi sorti qu'elle se demandait dans quelle mesure sa fille n'était pas shootée quand elle a égaré Kristal.

— Égarer, ça fait penser à un trousseau de clés...


Après le dessert et le café, nos métabolismes furent longs à se mettre en route. Allison me disputa l'addition, et l'emporta. Ses joues avaient pris de la couleur.

— Ça fait du bien de te retrouver, dis-je. Même si je n'ai pas le droit de payer.

— Je suis contente d'être rentrée. Il y a quelque chose qui me chiffonne, Alex. Si Lara était shootée, je comprends que son mari lui en ait voulu. Mais qu'est-ce que ça pouvait faire à Rand ? D'ailleurs, comment serait-il au courant ?

Je n'avais pas de réponse.

– Je t'ennuie ? dit-elle en me caressant la manche. Désolée, mais tu as piqué ma curiosité.

– Au contraire. Continue.

– Il s'agissait bien d'un crime gratuit, n'est-ce pas ? Les garçons ne connaissaient pas Kristal avant de l'enlever.

– Ils ont expliqué qu'ils l'avaient aperçue en train de traîner toute seule. Pourquoi ?

– Ça semble bizarre. Une fillette seule dans un centre commercial, perdue dans la foule. On se dit qu'elle n'irait pas très loin, que quelqu'un finirait bien par intervenir.

– Les soldes d'après Noël, dis-je. Tout le monde était à l'affût des bonnes affaires. Peut-être que les gens n'ont rien remarqué parce qu'elle ne s'est pas débattue. Ils avaient peut-être l'air de deux ados s'occupant de leur petite sœur.

– C'est possible.

– Qu'est-ce qui te chiffonne ?

– Kristal avait deux ans, c'est bien ça ?

– À un mois près.

– C'est la période où l'angoisse de séparation est à son paroxysme. Pourquoi n'a-t-elle pas résisté ?

– Certains enfants sont plus confiants que d'autres, dis-je.

– Et certains enfants maltraités sont très à l'aise avec les inconnus. On n'a relevé aucun signe ?

– L'autopsie n'a révélé aucune cicatrice ni fracture ancienne, et elle était correctement nourrie. En admettant que Nina ait dit la vérité sur la drogue et l'isolement, cela aurait pu entraîner certaines négligences.

– Les Malley vivaient loin du centre commercial ?

– Cinq cents mètres.

– Lara devait souvent y faire ses courses.

– Sans doute.

– Et de chez eux à la cité ?

– Environ la même distance. Tu penses que les garçons connaissaient Kristal contrairement à ce qu'ils ont prétendu ?

– Ils auraient pu l'apercevoir pendant qu'ils jouaient aux jeux vidéo. Ils auraient même pu remarquer que Lara ne la surveillait pas toujours et profité de ce qu'elle avait le dos tourné pour parler à Kristal. Ce qui aurait facilité l'enlèvement.

– Préméditation, dis-je. Les garçons ont monté leur coup à l'avance, mais ont menti pour ne pas aggraver leur cas ? Tu penses que c'est ça que Rand avait sur la conscience ?

– Ou le contraire, Alex. Rand t'a sorti qu'il était quelqu'un de bien. Il cherchait à minimiser sa culpabilité, et quelle meilleure façon que de faire porter le gros de la responsabilité aux autres ? Troy, pour commencer. Mais aussi Lara, parce que Rand avait vu Kristal échapper à sa surveillance d'autres fois. Ce n'est pas le genre de chose que Lara admettrait volontiers, mais ç'aurait pu lui peser, contribuer à sa dépression et à son suicide. Quant à Barnett, il avait tiré un trait sur cette histoire. Jusqu'à ce que Rand remette ça sur le tapis. C'est ce qu'on appelle appuyer sur le détonateur.

Ma digestion s'était soudain bloquée. Le steak me pesait sur l'estomac.

– Rand n'était pas très intelligent, reconnus-je. On peut concevoir qu'il ait mal interprété les signes, qu'il se soit montré à ce point maladroit. Quelle imagination fertile !

– Je me contente de réfléchir à voix haute, chéri. Comme toi.

– Quel couple charmant !

– Tout à fait, Alex. Échanger des sottises, c'est à la portée de n'importe qui.

# 21

– Trop chaud pour la saison, maugréa Milo. Et je ne parle pas de l'accueil que j'ai reçu à Chaderjian !

Courbant son large dos, il fourra son nez dans le frigo.

Rentré de Stockton depuis à peine une heure, il était venu directement chez moi en se plaignant des compagnies aériennes prêtes à vous laisser mourir de faim. Une miche de pain et un pot de beurre de cacahouète étaient déjà posés sur le comptoir. Il s'était enfilé la moitié d'une brique de lait sans se donner la peine de prendre un verre.

– Tu es à court de provisions, me lança-t-il, la voix étouffée par la cloison émaillée. C'est impardonnable de ne pas avoir le moindre pot de confiture, de gelée, de marmelade ou d'un substitut adéquat.

– Tu veux des chips et un brownie pour ton goûter, junior ?

– Tu dis ?

Il fouilla parmi les étagères, puis se redressa en se massant l'articulation sacro-iliaque.

– Ça fera l'affaire, dit-il en posant ce qu'il tenait dans sa grosse patte à côté du pain.

Un yaourt à la pêche. Apporté par Allison... ça faisait des semaines qu'il traînait dans mon frigo.

– Je ne suis pas sûr que ce soit encore bon...

– Moi non plus.

Il souleva le couvercle, huma le contenu, jeta quelques cuillerées marronnasses et luisantes dans l'évier et rinça le tout avec une giclée d'eau qui tacha sa cravate.

Nouveau reniflement.

— La confiture au fond est encore bonne.

Un peu de mixture orangée sur une tranche de pain. Une couche de beurre de cacahouète sur une autre, et il plaqua les deux tartines ensemble. Plia son sandwich en deux et l'avala debout.

— *Bon appétit,* dis-je.

— Ne me parle pas en français. Je manque de patience aujourd'hui, mon ami.

— La CYA ne s'est pas montrée coopérative ?

— On s'attendrait à ce que le directeur d'une prison et ses sbires soient simpaticos avec un flic, vu qu'on est tous là pour assurer la sécurité du public. (Il s'essuya la bouche.) Mais c'est faux. Notre boulot est de coffrer les méchants, mais, comme eux ils ont toujours un problème de surpopulation, ils ont tout le monde sur le dos et s'en prennent plein la tronche. Quand ils voient débarquer un mécréant, ils font tout pour s'en débarrasser. On m'a fait comprendre que j'étais une plaie, Alex.

— Et les éducateurs ?

— Qui ça ?

— C'est comme ça qu'on appelle les surveillants à la CYA. Des éducateurs.

Il rigola.

— C'est vraiment un endroit bizarre, Alex. Beaucoup de silence, une tension indéniable. Plus tard, en feuilletant le journal local, j'ai appris qu'il se dit un peu partout que l'Assemblée de Californie va lancer une enquête sur la CYA. Trop de gamins y décèdent. En plus, leurs archives sont encore moins bien tenues que les nôtres. Malgré tout, je n'ai pas entièrement perdu mon temps... Il te reste du yaourt ?

— *Mi* frigo *es tu* frigo.

— Un petit coup d'espagnol ? Tu devrais bosser aux Nations unies.

— Une autre espèce de mécréants.

Il se concocta un deuxième en-cas, cette fois avec du miel en guise de glucose, et le mangea plus calmement.

Assis, en quatre bouchées.

– Tu diras ce que tu veux, mais la gloutonnerie est parfois récompensée. Je n'avais pas mangé depuis la veille au soir, mon hôtel minable ne proposait pas de service en chambre, et, crois-moi, quand je suis enfin ressorti j'étais de méchante humeur. Je suis entré dans le premier endroit, un bar-grill à deux pâtés de maisons de la prison. Le barman a obtenu qu'on me réchauffe en cuisine une assiette de travers de porc et on s'est mis à discuter. Figure-toi qu'avant il bossait comme cuistot à la prison. Ça fait sept ans qu'il en est parti.

– Soit un an après la mort de Troy ?

– Dix mois, pour être précis. Il se souvient très bien du meurtre, il était là quand on a emporté le cadavre. Deux éducateurs ont carrément traversé la cuisine avec, jusqu'à l'aire de livraison. Sans même se donner la peine de le recouvrir, attaché sur une planche avec des ceintures pour éviter qu'il tombe dans la soupe. Le barman m'a raconté que Turner était à peine plus gros qu'une dinde plumée, et de la même couleur.

Il alla au frigo, prit une bière, la décapsula et se rassit.

– Ce type avait un sacré coup d'œil pour les détails, dis-je.

– Sans compter qu'il ne porte pas la prison dans son cœur. Il prétend qu'on l'a viré sans raison valable. Il se souvient aussi qu'on a identifié un suspect. Pas un Vato Loco, un type qui maniait le surin en freelance. Un certain Nestor Almedeira. Les Vatos Locos et autres gangs faisaient appel à des voyous de son espèce quand ils voulaient la jouer profil bas. Et tu sais quoi ? Ce charmant personnage est sorti il y a quelques mois et son dernier domicile connu est ici même à L.A. Dans le district de Westlake.

– Almedeira avait-il d'autres clients que les gangs ?

– Barnett Malley, par exemple ? Qui sait... Je n'ai trouvé aucune indication que Malley se soit rendu là-bas. Ni à la prison de Rand. Rand n'a reçu que trois visites. Sa mère une fois, et les Daney deux fois. On ne conserve aucune trace des coups de fil.

– Comment Nestor Almedeira s'est-il retrouvé à Chaderjian ? demandai-je.

– Il a tué deux gamins à coups de couteau dans MacArthur Park quand il avait quinze ans. Il a pris six ans pour homicide involontaire.

– Deux gamins au tapis, ça vaut un homicide involontaire ?

– Oui, dès lors qu'ils portaient chacun un poignard et avaient un casier aussi chargé que celui de leur agresseur. L'avocat commis d'office a plaidé l'autodéfense et obtenu une qualification atténuée.

– Et Nestor s'est empressé d'exercer ses talents en prison.

– Sans blague ? D'après le barman, Nestor était vraiment un sale gosse, un caractériel. Tout le monde le prenait pour un cinglé. Ce qui colle plutôt avec la manière dont Troy s'est fait tuer.

– Nestor est-il drogué ?

– Héroïne.

– Si Malley trafiquait, ils ont pu se croiser.

Il retourna une fois de plus au frigo, reprit la brique de lait et la termina.

– Tu comptes te rendre à Westlake un de ces jours ? lui demandai-je.

– J'irais bien maintenant. Nestor a trouvé un boulot dans un boui-boui sur Alvarado. Sympa, hein ? Des mains d'assassin qui te fourrent tes chimichangas[1] ?

Un touriste qui taperait « Westlake » dans un moteur de recherche, en vue d'un voyage à L.A., risquerait de n'y rien comprendre.

Il y a d'une part Westlake Village, dans la partie la plus à l'ouest de la Valley – une cité-dortoir spacieuse avec ses parcs industriels d'une propreté méticuleuse, ses centres commerciaux luxueux, ses pavillons vanille aux toits de tuiles perchés sur des collines parsemées de chênes, et ses haras de plusieurs hectares. Les gens fortunés et peu attirés par les plaisirs de la ville viennent s'y installer pour fuir la criminalité, les embouteillages, la pollution et les gens qui ne leur ressemblent pas.

---

1. Variété de burrito.

Bref, tout ce qu'on trouve en abondance dans Westlake District.

Situé légèrement à l'ouest du centre-ville et baptisé Westlake, comme la pièce d'eau qui a remplacé les anciens marais de MacArthur Park, ce quartier est surpeuplé comme une capitale du tiers monde. Alvarado, son artère principale, est une enfilade de bars, de dancings, d'officines pour endosser les chèques, de boutiques discount et de fast-foods. On y trouve encore quelques immeubles de standing des années vingt, disséminés parmi les hideuses bâtisses d'après-guerre en préfabriqué qui ont balayé le passé architectural et l'identité d'un quartier bourgeois. Certains édifices, réagencés à n'en plus finir, ont été transformés en logements-dortoirs. Le recensement officiel des habitants est largement sous-évalué.

Les vingt premières années de son existence, le parc était un endroit agréable où se promener le week-end. Avant de devenir aussi paisible que l'Afghanistan, envahi par les drogués et les dealers, les caïds et les pédophiles, sans compter les illuminés qui conversent directement avec Dieu. Wilshire Boulevard traverse l'espace vert, dont les deux moitiés sont reliées par un tunnel. À une époque, on risquait sa vie à s'aventurer dans ce boyau gris orné de graffitis. Aujourd'hui, des fresques murales sont venues recouvrir les slogans des gangs, et la population en majorité hispanique vient pique-niquer au bord de l'eau le dimanche après la messe, en espérant que tout ira pour le mieux.

Milo emprunta la 6ᵉ Rue qui commence dans San Vicente. Puis il tourna à gauche et prit Alvarado vers le sud. Comme toujours, le boulevard grouillait de monde. Une foule de piétons pressés ou désœuvrés envahissait les carrefours. Mieux vaut traîner dehors à respirer les gaz d'échappement que de se tourner les pouces dans une chambre qu'on partage avec huit personnes.

Notre véhicule banalisé avançait au ralenti, comme le reste de la circulation. Panneaux en espagnol, marchandises bradées à la sauvette. Sacs en plastique remplis de fruits et bouquets d'œillets aux coloris étonnants, vendus par de petits hommes au teint cannelle qui avaient tutoyé la mort pour franchir la frontière. Le parc s'étendait derrière nous.

– Ça fond sous la pluie[1] ? dit Milo.

– Ça fait longtemps qu'il n'a pas plu.

– Alors ça fond sous la pollution... Tiens, regarde ça.

Il pointa le menton vers mon carreau. Je ne remarquai rien d'anormal.

– Quoi donc ?

– Une dose d'héroïne vient d'être vendue devant ce photographe. Ces vauriens ne s'en cachent même pas... Voilà, on est arrivés.

Il se gara malgré l'interdiction de stationnement. Une file d'attente s'étirait devant le comptoir extérieur de la Taqueria Grande. Murs de stuc bleu, blancs dans les coins écaillés. Même après agrandissement, on aurait pu y garer une seule voiture.

– Je serais curieux de voir la Taqueria Pequeña, dit Milo.

Il rajusta son holster, enfila son veston et descendit. Nous fîmes la queue. Des odeurs de porc, de maïs et d'oignon s'échappaient par la fenêtre jusque sur le trottoir. Prix raisonnables, portions généreuses. Les clients réglaient avec des petites coupures et de la mitraille, et vérifiaient soigneusement la monnaie. Deux personnes faisaient tourner l'échoppe, un jeune homme à la friture et une petite bonne femme potelée pour prendre les commandes.

La petite vingtaine, le cuistot était un type frêle au menton pointu. Cheveux très courts sous un bandana bleu, bras sillonnés de tatouages. L'huile grésillait et volait dans tous les sens. Aucune grille protectrice, et je voyais des projections lui atterrir sur les bras et la figure. Ça devait faire mal. Mais il travaillait imperturbablement, le visage impassible.

Le client devant nous prit ses tamales, son riz et son *agua de tamarindo* et nous céda la place. La serveuse avait les cheveux relevés et épinglés. Le maquillage du matin perdait le combat contre la transpiration. Sans lever les yeux, elle positionna son crayon sur le calepin.

---

1. Allusion aux paroles de la chanson « MacArthur Park » rendue célèbre par Donna Summer.

– *Que ?*

– Madame, dit Milo en lui montrant son badge.

Le sourire mit un certain temps à venir aux lèvres de la dame.

– Oui, monsieur ?

– Je cherche Nestor Almedeira.

Le sourire se referma aussitôt, comme une anémone de mer importunée. Elle fit non de la tête.

Milo lança un regard vers le type au bandana.

– C'est pas lui ?

La femme s'écarta légèrement pour regarder derrière la massive carrure de Milo. Les quelques clients qui patientaient derrière nous s'en allaient.

– C'est Carlos.

– On peut voir ses papiers ?

– Il a pas le permis.

– Je me contenterai de ce qu'il a, madame.

Elle se retourna et beugla quelque chose en espagnol. Bandana se raidit, lâcha un panier et jeta un coup d'œil vers la porte de derrière.

– Dites-lui qu'il n'aura pas d'ennuis s'il n'est pas Nestor. Vraiment.

Elle cria plus fort et le jeune homme se figea. Elle parcourut le mètre qui les séparait en trois pas saccadés, s'exprima en gesticulant et tendit la main. Il prit un bout de papier jaune dans sa poche. Elle s'en empara et le remit à Milo. Un reçu de la Western Union, certifiant que Carlos Miguel Bermudez avait fait un virement de quatre-vingt-quinze dollars et cinquante-trois cents destiné à un guichet de Mascota, au Mexique. La transaction était datée de la veille.

– C'est tout ? demanda Milo.

– Lui pas Nestor, dit la femme.

– Nestor a été renvoyé ?

– Non, non, dit-elle en baissant les paupières. Nestor a été mort.

– Quand ça ? demanda Milo.

– Y a quelques semaines, répondit-elle. Je crois.

– Vous croyez ?

– On voyait pas lui très souvent quand il était vivant.

– Comment avez-vous appris sa mort ?

– Sa sœur m'a dit. Une fille sympa, j'ai pris le frère pour faire plaisir à elle.

– Comment Nestor est-il mort ?

– Elle a pas dit.

– Combien de temps Nestor a-t-il travaillé ici ? Officiellement.

Elle plissa le front.

– Un mois, peut-être.

– Souvent absent ?

– Souvent pas poli.

Nouveau coup d'œil derrière nous. Aucun client.

– Vous pas vouloir manger quelque chose ?

Milo lui rendit le papier jaune et elle le glissa dans son tablier. Carlos le cuistot n'avait pas bougé, l'air toujours aussi nerveux.

– Non, merci, dit Milo.

Il adressa un sourire au jeune homme, lequel se mordit la lèvre.

– Comment s'appelle la sœur de Nestor, madame ?

– Anita.

- Vous pouvez me donner son adresse ?

– Elle travaille chez le *dentista*, à trois rues d'ici.

– Vous savez quel dentiste ?

– Un Chinois. Bâtiment noir. Je vous sers à boire ?

Milo prit un soda au citron. Elle lui dit que c'était offert par la maison, mais il laissa un billet de cinq dollars sur le comptoir et eut droit à un sourire.

Le temps de remonter dans la voiture, la queue s'était reformée.

# 22

Les D$^{rs}$ Chang, Kim, Mendoza et Quinones avaient leur cabinet dans un immeuble de plain-pied aux scintillants carreaux de céramique noire. La partie inférieure de la façade était maculée de graffitis blancs, comme si on s'était balancé des nouilles à la figure. L'enseigne annonçait : « Facilités de paiement, chirurgie dentaire sans douleur, couverture Medi-Cal acceptée. »

La salle d'attente était remplie de personnes qui souffraient. Milo se dirigea vers la réception et frappa au carreau. Celui-ci s'entrouvrant, il demanda à parler à Anita Almedeira. La secrétaire asiatique baissa ses lunettes.

– La seule Anita qui travaille chez nous s'appelle Anita Moss.

– Je souhaite lui parler.

– Elle est occupée, mais je vais voir.

Ça sentait les pastilles mentholées, les vêtements sales et le shampoing pour moquette. Les revues sur le présentoir mural étaient en espagnol et en coréen.

La trentaine ou presque, une femme au teint pâle se présenta à la réception. Longs cheveux noirs, visage rond, traits réguliers et posés. Sa blouse de nylon rose mettait en valeur ses formes généreuses et fermes. Sur son badge on pouvait lire : « A. Moss, hygiéniste dentaire diplômée ». Belles dents blanches quand elle souriait – avantage du métier.

– Anita, c'est moi, dit-elle. Que puis-je faire pour vous ?

Milo sortit son badge.

– Madame, êtes-vous la sœur de Nestor Almedeira ?

Anita Moss referma la bouche et se mit à chuchoter.

— Vous les avez retrouvés ?

— Qui ça, madame ?

— Ceux qui ont tué Nestor.

— Non, je suis désolé. C'est à un autre sujet.

Le visage d'Anita Moss se crispa.

— Quelque chose que Nestor a fait ?

— C'est possible, madame.

— Je suis assez occupée, dit-elle en jetant un coup d'œil vers la salle d'attente.

— Je ne vais pas vous retenir longtemps.

Elle ouvrit la porte et s'approcha d'un vieillard en tenue de travail et au menton affaissé, qui remplissait un bulletin de tiercé.

— Monsieur Ramirez ? Je suis à vous dans un instant, d'accord ?

Il acquiesça d'un signe de tête et se replongea dans la liste des partants.

— Allons-y, lança Anita Moss en traversant la salle.

Milo et moi n'eûmes pas le temps d'atteindre la sortie qu'elle était déjà dehors. Elle tapota du pied sur le trottoir et se caressa les cheveux. Milo lui proposa de s'asseoir dans la voiture.

— Je me passe très bien d'être vue dans une bagnole de flics !

— Moi qui m'imaginais qu'on était là incognito, dit Milo.

Anita Moss esquissa un sourire et se ravisa.

— Vous n'avez qu'à tourner à l'angle. Éloignez-vous un peu et je vous rejoins dans la voiture.


Milo baissa les carreaux car on étouffait à l'intérieur. Nous étions garés dans une petite rue bordée de logements précaires. Le visage tendu, Anita Moss se tenait sur la banquette arrière. Des mères et leurs enfants passèrent, puis ce furent deux chiens qui zigzaguaient d'une odeur à une autre.

— Je sais que ce n'est pas facile, madame… lança Milo.

— Ne vous en faites pas pour moi. Vous pouvez me demander ce que vous voulez.

— Quand votre frère a-t-il été assassiné ?

— Il y a quatre semaines. J'ai reçu un coup de fil d'un inspecteur et puis plus rien. J'ai cru que vous étiez là pour donner suite.

— Où est-ce arrivé ?

— Dans Lafayette Park, tard le soir. L'inspecteur m'a dit que Nestor achetait de l'héroïne et qu'on lui a tiré dessus pour lui piquer son argent.

— Vous vous souvenez du nom de l'inspecteur ?

— Krug. L'inspecteur Krug. Il ne m'a pas dit son prénom. J'ai eu l'impression qu'il ne comptait pas y consacrer trop de temps.

— Pourquoi donc ?

— À son ton. J'ai pensé que c'était à cause de qui était Nestor. Elle se redressa et fixa le rétroviseur.

— Nestor était toxicomane, dit Milo.

— Depuis l'âge de treize ans. Pas à l'héroïne au départ, mais il était toujours accro à quelque chose.

— Quelles autres drogues ?

— Quand il était petit, il a commencé par sniffer de la peinture et de la colle. Puis la marijuana, les médicaments, le PCP, la totale. C'est le petit dernier de la famille, et moi l'aînée. On n'était pas très proches. J'ai grandi dans le quartier, mais je n'habite plus ici.

— À Westlake.

Elle fit oui de la tête.

— J'ai fait mes études à Cal State à L.A., où j'ai rencontré mon mari. Il est en quatrième année d'école dentaire. On habite Westwood. Jim est un élève du D<sup>r</sup> Park. En attendant qu'il soit diplômé, on vit sur mon salaire.

— Nestor est sorti de prison il y a trois mois, dit Milo. Où vivait-il ?

— D'abord chez ma mère et après je ne sais pas. Comme je vous l'ai dit, on n'était pas proches. Pas juste Nestor et moi. Nestor et toute la famille. Mes deux autres frères sont des types bien. On n'arrive pas à comprendre pourquoi Nestor a mal tourné.

— Un enfant difficile, dis-je.

— Dès son plus jeune âge. Il ne faisait pas ses nuits, il était incapable de tenir en place, il cassait tout. Méchant avec le chien. Je ne devrais pas dire des choses pareilles, murmura-t-elle en s'essuyant les yeux. C'était mon frère. Mais il torturait ma mère… pas au sens littéral, il lui gâchait la vie. Elle a fait une attaque il y a deux mois et elle n'est pas du tout remise.

— Je suis désolé de l'apprendre.

Elle plissa le front.

— Je ne peux pas m'empêcher de penser que la présence de Nestor y a été pour quelque chose. Maman a toujours eu de la tension, on disait à Nestor de la ménager, d'y aller mollo. Mais il ne voulait rien savoir. Maman n'est pas naïve, elle était au courant des histoires de Nestor et ça la minait.

— La drogue.

— Et tout ce qui va avec. Faire la bringue, passer ses journées au lit. Il travaillait une semaine dans une laverie automatique pour voitures, puis se faisait virer. Il disparaissait sans prévenir, puis il revenait chez elle avec de l'argent plein les poches. Maman est très croyante, l'argent facile n'est pas du tout à son goût. Une fois il a même menacé mon mari, dit-elle en tripotant son badge.

— Quand ça ? demandai-je.

— Environ une semaine après sa sortie. Il a débarqué un soir chez nous, très tard, en exigeant qu'on l'héberge. Jim lui a proposé de l'argent, mais l'a empêché d'entrer. Nestor s'est fâché, l'a attrapé par la chemise et l'a insulté. Il lui a dit qu'il le regretterait, lui a craché au visage, puis il est reparti.

— Vous avez prévenu la police ?

— Je voulais, mais Jim n'a pas jugé nécessaire de le faire. Il pensait que Nestor finirait par se calmer. Mon mari est très posé, il ne se laisse jamais perturber.

— Et votre frère s'est calmé ?

— Il n'est pas revenu nous embêter et, une semaine plus tard, il est passé au cabinet pour me demander pardon. Il m'a raconté qu'il ne se droguait plus, que cette fois il allait s'en sortir, qu'il avait besoin d'un vrai boulot. Je connais une femme qui a un stand dans le boulevard, à deux pas d'ici. Elle a bien voulu le prendre, mais ça a foiré une fois de plus.

— Comment ça ?

— Sale caractère, trop d'absences. Je n'ose plus y mettre les pieds pour le déjeuner.

– Être la sœur de Nestor n'a pas été de tout repos, constatai-je.
Elle soupira et se toucha les cils.

– Pourquoi toutes ces questions ?

– Sauriez-vous où Nestor vivait juste avant de mourir ? lui
demanda Milo. Et qui il fréquentait ?

– Aucune idée, répondit-elle. Juste après sa sortie, il s'est
offert des habits sympas. Je me suis dit qu'il avait vendu de la
came. Quelques semaines plus tard, il était de retour chez Maman
et les belles fringues avaient disparu.

– Nous enquêtons sur une affaire à laquelle Nestor a peut-être
été mêlé pendant son incarcération. Il aurait pu vous en parler.

Silence.

– Madame ?

– Ah, murmura Anita Moss. Vous voulez parler de ça…


Elle se cala contre le dossier. Se passa la main sur les yeux.

– J'ai essayé de faire quelque chose, reprit-elle.

– À propos de… madame ?

– Vous parlez du gamin blanc ? Celui qui avait tué une fillette.

– Troy Turner, dit Milo.

Elle crispa les épaules. Son poing droit martelait la banquette.

– Vous avez pris votre temps !

– C'est-à-dire ?

– Quand Nestor m'en a parlé, j'ai voulu alerter les autorités.
Personne ne m'a écoutée.

– Quelles autorités ?

– D'abord à Chaderjian. Je les ai appelés et j'ai demandé à
parler à la personne chargée d'enquêter sur les crimes commis
sur place. On m'a passé une espèce d'éducateur ou de thérapeute. Il m'a écouté, m'a dit qu'il me rappellerait, mais je n'ai
jamais eu de nouvelles. J'ai donc appelé les flics. Le commissariat
de Ramparts, parce que c'était là que Nestor habitait. On m'a
répondu que c'était à Chaderjian de s'en occuper.

Elle nous décocha un regard incendiaire.

– Je suis vraiment navré, lui dit Milo.

— J'ai voulu vous alerter parce que Nestor me faisait peur. Il habitait chez Maman, je le sentais capable d'un coup de folie. (Elle avait les yeux humides.) Ça n'a pas été facile de le dénoncer. C'était tout de même mon frère. Mais je devais penser à Maman. À l'époque, personne n'en avait rien à faire, et maintenant qu'il est mort vous débarquez. Quel gâchis !

— Nestor vous a dit quoi, au juste ?

— Qu'il jouait les tueurs à gages à Chaderjian. Qu'il se faisait payer pour blesser ou tuer des gens et qu'il avait assassiné un certain nombre de gamins.

— Quand vous a-t-il fait ces confidences ?

— Peu de temps après sa sortie. Un ou deux jours après. On était chez ma mère pour fêter l'anniversaire de mon frère Antonio. Un petit dîner entre nous : Jim et moi, mes frères et leurs familles. Maman n'était pas très en forme, elle n'avait pas du tout bonne mine, mais elle nous avait cuisiné un repas succulent. Nestor s'est pointé en retard, avec de la très bonne tequila et une douzaine de havanes. Il a insisté pour que les hommes aillent fumer dehors. Jim a refusé parce qu'il ne fume pas et mes frères sont sortis sur le balcon. Mais Willy, l'aîné, est vite rentré en m'expliquant que Nestor n'arrêtait pas de se vanter et de raconter des trucs fous, très violents, et il n'avait pas du tout envie que ma mère entende ça. C'était à moi de le calmer.

Elle fronça les sourcils.

— Vous saviez y faire mieux que les autres, dis-je.

— J'étais la seule qui osait lui sortir ses quatre vérités et il n'était jamais agressif avec moi. Peut-être parce que je suis une fille et que j'ai toujours été gentille avec lui, même quand il faisait les quatre cents coups.

— Vous êtes donc sortie pour lui parler.

— Il fumait un énorme cigare qui empestait. Je lui ai demandé de recracher sa fumée de l'autre côté et d'arrêter de dire des conneries. C'est là qu'il m'a dit : « Je ne dis pas des conneries, Anita. C'est la vérité. » Puis il a souri bizarrement et a ajouté : « C'est un peu un truc chrétien. » Je lui ai demandé ce qu'il voulait dire et il m'a répondu : « Quand tu pends un mec et que tu le laisses saigner à mort, ça fait un peu comme Jésus, non ? Moi, je l'ai fait, Anita. J'avais pas de clous, mais j'ai attaché le mec, je lui ai tranché les veines et je l'ai laissé saigner. » J'étais écœurée. Je lui ai dit de la fermer, que je trouvais ça dégueulasse et que, s'il n'était pas capable de se tenir, il ferait mieux de s'en aller. Mais il n'arrêtait pas de raconter ce qu'il avait fait, comme s'il avait besoin de se confier. Après, il s'est comparé à Judas, soi-disant qu'il avait reçu ses vingt pièces d'argent pour son crime. Et il a ajouté : « Mais lui, c'était pas Jésus. Plutôt le Diable dans le corps d'un môme blanc, alors j'ai bien fait. » Je lui ai demandé de quoi il parlait, et il m'a dit que le gamin qu'il avait saigné était l'assassin d'une fillette. Et il m'a montré un badge d'identité de Chaderjian, le même que le sien mais avec la photo de quelqu'un d'autre.

— Troy Turner.

— C'est le nom qui était inscrit. J'ai dit qu'il pouvait se l'être procuré n'importe où, et ça l'a mis hors de lui. Il s'est mis à crier : « C'est moi qui l'ai fait ! Moi ! Je l'ai pendu et saigné, et t'as qu'à vérifier sur ton ordinateur, puisque t'es si maligne ! Tu trouveras forcément quelque chose. » (Un frisson la parcourut.) J'avais envie de vomir. Maman s'était donné du mal pour nous préparer des plats délicieux, mais j'avais l'impression que j'allais tout vomir. Je lui ai arraché son cigare et l'ai écrasé sous mon talon. Je lui ai dit de la fermer, sérieusement, et je suis rentrée. Il est parti et n'est pas revenu, et personne ne s'en est plaint. Ce soir-là, j'ai eu du mal à m'endormir parce que je n'arrêtais pas de penser au gamin sur le badge. Ce qu'il avait l'air jeune. J'avais beau connaître Nestor, toujours à se vanter et à raconter des salades, ça m'avait secouée. À cause des détails.

— Quels détails ? demanda Milo.

— Il a tenu à me raconter comment il s'y était pris. Qu'il avait suivi ce gosse pendant des jours. « J'ai traqué ce mec comme un lapin. » Quand il a bien connu les habitudes de Troy Turner, il a fini par le surprendre dans la remise du gymnase. (Ses traits se décomposèrent.) Ça me retourne encore l'estomac d'en parler ! Nestor m'a raconté qu'il l'avait neutralisé avec un coup au visage. Après... (Elle déglutit de nouveau.) Ce soir-là, pendant que Jim dormait, je me suis relevée et j'ai fait une recherche sur Internet en tapant le nom de Troy Turner. J'ai trouvé un entre-filet dans le *L.A. Times* et un article plus long dans un journal des environs de Chaderjian. Les détails correspondaient à ce que Nestor m'avait raconté. Mais... peut-être que Nestor n'y est pour rien, qu'il en avait entendu parler et s'était procuré le badge autrement.

– Connaissant Nestor, lui dis-je, vous le croyez capable d'avoir fait ça ?

– Il s'en vantait !

– Nestor vous a raconté qu'on l'avait payé pour tuer d'autres garçons, dit Milo. Vous a-t-il donné des noms ?

Elle fit non de la tête.

– Il ne voulait parler que de Troy Turner. Comme si c'était son grand exploit.

– Parce que Troy était célèbre ? dis-je.

Elle acquiesça d'un signe de tête.

– C'est ce qu'il m'a dit. « Ce mec se prenait pour un super-tueur, mais j'ai eu sa peau. »

– Il vous a dit combien il avait touché ?

Elle hocha la tête. Baissa les yeux.

– J'en suis venue à détester Nestor, mais dire des choses pareilles sur lui...

– Nestor ne vous aurait pas dit qui l'avait payé, madame ?

Elle garda les yeux baissés, s'exprima doucement.

– Juste que c'était un Blanc qui reprochait à Troy d'avoir tué le bébé.

– Il ne vous a fourni aucune précision sur ce « blanc » ? insista Milo.

– Non, rien d'autre. J'ai raconté tout ça à l'éducateur. Et en constatant qu'il ne me rappelait pas, j'ai contacté la police. Tout le monde s'en fichait.

Elle se mordit les lèvres et hocha la tête.

– Ce jeune garçon, murmura-t-elle. Sa photo. Il avait l'air tellement jeune !

# 23

Milo et moi sirotions un Coca dans un box au fond d'un café de Vermont, juste au nord de Wilshire, en attendant l'inspecteur Philip Krug du commissariat de Ramparts. Il était au volant quand nous l'avions contacté et s'était montré ravi d'avoir de la compagnie pour déjeuner.

C'était lui qui avait choisi le lieu du rendez-vous. Vu de l'extérieur, l'édifice ressemblait à une fusée miniature. Vaste salle lumineuse à moitié déserte, banquettes en moleskine rouge-brun, vitres opaques.

Il arriva avec vingt minutes de retard et j'en profitai pour faire part à Milo des remarques d'Allison.

– La thèse de la préméditation est intéressante, me dit-il, mais je ne vois pas ce qu'on peut en tirer. Rand qui cherche à atténuer sa culpabilité en accusant Lara, ça pourrait avoir son importance. En admettant qu'il ait sorti ça à Malley. Que penses-tu des vantardises de Nestor ?

– Ça m'a l'air crédible. Il était bien renseigné.

– Je pensais surtout au fait qu'un Blanc l'ait payé.

– Une vengeance par contrat. Ça colle.

Il consulta sa Timex.

– Troy s'est vanté lui aussi, quand je lui ai parlé en prison. Il m'a sorti qu'il allait devenir riche.

– Tu crois que lui aussi se voyait en tueur à gages ?

– Je le vois mal envisager de faire Harvard. Le meurtre de Kristal lui avait peut-être donné l'idée d'une carrière.

– Bande de sauvages. Qu'est-ce que tu veux qu'on en fasse ?

Âgé d'une quarantaine d'années, Phil Krug était un petit homme râblé aux fins cheveux roux, avec de belles moustaches cuivrées qui s'étendaient bien au-delà de son nez écrasé. Costume gris, chemise marine, cravate bleu ciel.

– Comme d'habitude ? lui demanda la serveuse qui le connaissait.

Krug, qui n'avait pas eu le temps de s'asseoir, lui fit oui de la tête et déboutonna sa veste.

– Salut, les gars, dit-il. Élise va prendre votre commande.

Nous prîmes un hamburger.

– Phil prend le sien au roquefort, nous informa Élise.

– J'ai mes petites habitudes, dit Krug.

– Parfait, dit Milo.

Il semblait malvenu de ne pas suivre le mouvement.

– Pareil, dis-je.

Entre des bouchées de bœuf nappé de fromage sur un pain quelconque, Krug nous exposa le peu de choses qu'il avait pu découvrir sur le meurtre de Nestor Almedeira. Agresseur inconnu, aucune piste, résidus d'héroïne dans la terre autour du cadavre.

Une seule balle en pleine tête à bout portant – entrée par une tempe et sortie par l'autre. Calibre .38, d'après le coroner. Ni douille ni cartouche, l'assassin l'avait donc ramassée ou bien s'était servi d'un revolver.

Je jetai un regard en coin à Milo. Visage impassible.

– Lafayette Park, dit-il.

Krug essuya un morceau de fromage collé à sa moustache.

– Je vais vous toucher un mot de Lafayette Park. Il y a deux mois de ça, j'ai été tiré au sort comme juré pour une affaire au civil, qui devait être jugée au palais de justice de Commonwealth Avenue, juste à côté du parc. Je savais que je serais récusé, mais il fallait bien que je me présente et que je perde mon temps à attendre, comme tout bon citoyen. À la pause-déjeuner, la greffière indique aux jurés où ils peuvent aller manger. Et elle leur sort son petit laïus pour leur expliquer qu'ils ne doivent surtout pas s'aventurer dans Lafayette Park, même en plein jour. Vous avez un tribunal grouillant d'officiers de police à quelques encablures, et ils sont les premiers à vous déconseiller d'y mettre les pieds !

— C'est à ce point ? dis-je.

— Ce pauvre Nestor en a fait les frais, dit Krug. Alors, qu'est-ce qui fait que L.A. West s'y intéresse ?

Milo lui parla des meurtres de Rand Duchay et Troy Turner, en omettant le suicide de Lara Malley et les similitudes entre les trois.

— Je me souviens très bien de l'affaire de la gamine, dit Krug. Vous parlez d'une histoire déprimante, j'étais bien content que ça ne me tombe pas dessus. Comme ça, ce serait peut-être Nestor qui aurait buté Turner ?

— C'est ce qu'il a raconté à sa sœur.

— Elle ne m'en a jamais parlé.

— Elle a mis la CYA au courant après que Nestor s'en était vanté. Les autorités de la prison n'ayant pas donné suite, elle a contacté le commissariat de Ramparts, avec autant de succès.

— Elle a dû tomber sur une secrétaire. On n'a pas toujours droit aux lames les plus affûtées... Ces petits morveux ont donc le toupet de se vanter. Vous en résolvez beaucoup de cette façon ? Des tas, je suis sûr.

— Des tas, acquiesça Milo.

— Alors, vous pensez quoi ? Que quelqu'un s'est vengé sur l'autre assassin de la gosse après tant d'années ? Ça fait quoi... une dizaine d'années ?

— Huit, le corrigea Milo.

— Un sacré bail.

— Je sais que le délai pose problème, Phil, mais c'est notre seule piste.

— Pour moi, Nestor, c'est une banale affaire de drogue. Il était connu des flics qui patrouillent le quartier... du menu fretin avec de mauvaises dispositions. Il vendait dans Lafayette, Mac-Arthur et les rues adjacentes.

— Menu fretin toxicomane ?

— Bingo ! dit Krug en faisant mine de tirer sur le cordon d'une sonnette. Il avait les bras et les jambes tout piqués et des traces de came dans le sang. Vous savez ce que c'est quand on en arrive là : on deale pour ne pas être en manque.

Milo acquiesça d'un signe de tête.

– Il avait quelle quantité d'héroïne dans le sang ?

– Je ne me souviens pas du chiffre exact, mais de quoi être bien shooté. Si vous voulez mon avis, avec ce qu'il tenait on n'a pas eu trop de peine à le buter. On a retrouvé un couteau dans sa poche, mais il ne l'a même pas sorti.

– L'assassin lui file sa dose et puis le zigouille ? suggéra Milo.

– Ou bien Nestor s'est piqué tout seul comme un grand et a eu un coup de malchance. Moi, c'est comme ça que je m'y prendrais si je voulais me débarrasser d'un mec comme Nestor. Ces gars-là se font beaucoup d'ennemis.

– De mauvaises dispositions, répéta Milo.

– Les pires qui soient, renchérit Krug, mais on n'a eu vent d'aucun bruit de trottoir disant qu'il s'était mis à dos Untel ou Untel.

– Où vivait-il ? s'enquit Milo.

– Un taudis dans Chatto. Loyer à la semaine. Vous pouvez toujours y passer, mais vous n'y apprendrez rien. Toutes ses affaires tenaient dans un carton et il n'y avait rien d'intéressant. Le coroner l'a peut-être conservé, mais vous connaissez les problèmes de place à la Crypte. À mon avis, ils ont tout bazardé.

– La sœur de Nestor nous a dit qu'il lui avait montré le badge de Turner.

– Je ne l'ai pas vu dans ses affaires.

– Il y avait quoi ?

– Des fringues, des cuillers, des seringues.

– Qu'avez-vous appris des autres locataires ?

– Vous plaisantez, n'est-ce pas ? dit Krug. On parle d'une clientèle de passage et d'un réceptionniste qui la joue sourd-muet-aveugle. (Il prit une bouchée de hamburger.) Pas mal, hein ? Les Français s'y connaissent en fromage. Mais bon, Nestor a enfin fini de rouler les mécaniques et de se vanter.

Il plongea la main dans sa poche et en sortit un cliché du défunt. Joues creuses, teint cireux, cheveux emmêlés, yeux vitreux, cernes gris. Fin duvet de barbe qui forme comme des plaques grisâtres. Son visage rond rappelait celui de sa sœur. Sa mauvaise hygiène de vie avait effacé toute autre ressemblance.

Je fis signe qu'on me passe la photo et l'inspectai de plus près. Alors que Nestor était le petit dernier, on lui aurait donné dix ans de plus qu'Anita. Le photographe de la morgue lui avait tourné la tête pour montrer l'orifice d'entrée à la tempe gauche. Trou noir et grenat, peau déchirée en forme d'étoile, auréole pointilliste de poudre.

— Était-il assis au moment où on lui a tiré dessus ? demanda Milo.

— Sur un banc dans le parc. L'assassin de la gamine était assis lui aussi ?

— Peut-être dans une voiture. L'enquête a donné quelque chose ?

— Pas grand-chose, à part vous, dit Krug qui termina son sandwich et s'essuya la bouche. Tenez-moi au courant si vous découvrez quoi que ce soit. Ce serait sympa de boucler le dossier, même si tout le monde s'en tamponne.

— La famille ne s'agite pas, dit Milo.

— Vous avez vu la sœur. Elle pense que Nestor était une ordure. La famille ne s'est pas ruée pour récupérer le cadavre, le coroner a dû insister. Un des frangins a fini par payer les pompes funèbres qui sont passées le prendre.

Il fit signe à la serveuse qui apporta l'addition et la posa au centre de la table. Krug prit le temps de nettoyer sa moustache, puis sortit un cure-dent métallique de la poche de sa chemise et s'occupa de ses gencives.

— Bien, dit-il en souriant.

Milo prit l'addition.

— C'est sympa d'être passés, dit Krug qui se leva et fila.

Quand la serveuse revint encaisser, Milo lui dit :

— On va prendre un café.

— Ça va m'obliger à refaire l'addition, dit-elle avec un regard mauvais.

— Tenez, dit Milo en lui tendant une liasse de billets. Gardez la monnaie.

Elle fit le compte et lui lança une œillade.

— Le café est offert par la maison.

Elle retourna au comptoir.

– On comprend que Malley ait voulu supprimer un témoin gênant, me dit-il, si c'est bien lui le « Blanc » qui a chargé Almedeira de liquider Troy. Cela dit, Nestor était une grande gueule, mais il n'a jamais balancé Malley pendant ses années à la CYA.

– Parce qu'il tenait à sortir, dis-je. Par contre, une fois libéré et shooté, il a perdu ses inhibitions. Il y a fort à parier qu'il s'est vanté auprès d'un certain nombre de gens, comme avec Anita. Seulement ceux-là n'en avaient rien à faire.

– D'autres junkies minables, dit-il. Qui l'ont pris pour un pauvre type de plus en train de délirer. Anita, elle, a pris la chose à cœur et l'a signalée aux autorités, mais personne n'a rien fait. (Il tripota sa lèvre supérieure.) Un nouvel épisode glorieux au palmarès du service... Les circonstances de la mort de Nestor font beaucoup penser à celle de Rand. Et à celle de Lara. OK, Malley est donc notre suspect de la semaine.

– Je pense à un autre décès qui mériterait qu'on s'y intéresse. Jane Hannabee a été assassinée quelques mois après Troy. Quand je l'ai rencontrée, elle m'a prédit la mort de son fils. Elle soutenait qu'il ferait une cible de choix à cause de sa notoriété. D'après ce que nous a dit Anita, Nestor était exactement de cet avis.

– Tu crois que Hannabee avait découvert qui a fait tuer Troy ?

– À moins qu'on ne l'ait éliminée par vengeance parce qu'elle avait enfanté Troy, suggérai-je.

– Je te bousille parce que tu as bousillé ma famille. Passablement impitoyable, non ?

– Autant que d'abattre sa propre femme six mois après qu'elle a perdu sa fille unique et de maquiller ça en suicide.

Son front se creusa.

– Hannabee n'a pas été tuée par balle, dit-il.

– Ni Troy. Parce qu'il se trouvait derrière les barreaux et que la CYA arrive encore à interdire les armes à feu malgré le chaos qui y règne. Quant à tirer sur quelqu'un dans un refuge de sans-abri en pleine nuit, ce serait faisable mais imprudent. Hannabee a été assassinée de façon très discrète, personne ne s'est aperçu de rien avant plusieurs heures. On l'a sortie poignardée de son sac de couchage, remise dedans et enroulée dans une bâche.

– Tu veux dire que Malley ne se soucie pas de signer ses crimes ?

– Il n'est pas sous l'emprise d'une pulsion structurée parce que la jouissance sexuelle n'est pas son truc. Il cherche à faire le ménage et tous les moyens sont bons.

– Alex, si c'est Malley qui a supprimé tout ce monde, il n'est ni plus ni moins qu'un tueur en série. La grand-mère de Rand est une sacrée veinarde : c'est la seule à être morte de maladie.

Le café arriva. La serveuse posa le mug de Milo avec des trésors de précaution et en se penchant pour lui dévoiler un triangle de poitrine marquée de taches de rousseur. La peau était plissée sur les contours du décolleté. Elle s'attarda une seconde avant de se redresser.

– Autre chose ? roucoula-t-elle.

– C'est bon, Élise. On a tout ce qu'il faut.

– Vous êtes très gentil.

– C'est ce qu'on me dit.

Nous reprîmes la 6ᵉ Rue pour rentrer à L.A. Ouest. Au passage, Milo ralentit pour jeter un coup d'œil à Lafayette Park. Arbres, pelouses, bancs, quelques hommes assis et deux qui se promenaient. Le tribunal dans Commonwealth Avenue. On avait peine à imaginer que le grand espace vert à moitié désert grouillait de menaces.

– Difficile de passer inaperçu dans Soledad quand on arrive au campement où réside Malley, dit Milo qui réfléchissait à voix haute. On se fait forcément remarquer. Aucun endroit pour se cacher au bord de la route. Ça ne servirait à rien de le mettre sous surveillance. De toute façon, je n'apprendrais rien de plus. Je ne vois pas Malley se saouler la gueule avec des paumés de son espèce et leur faire des confidences.

Il changea brusquement de file, déclenchant des coups de Klaxon furieux.

– Ça va, ça va, grommela-t-il.

Le chauffeur énervé fila devant nous au volant de sa Toyota. Sur le pare-chocs arrière figurait un autocollant « La guerre n'est pas une solution ».

— C'est pourtant comme ça qu'on s'est débarrassé de l'esclavage aux États-Unis et des nazis en Allemagne, bougonna Milo.

— Si Malley continue à trafiquer de la drogue, fis-je remarquer, il doit bien s'absenter de temps en temps.

— Comment veux-tu que je le sache sans le filer ?

— Sa patronne est peut-être plus au courant de ses agissements qu'elle n'a bien voulu le dire.

— Bunny la cascadeuse ? Tu penses que leur relation dépasse le cadre professionnel ? Moi, j'ai flairé une histoire de cœur.

— Peut-être. Elle a bien souligné qu'elle n'était pas là pour le surveiller. Sans que tu lui poses la question.

— La dame nierait avec un peu trop d'insistance ? Si Barnett a le béguin pour elle, ça risque de lui mettre la puce à l'oreille si on retourne l'interroger. Je vais appeler le colonel pour savoir ce qu'il en est des affaires de Nestor, et je vais quand même faire un tour à sa piaule dans Chatto, n'en déplaise à Krug. Anita a vu juste : il n'en a rien à foutre. Je connais un agent en tenue au commissariat de Ramparts qui pourrait m'indiquer quelques junkies. Avec un peu de bol, j'apprendrai peut-être que Nestor avait causé à quelqu'un d'autre. On va aussi se pencher sur la mort de Jane Hannabee. On s'amuse comme des fous, non ?

— Tu te sens d'attaque pour des complications supplémentaires ?

— Ce qui ne m'achève pas me rend plus fort.

— Mettons que Malley soit en colère contre tous ceux qui, selon lui, ont soutenu les garçons, et que le meurtre de Rand ait ravivé sa haine. Il se pourrait que les Daney soient en danger. Si Malley traquait Rand ce soir-là, il était peut-être aussi en train de les épier.

Milo réfléchit.

— Ouais, on devrait sans doute les prévenir, mais c'est délicat. Tu t'imagines qu'ils aillent trouver Malley pour régler le problème en en parlant ? L'approche spirituelle, l'être humain qui est bon par nature et blablabla. En admettant qu'on ait raison pour Rand, une discussion à cœur ouvert avec le cow-boy Barnett est contre-indiquée pour la longévité.

— On pourrait aussi les mettre en garde pour qu'ils évitent de prendre contact avec lui.

— Tu crois que je fais le poids face à Dieu ?

– Bien vu, reconnus-je. J'imagine bien Cherish tenter de lui parler. Elle se prend pour une thérapeute.

– Que ferait-on sans les dealers du divin ! C'est ton truc, Alex, la religion antidépresseurs ? La bonté immanente de l'âme humaine, le pardon éternel, la certitude d'une vie après la mort où tout baigne ?

– Chacun a besoin de réconfort.

Il eut un rire amer.

– Moi, je préfère la religion d'antan. Et je ne veux pas dire entonner les chants en chœur et parler en langues. Dans mon enfance, les bonnes sœurs vous frappaient les doigts jusqu'au sang et les prêtres carburaient à la culpabilité, aux feux de l'enfer et aux sacrifices humains.

– Les sacrifices humains, c'est bon pour le cinéma.

– Et pour les civilisations fondées dessus.

– L'optimisme serait réservé aux minables ?

– Hé, l'optimisme, c'est génial si on est prêt à gober ça. Le b.a.-ba de la foi aveugle.


Milo me déposa devant chez moi et se pencha par la vitre passager.

– Mon négativisme acharné ne t'a pas fichu un trop gros coup ? Parce que je viens de penser à un service que tu pourrais me rendre pendant que je me plonge dans la vie de Nestor.

– D'accord.

– Tu pourrais te charger de prévenir les Daney ? Fais preuve de doigté psychologique et n'hésite pas à faire marche arrière si tu les sens capables de faire des bêtises. Et quitte à alerter du monde, il y a aussi les avocats des garçons… Malley a toutes les raisons de leur en vouloir. Tu te souviens des noms ?

– Sydney Weider pour Troy et Lauritz Montez pour Rand.

– Comme ça de but en blanc ? Je vois que cette affaire t'a marqué.

– Avant le coup de fil de Rand, je pensais que c'était oublié.

– Trêve d'optimisme ! Mais bon… sens-toi libre de les appeler eux aussi. Je déteste parler aux avocats.

# 24

Le lundi j'appelai les Daney, mais personne ne décrocha. Je décidai de m'occuper de Sydney Weider et de Lauritz Montez.

Weider n'émargeant plus à l'aide judiciaire, je ne trouvai aucun numéro à son nom. Montez travaillait toujours comme avocat commis d'office, mais était maintenant affecté au bureau de Beverly Hills.

Je composai son numéro de poste et tombai directement sur lui, comme huit ans auparavant. Cette fois mon nom fut accueilli par un silence. Je lui demandai s'il était au courant pour Rand.

– Ah... dit-il. Vous êtes le psychologue. Non. Qu'est-ce qu'il devient ?

– Il a été assassiné.

– Merde ! Quand ça ?

– Il y a neuf jours.

Retrouvant une circonspection d'avocat, il prit un ton neutre.

– Vous ne m'appelez pas simplement pour m'annoncer la nouvelle.

– J'aimerais vous parler. On peut se voir ?

– À quel sujet ?

– Je préférerais que ce soit de vive voix.

– Je vois... Vous proposez quand ?

– Le plus tôt sera le mieux.

– OK... Voyons, quelle heure est-il ? Quatre heures et demie... j'ai encore de la paperasse à régler, mais j'ai une petite faim. Vous connaissez le Bagel Bin, dans Little Santa Monica ?

– Je trouverai.

– Je vous fais confiance. Cinq heures pétantes.


C'était une sandwicherie façon New Age : vitrines de poissons fumés, viandes froides et salades composées dans un décor métallique et plastifié évoquant la salle d'autopsie. Soit une forme d'honnêteté : de nombreuses bêtes étaient mortes pour nourrir l'abondante clientèle venue dîner de bonne heure.

J'étais à l'heure, mais Lauritz Montez était déjà au comptoir. J'attendis qu'il ait passé sa commande.

Ses cheveux étaient désormais complètement gris, mais il portait toujours le catogan. La même moustache cirée lui barrait toujours le visage ; le bouc avait disparu. Costume de lin écru froissé, chemise rose, nœud papillon vert bouteille. D'élégants richelieus deux tons, daim vert olive et cuir marron, épousaient ses pieds fins ; le gauche tapotait rapidement le sol.

Il régla, prit son reçu, se retourna et m'adressa un salut de la tête.

– Vous n'avez pas beaucoup changé, me dit-il en m'indiquant la seule table libre.

– Ni vous.

– Merci pour le mensonge.

Nous nous installâmes. Il disposa salière, poivrier et sucrier en triangle.

– J'ai appris que l'enquête sur le meurtre de Rand dépendait de L.A. West, mais personne n'a voulu me dire quoi que ce soit. Vous avez manifestement vos antennes chez les flics.

– Je participe à l'enquête en tant que consultant.

– Quel inspecteur est en charge du dossier ?

– Milo Sturgis.

– Connais pas, dit-il en me dévisageant. Comme ça on s'acoquine toujours avec le ministère public ? Ça faisait combien de temps que Rand était libéré ?

– Trois jours.

– Merde. Comment c'est arrivé ?

– Une balle dans la tempe, cadavre abandonné sur la 405, aux environs de Bel Air.

– Ça ressemble à une exécution.

– En effet.

– Des indices matériels ?

– C'est à l'inspecteur Sturgis qu'il faut poser la question.

– Quelle discrétion ! Qu'est-ce que vous me voulez ?

Un jeune portant toque de papier et tablier lui apporta sa commande. Bagel de blé noir coupé en deux, pavé de saumon, coleslaw et haricots rouges, thé dans un gobelet en polystyrène.

– Il n'y a aucun suspect véritable, dis-je, mais une hypothèse. Et pour ce qui est de la discrétion…

– Ouais, ouais, bon. Comme ça, vous bossez à plein temps pour l'autre camp ?

– L'autre camp ?

– La bande de vertueux assis en face de nous au tribunal. Vous êtes expert attitré ou simple free lance ?

– J'interviens de façon occasionnelle.

– Freudien bien sous tous rapports, se déplace à domicile ?

Il disposa soigneusement ses couverts le long de l'assiette. Prit un sachet de sucre, en déplia le coin corné avant de le replacer dans le bol.

– Hypothèse ? me demanda-t-il.

– On s'intéresse au père de Kristal Malley.

– Ce type, j'ai toujours eu l'impression qu'il ne pouvait pas me blairer. Vous pensez vraiment qu'il pourrait être cinglé à ce point ?

– Je n'en sais rien.

– Ce n'est pas votre boulot de dire quand les gens sont cinglés ?

– Je ne connais pas assez Malley pour poser un diagnostic. Je ne l'avais pas rencontré pour mon évaluation et je n'ai jamais eu l'occasion de lui parler. Et vous ?

Il se caressa la moustache.

– Je ne l'ai croisé qu'une seule fois, le jour du jugement.

– Mais vous avez le sentiment qu'il ne pouvait pas vous sentir.

– C'est plus qu'un sentiment, j'en suis convaincu. Ce jour-là au tribunal, je me suis présenté à la barre où j'ai fait mon speech et, quand je suis revenu m'asseoir, je l'ai vu me lancer un regard noir. J'ai fait de mon mieux pour l'ignorer, mais ça me démangeait dans le cou. J'ai attendu que le district attorney prenne le crachoir pour me retourner en me disant que Malley m'avait sans doute oublié. Il avait toujours les yeux rivés sur moi. Et je peux vous dire que, s'il avait eu des flingues à la place des pupilles, je ne serais plus de ce monde.

– Des armes, il en a.

– Moi aussi, dit Montez en rajustant son papillon. Surpris ?

– Je devrais l'être ?

– Je suis un rebelle au cœur sensible.

Les pointes de sa moustache se redressèrent légèrement, sans quoi je n'aurais pas su qu'il souriait.

– Mais tant que la loi me permet de posséder des pétards, je ne vais pas m'en priver.

– Pour vous défendre ?

– Mon père était militaire et une des seules choses qu'on partageait était de zigouiller des pauvres bêtes inoffensives. En fait, dit-il en se frottant la paupière gauche, j'ai même fait partie de l'équipe de tir à la fac.

– Ça vous arrive de recevoir des menaces dans le cadre de votre travail ? lui demandai-je.

– Rien de franchement explicite, mais dans ce genre de boulot mieux vaut rester sur ses gardes. (Il prit un autre sachet de sucre, le défroissa et le passa d'une main dans l'autre.) La loi est source d'ordre. Et d'une sacrée dose de désordre. Ça fait belle lurette que je ne me berce plus d'illusions. Je fais partie du système et j'ai donc tout intérêt à m'enfermer à double tour la nuit.

– Malley n'a jamais été au-delà du regard noir ?

– Non, mais il ne plaisantait pas. Sacrée colère ! Je ne pouvais pas lui en vouloir. Sa gamine est morte, le système veut que ce soit « eux contre nous » et je faisais partie du « eux ». Mais il ne me faisait pas peur et je ne vois pas pourquoi ça changerait. Qu'est-ce que j'ai à craindre ? Il ne s'en est jamais pris à moi depuis toutes ces années. Les flics le soupçonnent sérieusement d'avoir tué Rand ?

– C'est juste une...

– Je sais : une hypothèse... (Il retira quelques cristaux de sel collés sur la salière.) Vous savez sans doute que Troy Turner a été assassiné lui aussi ?

Je fis oui de la tête.

– Vous pensez qu'il y a un lien ?

– Troy a été tué un mois après sa condamnation.

– Alors que pour Rand il a fallu huit ans. Ouais, si j'étais Malley et que je voulais me venger, j'aurais réglé ça plus vite. L'idée m'a traversé l'esprit quand j'ai appris que Turner était mort. J'étais inquiet pour Rand, j'ai appelé son directeur pour demander une surveillance renforcée. Ce connard m'a dit qu'il allait se pencher sur le problème. Il se foutait de ma gueule.

– Vous pensiez à Barnett Malley en particulier ?

– Sans doute. Même en général, je me disais que Rand ferait un beau trophée pour un sociopathe travaillé par les hormones et désireux de se faire une réputation. (Il contempla son assiette sans y toucher.) Merci pour la mise en garde, mais si je devais m'inquiéter pour toutes les familles de victimes, je serais un vrai paquet de nerfs. Vous voyez ? dit-il en tendant les mains, paume en l'air, parfaitement immobiles. Zéro stress.

Mais très maniaque à table.

– J'ai vu que vous travaillez maintenant à Beverly Hills. Ça doit vous changer comme catégorie de délinquants.

– Vous savez, on ne se contente pas des starlettes qui fauchent dans les bijouteries. On se tape une bonne part des crimes d'Hollywood Ouest. On ne peut pas vraiment se contenter de dormir à la barre.

– Je ne sous-entendais rien de pareil.

Prenant son temps, il se fit un sandwich au saumon et au fromage frais. Choisit des câpres une par une et les disposa en rond sur la mie de la moitié inférieure du bagel. Fier du résultat, il referma son sandwich, mais n'y toucha pas.

– Vous avez eu des contacts avec Rand après son incarcération ? lui demandai-je.

– Je l'ai appelé plusieurs fois avant mon changement d'affectation. Pourquoi ?

– Il m'a appelé le jour de sa mort. Il voulait me parler de Kristal, mais ne m'en a pas dit plus au téléphone. On s'est fixé un rendez-vous, je m'y suis rendu, mais il n'est jamais venu. Quelques heures plus tard, on l'a retrouvé... mort. Vous n'auriez pas une idée de ce qu'il avait sur le cœur ?

Montez joua avec le sandwich, le poussa du pouce jusqu'à ce qu'il se trouve pile au centre de l'assiette. Quand il releva les yeux, il avait la mâchoire crispée.

– En fait, vous n'êtes pas là pour me prévenir ? Vous voulez me soutirer des renseignements.

– Les deux, dis-je.

– C'est ça.

– Nous ne sommes pas en position d'adversaires, maître Montez.

– Je suis avocat. Dans mon univers, on est toujours l'adversaire de quelqu'un.

– Très bien, mais là nous sommes dans le même camp.

– À savoir ?

– Rendre justice à Rand.

– En enfermant son assassin ?

– Ce serait un bon début, non ?

– Dans votre monde.

– Mais pas le vôtre ?

– Vous voulez savoir ? Si les flics retrouvent l'assassin de Rand et que l'affaire revient à l'aide judiciaire, je serai partant pour m'en occuper.

– Même si c'est Barnett Malley le coupable ?

– Si Malley m'acceptait comme avocat, je ferais tout mon possible pour lui éviter la taule.

– Vous êtes assez détaché, dans votre genre.

– La survie n'est pas seulement une affaire d'arme à feu, me renvoya-t-il.

– Quand vous représentiez Rand, aviez-vous le sentiment qu'il vous cachait certaines choses ?

– Il me cachait tout. Il refusait de communiquer avec moi, en gros il faisait l'huître. J'avais beau lui expliquer que j'étais avec lui, il... J'aurais pu trouver ça frustrant, mais de toute manière le scénario était écrit d'avance. On ne m'a pas laissé faire appel à un psy de mon choix à cause du « plaider coupable ». J'aurais bien voulu savoir ce qui lui passait par la tête. Soit dit en passant, ce n'est pas votre rapport qui m'a éclairé. Un chef-d'œuvre de non-dit. Vous vous êtes contenté d'affirmer qu'il était idiot.

— Il n'était certes pas intelligent, dis-je, mais ça cogitait beaucoup dans sa tête. J'estimais qu'il éprouvait du remords et je l'ai écrit. Je doute fort que votre expert soit tombé sur de profondes abstractions.

— Un gosse idiot, c'est tout ? De la mauvaise graine ?

Je gardai le silence.

— Oui, moi aussi, j'ai senti du remords chez lui. Contrairement à son comparse. Celui-là, c'était vraiment un cas. Quelle teigne ! Si Rand n'avait pas traîné avec lui, sa vie aurait pu tourner autrement.

— Troy était l'assassin principal, dis-je, mais Rand a reconnu avoir frappé Kristal.

— Rand n'était qu'un gosse pas très futé qui s'est laissé entraîner par un petit sociopathe froid et calculateur. J'aurais privilégié cet angle si le procès avait eu lieu. Mais comme je vous l'ai dit, cela n'aurait rien changé.

— Le scénario.

— Tout à fait.

— Qui l'avait écrit ?

— Le système, répondit-il. On ne peut pas tuer une adorable fillette blanche et s'en tirer impunément.

Il effleura le couteau à beurre. En redressa le manche d'un millimètre.

— Weider m'a raconté qu'elle voulait plaider conjointement, reprit-il. Comme j'étais un bleu, j'y ai cru. Ça en dit long sur le système, non ? Je n'avais pas quitté la fac depuis un an que Rand se retrouvait avec ma modeste personne pour le défendre. La Justice pour tous ! dit-il en brandissant l'index.

— Qu'est-ce qui l'a fait changer d'avis ?

— En fait, son seul but était de me soutirer des renseignements. Dès qu'on se serait retrouvés au tribunal, elle comptait tourner casaque et charger mon client. Dans son mémoire introductif, elle soulignait la taille et la force physique de Rand et

avait mis la main sur un tas d'enquêtes établissant que les socio-
pathes à faible QI sont plus sujets à la violence. Si le procès avait
eu lieu, on aurait fait passer Turner pour un gringalet crédule
qui avait subi l'intimidation physique de Rand. Mais bon, cela
nous a été épargné. L'affaire s'est réglée facilement.

— Pas pour les Malley, dis-je.

— Je ne peux pas envisager les choses sous cet angle, dit-il en
tendant la paume. Et si Barnett Malley n'est pas capable de comprendre ça, je l'attends de pied ferme. Ravi de vous avoir revu,
docteur.

Je me levai et lui demandai s'il savait où je pouvais joindre
Sydney Weider

— Vous comptez la mettre en garde elle aussi ?

— Et lui soutirer quelques renseignements.

Montez sortit des lunettes de soleil, les tint devant lui et se
regarda dans les verres comme dans un miroir. Son nœud papillon
était légèrement de guingois. Il fronça les sourcils et le redressa.

— Vous la trouverez sans doute sur un court de tennis ou un
parcours de golf, ou en train de siroter un cosmopolitan à la terrasse du country-club.

— Lequel ?

— C'est une image. Je ne sais même pas si elle est membre
d'un country-club, mais cela ne m'étonnerait pas. Sydney était
déjà riche à l'époque, elle doit l'être encore plus.

— La fille à papa qui joue les avocates ?

— Très perspicace. Vous ne seriez pas psychologue ? Dès la première rencontre, Sydney vous faisait comprendre de quel milieu
elle était. Le sac Gucci balancé négligemment, toutes les allusions
appropriées mitraillées sans vous laisser le temps d'en placer une.
Comme un prof. Introduction à Sydney en dix leçons.

— Elle parlait d'argent ?

— De son papa dans le cinéma, de son mari dans le cinéma,
des nombreuses soirées avec des gens du cinéma auxquelles elle
était obligée d'assister. Ses fils scolarisés à Harvard Westlake, sa
maison de Brentwood, la résidence secondaire à Malibu, la BM
décapotable et la Porsche entre lesquelles elle devait choisir
chaque matin.

Il fit glisser son index de son nez jusqu'à la base de son cou.

— Quand a-t-elle quitté l'aide judiciaire ? lui demandai-je.

— Peu après la fin de l'affaire Malley, justement.

— Combien de temps ?

— Disons un mois, je ne sais pas.

— Vous pensez que l'affaire y était pour quelque chose ?

— Peut-être indirectement. Les journaux ont parlé d'elle et, peu après, elle a reçu une offre juteuse pour rejoindre le cabinet Stavros Menas.

— Le porte-voix des riches et des puissants, dis-je.

— C'est ça. Menas s'occupe plus de relations publiques que de plaider au pénal. Il est bien à sa place à L.A. Lui conduit tour à tour une Bentley et une Aston Martin.

— Elle travaille toujours pour lui ? Je n'ai pas trouvé ses coordonnées professionnelles.

— En fait, elle n'a jamais bossé chez Menas. Je me suis laissé dire qu'elle avait changé d'avis et choisi de se la couler douce.

— Pourquoi ?

— Je n'en sais rien, dit-il en fixant son assiette.

— Elle était au bout du rouleau ?

— Sydney s'impliquait trop peu pour que ça la guette. Elle a dû en avoir assez. Avec tout son pognon, elle n'avait aucune raison de s'emmerder. Quand j'ai appris sa démission, je me suis dit qu'elle allait tenter de monter un film à partir de l'affaire. Mais ça ne s'est pas fait.

— Vous vous êtes imaginé ça parce que son mari est dans la production ?

— Parce que c'était son genre. Manipulatrice, toujours à penser à elle. Elle allait passer le week-end à Aspen en jet privé et revenait au boulot le lundi matin en tailleur Chanel, en s'efforçant d'avoir l'air convaincante pour défendre un mec de Compton. Au déjeuner, elle se vantait d'avoir été assise à côté de Untel au Palm. (Il rigola.) J'aimerais croire qu'elle n'est pas heureuse, mais elle doit l'être.

— Vous avez eu vent de rumeurs précises concernant un projet de film ?

– En tout cas, je sais qu'elle avait manœuvré pour obtenir ce dossier.

– Comment ça ?

– En faisant de la lèche au patron. La règle, c'est que les affaires sont distribuées en fonction d'une liste, par ordre d'arrivée. Sauf si le boss désigne quelqu'un expressément. Je sais que Sydney Weider n'aurait pas dû s'occuper de Troy Turner parce que le type dont c'était le tour m'a raconté qu'elle lui était passée devant. Il ne disait pas ça pour être mauvaise langue : les affaires très médiatisées, ce n'était pas son truc. Il m'a dit très précisément : « La salope m'a rendu un fier service. »

– Elle était compétente ?

Montez fit claquer ses dents.

– J'aimerais bien vous dire que non, mais oui, elle était loin d'être bête. Elle avait trois ou quatre ans d'expérience et son taux d'affaires gagnées valait celui des collègues.

– Et ça ne faisait que trois ou quatre ans qu'elle avait terminé ses études ? demandai-je, étonné. J'avais le souvenir de quelqu'un de plus âgé.

– Effectivement. Elle s'est mariée juste après avoir passé le barreau. Elle a joué les mamans et attendu que les enfants soient grands. (Il s'essuya la bouche et plia sa serviette.) Quand vous la verrez, transmettez-lui mes salutations.

– Je n'y manquerai pas.

– Je blague !

De retour à la voiture, j'appelai Milo. Ne le trouvant pas au commissariat, je demandai à parler à l'inspecteur Binchy.

– Salut, docteur Delaware, me dit Sean.

– Vous pourriez m'obtenir une adresse qui ne figure pas dans le bottin ?

– Je ne sais pas trop, docteur. Ce n'est pas vraiment autorisé par le règlement.

– C'est Milo qui m'a demandé de voir cette personne. D'une certaine manière, j'agis pour le compte de la police.

– Pour notre compte... Bon. Ça ira pour cette fois. Vous ne comptez tuer personne ?

– Sauf si on me cherche.

Silence.

– Ah, dit-il. OK, attendez une seconde.

Dans sa litanie sur le mode de vie de Weider, Lauritz Montez lui avait prêté des demeures à Brentwood et Malibu. Sans doute métaphoriquement... à moins qu'elle n'ait réduit son train de vie, contrairement aux idées de Montez sur les riches qui s'enrichissent toujours.

Elle habitait désormais une petite maison de plain-pied du style ranch, dans La Cumbre Del Mar, le quartier le plus à l'ouest de Pacific Palisades. Rue ensoleillée mais jouissant de la fraîcheur du Pacifique, vue sur la mer qui se chiffrait en millions de dollars. Par contre, la demeure n'avait rien d'un palace. Façade en stuc, ornée de lambris de séquoia esquintés. Pelouse plate envahie de mauvaises herbes, bordée de sagoutiers dépérissants et de fougères mal en point. Un vieil eucalyptus à feuilles bleues répandait ses saletés grises dans l'herbe. Un 4 x 4 Nissan gris cabossé, couvert de crottes de mouettes, était garé dans l'allée.

En me dirigeant vers la porte, je sentis l'odeur du Pacifique et perçus le chuintement de la marée. Je frappai, puis sonnai deux fois, mais personne ne répondit. De l'autre côté de la rue, une jeune femme sortit sur son perron et m'observa. Quand je me retournai pour lui faire face, elle rentra chez elle.

J'attendis quelques instants, puis je sortis une carte de visite, notai au dos un mot demandant à Sydney Weider de me contacter et la glissai par la fente du courrier. Je regagnais ma voiture quand je la vis qui arrivait à pied au bout de la rue.

Elle portait un survêtement vert, des tennis blanches et des lunettes de soleil. Le pas était raide, avec un mouvement de hanche peu naturel. Elle avait maintenant les cheveux blancs et coupés court. Toujours aussi svelte, son corps dégageait pourtant une impression de mollesse, de mauvaise tenue et de maladresse.

Elle s'arrêta net en m'apercevant sous son auvent.

Je lui fis un geste de la main.

Aucune réaction de sa part.

Je m'avançai vers elle en souriant. Elle mit les bras devant sa poitrine, esquissant une parade désespérée qui n'aurait pas été d'une grande efficacité. Comme quelqu'un qui aurait regardé trop de films d'arts martiaux.

— Madame Weider...

— Qu'est-ce que vous voulez ?

Plus rien à voir avec le ton de l'avocate. La voix était criarde, crispée par la peur.

— Alex Delaware. J'ai travaillé dans l'affaire Malley...

— Qui êtes-vous ?

Je répétai mon nom.

Elle s'approcha. Les lèvres et le menton tremblaient.

— Allez-vous-en !

— On peut se parler une seconde ? Rand Duchay a été assassiné. J'assiste la police dans son enquête et si vous pouviez m'accorder...

— Une minute pour parler de quoi ?

Tacatacatac.

— Qui aurait pu assassiner Rand. Il s'est fait tir...

— Qu'est-ce que vous voulez que j'en sache ? hurla-t-elle.

— Madame Weider, sans vouloir vous alarmer, il se pourrait que votre sécurité soit menacée...

Elle fendit l'air d'une main en forme de serre, l'autre poing serré contre sa cuisse.

— Qu'est-ce que vous me racontez ? Vous vous fichez de moi ou quoi ?

— Il se pourrait que...

— Foutez-moi le camp !

En secouant frénétiquement la tête, comme pour se débarrasser d'un bruit.

— Madame Weider...

Elle ouvrit grand la bouche. Aucun son au départ, puis un hurlement.

Une mouette lui répondit. La voisine d'en face sortit de nouveau.

Sydney Weider hurlait de plus belle.

Je filai.

# 25

L'expression épouvantée de Sydney Weider me poursuivit jusque chez moi.

Je m'enfermai dans mon bureau et tentai ma chance au Google-poker. J'obtins trente résultats pour « Sydney Weider ». Un seul concernait son travail dans l'affaire « État de Californie contre Duchay et Turner » : un paragraphe dans le *Western Legal Journal*, paru un mois avant la dernière audience et analysant les conséquences éventuelles pour la justice des mineurs.

Weider était citée comme prédisant des « avancées majeures ». Aucun commentaire éclairé de Lauritz Montez. Soit qu'il ait décliné l'invite, soit qu'on ne lui ait pas demandé son avis.

Les autres résultats précédaient de plusieurs années les débuts de Weider en tant qu'avocate à l'aide judiciaire. L'avis de décès de son père, un certain Gunnar Weider, producteur de films d'horreur à petit budget, et de quelques émissions de télé par la suite. Seule lui survivait sa fille Sydney, épouse de Martin Boestling, agent de cinéma chez CAA.

Avant le règne du politiquement correct, le *L.A. Times* publiait une rubrique d'échos mondains. Je consultai ses archives en ligne et dénichai un article remontant à vingt-huit ans sur les noces Weider / Boestling au Beverly Hills Hotel. Sydney était alors âgée de vingt-trois ans, deux ans de moins que son époux. Grande réception, un tas de visages connus. Je fis aussi une recherche sur Boestling. Quelques années après son mariage avec Sydney, il avait quitté CAA pour ICM, puis William Morris. Il avait ensuite rejoint Miramax comme chargé de financement, avant de démissionner environ un an avant l'affaire Malley pour fonder sa propre société de production, MBP Limited.

D'après le communiqué de presse repris dans *Variety*, la nouvelle société « avait vocation à produire des films de qualité à budget moyen pour le cinéma ». À l'actif de MBP, je trouvai en tout et pour tout trois téléfilms bas de gamme, et notamment l'adaptation d'une série déjà très médiocre sous sa forme originelle.

Lauritz Montez avait parlé d'un scénario. Celui-ci avait-il existé pour de bon, Boestling se chargeant de monter le projet ?

À mon sens, l'affaire Malley ne présentait aucun intérêt cinématographique – pas de happy end, aucune rédemption, des personnages qui n'évoluaient pas. Mais bon, je n'y connaissais sans doute pas grand-chose.

Ç'aurait fait un bon navet pour le câble. Je fis des recherches supplémentaires. Apparemment, personne n'avait monté le projet, ni Boestling ni un autre.

Je tombai aussi sur les noms de Sydney et Martin comme donateurs de quelques bonnes causes sans surprise : « Préservation des montagnes de Santa Monica », « Sauvons la baie de Chesapeake », l'« Institut du Bien-Être féminin », « Lutte citoyenne contre les Armes à feu », « les Amis du zoo de Los Angeles »...

Je trouvai une seule photo, montrant le couple à un gala de charité pour l'Institut du Bien-Être féminin. Weider était telle que je l'avais connue huit ans auparavant : resplendissante, blonde, chic. Martin Boestling, lui, était un type sombre et trapu, penché en avant comme un chien d'attaque.

Weider, qui avait toujours eu un débit rapide, avait perdu son assurance et son sang-froid au profit d'une élocution névrotique et d'une peur fébrile. Une Nissan pleine de fientes de mouettes avait remplacé les jets privés, la Porsche et la BM.

Fallait-il déduire de la présence d'un seul véhicule que Boestling était au travail ? Weider vivait-elle seule ?

Je rappelai Binchy. C'était à son tour d'être sorti, mais Milo était de retour.

Je lui fis part de ma rencontre avec Montez et de l'accueil que m'avait réservé Weider, sans compter le changement de domicile et de voiture.

— Cette femme a l'air malheureuse, dit-il.

— Elle était sur les nerfs et je l'ai rendue encore plus nerveuse. Je lui ai fichu une sacrée trouille.

— Elle n'a peut-être pas envie qu'on lui rappelle son ancienne vie. Ça arrive quand on s'appauvrit. Cela dit, je ne vais pas verser de larmes sur son sort : elle habite tout de même aux Palisades.

— Tu pourrais te renseigner pour savoir si elle et Boestling ont divorcé ?

— Pourquoi ?

— Ça expliquerait le train de vie réduit. Et j'ai eu l'impression qu'elle vivait seule.

— Et alors ?

— Elle a réagi bizarrement.

— Une seconde...

Il me fit patienter quelques minutes.

— Ouais, ils sont divorcés. Démarches entamées il y a sept ans, jugement définitif trois ans plus tard. Pour en savoir plus, il faut que je me déplace au siège. Une bataille judiciaire de trois ans, ça n'a pas dû être drôle, et elle n'a pas forcément obtenu tout ce qu'elle voulait. À mon tour de te faire le topo. Je suis passé voir le taudis d'Almedeira dans Chatto. Ça ne manque pas de cafards. Comme disait Krug, personne ne se souvient de Nestor. Après avoir été longuement cuisiné, le réceptionniste s'est vaguement souvenu que Nestor traînait parfois avec un autre junkie du nom de Spanky. Mais il ne connaît pas sa véritable identité. Grand type blanc, entre vingt-cinq et quarante-cinq ans, moustachu, cheveux foncés. Peut-être.

— Peut-être ?

— Il ne savait plus très bien si les cheveux étaient blond foncé... peut-être bien roux, voire châtain-roux. La moustache était peut-être une barbe. Et comme le réceptionniste mesure dans les un mètre soixante-cinq, je me dis que tout le monde doit lui paraître grand. Il empestait l'alcool à huit heures du mat'.

Autant dire que je ne me fierais pas à ses tuyaux pour acheter des actions. Quant aux affaires de Nestor, elles ont disparu de la circulation. Je me suis aussi renseigné sur Krug, qui a la réputation d'un type paresseux. Je suis prêt à parier qu'il ne s'est même pas donné la peine d'inspecter la fortune de Nestor, qu'il a laissé tout le temps aux autres junkies de récupérer les seringues et tout ce qui leur paraissait vendable. Le reste a dû finir à la poubelle.

— Y compris le badge de Troy Turner qui n'avait aucune valeur marchande. À moins que Nestor ne l'ait gardé sur lui et que son assassin ne l'ait pris comme souvenir.

— Si le mobile était de faire taire Nestor, c'est très probable. Le clou, ce serait que j'obtienne un mandat pour fouiller la cabane du cow-boy Barnett et qu'on retrouve ce fichu badge au fond d'un tiroir ! Sujet suivant : Jane Hannabee. Le central n'est pas fichu de remettre la main sur le dossier. Un des deux inspecteurs est décédé, et son partenaire a déménagé à Portland, dans l'Oregon. J'attends qu'il me rappelle. J'ai quand même pu me procurer le rapport du coroner, qu'on devrait me faxer d'un instant à l'autre. Enfin, je me suis renseigné sur notre chère cascadeuse, Bunny MacIntyre. Une honnête citoyenne, qui est propriétaire du campement depuis vingt-quatre ans. Voilà, tu sais tout de ma vie. Des suggestions ?

— Faute de piste fracassante, je me pencherais volontiers sur le cas de Sydney Weider.

— Encore l'avocate ? Pourquoi tu en fais tout un plat ?

— Il fallait la voir, dis-je. Elle est sur ses gardes, et l'instant d'après elle se met à paniquer. En plus, elle a manœuvré pour récupérer le dossier il y a huit ans et Montez m'a laissé entendre, plus ou moins sur le ton de la plaisanterie, qu'elle et Boestling comptaient en faire un film. Je sais bien que tout ça ne veut pas dire grand-chose, mais elle m'a titillé les antennes.

— Ne te gêne pas si tu veux parler à son ex. Et les Daney ? Comment ont-ils réagi à la mise en garde ?

— Ils n'étaient pas chez eux.

— Bon. Voici ce que je te propose : tu n'as qu'à essayer une nouvelle fois les Daney et... tiens, voici le fax du coroner qui tombe à point nommé... j'ai l'impression que ça fait pas mal de feuilles. Laisse-moi le temps d'y jeter un coup d'œil. Je te rappelle si je vois un truc intéressant.

J'appelai deux fois chez les Daney. Ça sonnait toujours dans le vide.

Pas de répondeur. Plutôt curieux, étant donné le nombre d'enfants placés chez eux.

À six heures moins le quart, j'appelai Allison à son cabinet.

— Un dernier patient et je suis libre, me dit-elle. Si on tentait quelque chose de nouveau ?

— Comme quoi ?

— Ça te dit, un bowling ?

— Je ne savais pas que tu aimais ça.

— Justement, je n'ai jamais essayé. Ce serait une première.

Nous nous rendîmes aux Culver City Champion Lanes. Salle sombre, lumière noire et musique house à plein tube, une foule de jeunes aux cheveux enduits de gel, avec des têtes de recalés de la télé-réalité. Alcool, rires, quelques mains aux fesses, boules de cinq kilos filant dans le décor, quilles qui tombent avec fracas.

Aucune piste de libre.

— Soirée ciné, nous expliqua le gérant quadragénaire avec des poches sous les yeux. Metro Pictures a passé un accord avec nous. Les esclaves ont droit à leur petite gâterie mensuelle. On fait du chiffre avec les boissons.

Il jeta un coup d'œil au bar, du côté nord de la salle.

— Qui sont les esclaves ? demanda Allison.

— Les coursiers, les factotums, les réalisateurs adjoints et leurs adjoints. (Il eut un sourire moqueur.) Le septième art !

— Ça dure combien de temps ? m'enquis-je.

— Encore une heure.

— Tu veux attendre ? demandai-je à Allison.

— D'accord. On n'a qu'à jouer à la machine où il faut attraper de super-cadeaux.

Il m'en coûta cinq dollars pour manœuvrer un tout petit bras robotisé autour d'une pile de bricoles à vingt cents pour tenter, mais en vain, d'attraper un trésor. Finalement, une espèce de minuscule troll en peluche au sourire mauvais se prit la patte dans ma pince.

– Comme il est mignon ! s'extasia Allison en m'embrassant sur la bouche.

Nous entrâmes ensuite dans le bar et nous installâmes dans un box au fond. Murs de velours rouge, moquette moisie à travers laquelle on sentait le béton. Nous étions suffisamment loin des pistes pour ne plus entendre que le vague battement cardiaque de la techno. Allison commanda un sandwich au thon et un gin tonic et moi une bière.

– Tu as réussi à t'occuper sans faire trop de bêtises ? me demanda-t-elle.

Je la mis au courant.

– J'ai repensé au délai de huit ans, me confia-t-elle. Voici une explication : la libération de Rand a déclenché quelque chose chez Malley. Il ne prendrait pas des amphétamines ou de la coke ?

– Je n'en sais rien.

– Si c'est le cas, ç'aurait pu exacerber sa colère. Il était forcément au courant de la libération de Rand, non ?

– Au minimum trente jours à l'avance, dis-je. Tu penses donc qu'il a fait ça sous le coup du stress ?

– On voit ça très souvent chez les patients qui ont une dépendance. Des gens qui résistent aux pulsions et aux mauvais penchants, et qui s'en sortent bien. Puis il leur arrive un coup dur et tout se délite.

Le meurtre comme mauvais penchant. Parfois, ça se résume à ça.

# 26

Le lundi soir je passai la nuit chez Allison. Le lendemain matin, je la quittai peu avant huit heures car elle avait six patients prévus ce jour-là. Pendant le trajet pour rentrer chez moi, j'appelai une nouvelle fois les Daney. Toujours pas de réponse.

Des vacances familiales avec leurs pupilles ? La scolarité à domicile permettait une certaine flexibilité. Pourquoi pas ?

À moins qu'il ne s'agisse de circonstances plus graves.

J'arrivai à Bel Air après avoir traversé Brentwood et quittai Sunset Boulevard pour m'engager dans Beverly Glen. Au dernier moment, je décidai de ne pas tourner dans la rue qui monte jusqu'à chez moi et continuai vers le nord en direction de la Valley.

Le calme régnait dans Galton Street – un type en train d'arroser son jardin, deux gamins jouant à chat, le gazouillis des oiseaux. Au loin, l'autoroute se faisait entendre comme un raclement de gorge incessant. Je m'arrêtai à une centaine de mètres de la maison des Daney. Le portail était fermé et la barrière en séquoia ne laissait entrevoir que le faîte de la toiture.

Je me souvins que les trois bâtiments occupaient entièrement le terrain. Faute de place pour se garer à l'intérieur, ils devaient forcément laisser leurs véhicules dans la rue. Aucun signe de la Jeep blanche de Drew Daney. Je ne savais pas quelle voiture conduisait Cherish.

J'avançai doucement, en cherchant une camionnette noire ou le moindre détail louche. Un pick-up foncé était garé deux maisons plus loin.

Noir ? Non, bleu foncé. Plus long que celui de Daney, avec un siège supplémentaire, des pneus larges de cinquante centimètres et des jantes chromées.

Ce n'étaient pas les pick-up qui manquaient dans la Valley.

Je m'arrêtai à quelques mètres du portail et j'étais sur le point de couper le moteur quand une petite voiture beige garée en face démarra et fila en trombe, un peu poussive avec ses quatre cylindres refroidis.

Une Toyota Corolla, bien cabossée, quelques retouches à l'antirouille sur les portières. J'entraperçus la conductrice une fraction de seconde.

Blonde, cheveux longs, les deux mains agrippées au volant : Cherish Daney, le regard farouche.

Elle pila au croisement, prit à droite et accéléra.

Malgré sa légère avance, la petite cylindrée n'était pas en mesure d'inquiéter ma Seville.

Ça roulait très bien. Je la repérai facilement qui filait vers l'ouest dans Vanowen. Dissimulé derrière un camping-car qui avançait péniblement, je ne quittai pas des yeux le pare-chocs bringuebalant de la petite voiture.

Elle prit la bretelle d'accès au Ventura Freeway, manqua de reprise dans la montée et ralentit. Dépassant le camping-car, j'attendis au bas de la descente qu'elle ait franchi la butte. Si un flic remarquait mon manège, j'aurais des explications à fournir.

Mais aucun ne passa. Il y avait très peu de monde. Dès que la Corolla disparut de mon champ visuel, je repartis.

Cherish Daney se glissa craintivement dans la file de droite puis tangua un peu en gagnant celle du milieu. La main à l'oreille – son téléphone portable. Il lui fallut près d'un kilomètre pour atteindre les cent vingt kilomètres à l'heure, vitesse qu'elle maintint en dépassant Hollywood Nord et Burbank. Elle prit la sortie Brand Boulevard, à Glendale.

Elle allait peut-être tout simplement faire des courses à la Galleria, auquel cas je me sentirais bête.

Non, le centre commercial n'était pas ouvert de si bonne heure. L'expression que je lui avais vue n'était pas celle d'une ménagère en quête d'aubaines.

Je suivis la Corolla qui remontait Brand vers le sud, en laissant deux véhicules intercalés entre nous.

Nous dépassâmes la Galleria. Deux kilomètres, trois. Tout d'un coup, cinq cents mètres plus loin, Cherish Daney braqua sans mettre son clignotant et s'engagea dans le parking de Chez Patty, un café au toit gravillonné. Dans la vitrine, une affiche promettait : « Spécialité maison au petit déjeuner : les meilleurs *huevos rancheros* de la côte Ouest ! » Et une autre en dessous : « Café à volonté, pancakes blé-licieux ! »

Glendale ne semblait pas avoir succombé à ces tentations culinaires : il n'y avait que trois autres voitures dans le grand parking ensoleillé.

Deux petits modèles. Et un pick-up noir.

Cherish se gara à côté de la camionnette. Barnett Malley s'approcha de sa portière avant qu'elle ait eu le temps de descendre.

Il était habillé comme le jour où nous l'avions vu dans l'embrasure de sa cabane, avec en plus un chapeau en cuir à large bord. Ses longs cheveux blonds grisonnants lui tombaient sur les épaules. Il se tenait les jambes arquées, les pouces passés dans la ceinture.

Un vrai cow-boy.

Cherish Daney avait tout d'une citadine : chemisier jaune cintré, pantalon noir, sandales noires à talon. Elle s'était fait un chignon en conduisant.

Ils s'approchèrent l'un de l'autre, comme pour se faire la bise, mais se figèrent au dernier moment. Sans un mot, ils se dirigèrent vers le restaurant, du même pas. Quand Malley lui tint la porte ouverte, Cherish passa devant lui sans la moindre hésitation.

Un rituel.

Ils restèrent un peu moins d'une heure à l'intérieur. Quand ils ressortirent, Malley tenait Cherish par le coude. De mon poste d'observation en diagonale, je voyais parfaitement le café, mais j'étais trop loin pour distinguer l'expression de leurs visages. Il lui ouvrit sa portière et attendit qu'elle soit au volant de sa Corolla pour rejoindre son pick-up. Elle reprit Brand vers le sud et il ne tarda pas à la suivre. Troisième véhicule du convoi, je gardai une distance d'un pâté de maisons entre nous.

Ils se rendirent dans un motel Best Western près de Chevy Chase Boulevard. Derrière la façade en verre de la réception, on apercevait les chambres sur deux étages autour d'une piscine d'un bleu étincelant.

Barnett Malley entra et Cherish Daney patienta dans sa voiture. Au bout de sept minutes, elle descendit de la Corolla, jeta un coup d'œil à la ronde et se tapota les cheveux. Ma Seville passait inaperçue parmi les nombreuses voitures du parking ; cette fois, j'étais assez près pour distinguer les nuances.

Le visage tendu. Elle s'humecta les lèvres à plusieurs reprises. Elle consulta sa montre, se caressa de nouveau les cheveux, rajusta son chemisier et se passa l'index sur la lèvre inférieure. S'inspecta le doigt, l'essuya sur son pantalon. Puis elle verrouilla la portière, inspira profondément, tira les épaules en arrière et se dirigea vers l'entrée, la mine sombre.

Pensait-elle au péché de chair ? À moins que le précepte n'ait perdu de sa vigueur...


Elle ressortit seule au bout de trois quarts d'heure. Toujours tendue, légèrement voûtée, comme la première fois que je l'avais vue. Les bras croisés. Elle regagna la Corolla d'un pas rapide, déboîta et partit en vitesse.

Je ne cherchai pas à la suivre et attendis.

Malley apparut neuf minutes plus tard. Le chapeau à la main, il marchait d'un pas léger et décontracté, en fumant un long cigarillo.

Je le suivis sur la 134 en direction de l'ouest. Au bout d'un ou deux kilomètres, il prit la 5 vers le nord. Quand il rejoignit la Cal 14, une trentaine de kilomètres plus loin, je ralentis l'allure et laissai deux poids lourds s'intercaler entre nous. À cent quarante à l'heure, nous ne fîmes qu'une bouchée des quarante kilomètres suivants. Voyant qu'il sortait à Crown Valley, je poursuivis jusqu'à la sortie suivante, où je fis demi-tour pour rentrer à L.A.

Comme l'avait dit Milo : aucun endroit où se cacher sur les terres de Malley.

J'arrivai à la maison vers une heure. J'appelai chez Milo, mais tombai sur son répondeur. Il n'était pas non plus au commissariat.

Allison avait encore quelques heures de travail. On avait prévu de se retrouver vers cinq heures, peut-être pour se faire un ciné. Je nourris les poissons, tentai en vain de me détendre, repris le téléphone.

– Tiens, dit Milo.

– Ça arrive à Malley de sortir de chez lui, lui dis-je. Il a juste besoin d'un peu de motivation.

Je lui rapportai la scène dont j'avais été le témoin.

– Voilà qui change tout, fit-il observer.

# 27

À deux heures, Milo franchit la porte d'entrée que j'avais laissée ouverte.

– J'ai besoin de prendre l'air, dit-il en s'emparant d'une brique de jus d'orange.

Nous sortîmes et nous dirigeâmes vers le bassin.

– J'ai essayé de jouer le jeu, m'expliqua-t-il. Prendre le temps de humer les pétunias, si tu vois ce que je veux dire. On a profité de ce que Rick ne travaillait pas pour aller se balader dans Franklin Canyon et on a pris un brunch à l'Urth Café. Que des gens superbes, avec moi seul qui tranchais. (Il se tapota la panse et porta la brique à ses lèvres.) Les gaufres à la farine complète, ça gâche un peu le plaisir de se bâfrer.

– Désolé de troubler ton repos.

– Quel repos ? Rick a été appelé pour recoudre un gamin tombé d'un arbre et de toute façon je n'arrêtais pas de penser à l'enquête en faisant semblant d'être détendu. Venez voir ce que tonton Milo a pour vous ! marmonna-t-il en lançant de la nourriture dans l'eau.

Les koï se précipitèrent, projetant des éclaboussures.

– Ça fait plaisir d'être apprécié !

Il termina d'un trait le jus d'orange, s'accroupit et ramassa quelques feuilles mortes dans le gazon d'ornement qui bordait les pierres du bassin. Les réduisit en miettes, puis s'assit.

– Ainsi, Malley et Cherish font des cochonneries. Comme quoi on peut toujours faire confiance à la faiblesse humaine.

– Ça colle avec le manque de communication entre les Daney, sur lequel Allison a mis le doigt. Et les doutes de Cherish concernant le pick-up noir. Elle voulait minimiser les soupçons pesant sur Barnett.

– Pour protéger son petit ami. Tu penses qu'ils se sont connus comment ?

– Forcément à l'occasion de la mort de Kristal.

– Ils étaient pourtant dans des camps adverses.

– L'amour est surprenant, dis-je.

– Donc, ils se croisent dans un couloir au tribunal et c'est le coup de foudre ? D'après ce qu'on sait, Malley méprisait tout le monde du côté de la défense.

– Mis à part Cherish, visiblement.

Il se gratta le nez.

– Tu penses que ça dure depuis huit ans ?

– Ce n'est pas tout récent, dis-je. On les sent à l'aise ensemble.

– Sacrée Cherish qui voulait embrasser les ordres ! En attendant, elle se fait embrasser par notre cow-boy dans un motel minable.

– En fait, c'est un endroit plutôt sympa, dis-je. Recommandé par l'AAA[1], piscine…

– Ouais, ouais, et des matelas remplis d'eau qui rebondissent au rythme des passions coupables. Tu peux m'expliquer quel feu les démange, toutes ces grenouilles de bénitier, Alex ?

– Il y a un tas de personnes religieuses qui font de belles choses. Mais d'autres sont attirées par la religion pour lutter contre des pulsions défendues.

– Et d'autres encore y voient une façon de se faire du pognon. Combien le comté verse-t-il à une famille d'accueil ?

– À une époque, ça devait tourner entre cinq et six cents dollars par enfant.

– C'est pas le Pérou.

– Si tu multiplies par huit enfants, ça fait quatre mille dollars par mois, fis-je remarquer. Ce qui fait tout de même une

---

1. American Automobile Association.

coquette somme, pour quelqu'un qui n'a même pas terminé ses études de théologie. Surtout si d'autres rentrées viennent s'y ajouter.

– Les petits boulots de Daney. Comment il appelle ça, déjà ? Son travail « associatif ». Il fait la tournée des églises pendant que madame fait celle des motels.

– Et ils touchent peut-être des allocations supplémentaires. Je ne connais pas très bien la réglementation, mais il se peut qu'ils aient droit à un supplément pour la scolarisation à domicile, ou pour les enfants atteints de troubles de l'apprentissage.

– Ce qui pourrait faire une jolie cagnotte, dit-il en faisant glisser sa mâchoire inférieure sur le côté. Bon. Cherish et Malley ont une liaison. Que peut-on en déduire pour les meurtres ?

– Je ne vois qu'une seule chose : les trois visites que Troy a reçues avant d'être assassiné. Sa mère et les Daney à deux reprises. Dans l'absolu, Cherish aurait pu entrer en contact avec Nestor Almedeira.

Il posa le sachet de nourriture pour poissons. Défit un bouton de sa chemise, passa la main à l'intérieur et se massa le torse.

– Ça va ?

Il se tourna vers moi.

– Notre blondinette qui joue les émissaires pour Malley et engage le tueur ? Elle se présente comme la conseillère spirituelle d'un gosse de treize ans et l'envoie à l'abattoir ? Là, on aurait affaire à un monstre puissance dix.

– Ce n'est qu'une hypothèse. Pas moins logique que de supposer que Barnett ait rencontré Nestor en tant que dealer.

– D'autant que Cherish n'est jamais qu'une femme adultère.

Nouvelle friction de la poitrine.

– Ça te démange ?

– Un massage cardiaque auto-administré. Si Malley et Cherish ne se sont pas connus pendant les six mois entre le meurtre et l'incarcération des garçons, quand en auraient-ils eu l'occasion ?

– Ils n'habitaient pas si loin que ça l'un de l'autre.

– Et alors ? Ils se sont croisés par hasard au supermarché ? Au premier regard, Barnett oublie sa colère de père et tombe fou amoureux de Cherish ?

Je haussai les épaules.

— Bon. Laissons cette question de côté et passons au cadavre suivant : Lara. Notre théorie tient toujours, il lui en voulait pour Kristal et leur mariage battait de l'aile. Et si, par-dessus le marché, il avait une maîtresse, ça ne fait qu'ajouter de l'eau à notre moulin. Je me demande si Lara avait une assurance-vie.

— En tout cas, Malley n'en a pas profité pour mener la belle vie.

Il griffonna dans son calepin. Reprit le sachet et jeta d'autres flocons aux poissons.

— La maîtresse en question n'était pas forcément Cherish, dis-je.

— Barnett, un homme à femmes ?

— Il avait l'air plutôt guilleret en sortant de l'hôtel. Et tu as toi-même senti une alchimie entre lui et Bunny MacIntyre. Cherish, par contre, avait l'air plutôt tendue.

— Notre cow-boy serait coureur, dit-il. Oui, pourquoi pas. Quand Bunny nous a sorti qu'elle ne surveillait pas ses allées et venues, elle se payait notre tête. Tu as pu voir les lieux comme moi. Elle voudrait nous faire croire qu'il peut sortir du bois dans son pick-up sans qu'elle s'en aperçoive ? Cadavre suivant : Hannabee. Même si je ne suis pas entièrement convaincu qu'elle fait partie du tableau. Tu as un nouvel éclairage maintenant que tu sais que Malley se tape Cherish ?

— Les Daney étaient aux côtés de Jane pendant le procès. Cherish savait peut-être où elle dormait la nuit.

— L'organisatrice une fois de plus. D'accord, mettons que oui, juste pour le principe. Cherish est donc vraiment une très méchante dame. Qu'est-ce qu'on peut en tirer concernant l'enquête pour laquelle on me paye ?

— Ça change les données, dis-je. Si Cherish a trempé là-dedans, alors Drew disait la vérité. Rand a bel et bien entendu du bruit et aperçu un pick-up noir. Barnett Malley s'en est pris à lui parce que Rand savait quelque chose de compromettant sur le meurtre de Kristal. Il s'en était ouvert à Cherish à qui il faisait confiance.

— Et elle le balance à son copain ? Qu'est-ce que Rand aurait pu découvrir de menaçant pour Barnett huit ans après ?

– Réponse évidente : Barnett était impliqué dans la mort de sa fille.

– Les gamins ont tabassé et étouffé Kristal. Personne ne le conteste. Comment veux-tu que Barnett soit impliqué ?

– Je n'en sais rien.

Nous observâmes les poissons. Je les avais mis dans le bassin avec l'idée que cela me détendrait. Cela marchait de temps en temps.

– Mettons que ce soit vrai, dit Milo. Pourquoi le délai de huit ans ? Tu penses à un retour de mémoire ?

– Ou simplement à un jeune homme qui finit par comprendre quelque chose qui l'intrigue depuis des années. Peut-être que ça lui est venu longtemps avant sa libération. Mais à qui voulais-tu qu'il se confie ? Le personnel de la prison était indifférent : ils n'ont même pas essayé de lui apprendre à lire. Cherish était son unique confidente. Mais il avait tort de lui faire confiance.

– Dès sa sortie, dit Milo, il a pensé à quelqu'un d'autre. Un type avec un doctorat en psychologie, qui s'était montré juste, chaleureux et objectif. Le rendez-vous raté, dit-il en me fixant. C'est peut-être pour ça qu'on l'a supprimé.


Nous rentrâmes, décapsulâmes deux bouteilles de bière et nous installâmes à la table de la cuisine.

Milo vida la sienne d'un trait et la reposa.

– Puisqu'on donne dans le glauque, Alex, j'ai encore mieux. Cherish et Malley ne se sont pas connus au moment du procès. Leur liaison avait commencé avant le meurtre de Kristal. Elle voulait l'épouser, mais devait se débarrasser de la concurrence. Autrement dit, la famille qu'il avait déjà. Elle s'est donc trouvé un petit tueur à gages et a commencé par la descendance.

– Cherish aurait payé Troy pour qu'il tue Kristal ?

– Elle le connaissait d'avant. Forte de son savoir en psycho, elle se cherche un petit psychopathe qui n'a pas froid aux yeux et s'en trouve un. Troy t'a dit qu'il allait devenir riche. Cherish le mène par le bout du nez en lui promettant une libération anticipée et en lui faisant miroiter le pactole. Au lieu de quoi elle le fait buter. Six mois plus tard, deuxième phase : au tour de Lara d'être éliminée.

— Avec le revolver de Barnett, dis-je.

— Soit Barnett s'en est chargé lui-même, soit Cherish, qui est sa maîtresse, s'est servie dans sa panoplie de flingues. Moi, je parie qu'ils étaient de mèche pour faire le coup. Je repense à Nina Balquin qui n'a pas digéré que Barnett fasse incinérer le corps. Quand on agit précipitamment, c'est forcément qu'on a un truc à cacher. Et puis, si c'est Barnett qui a enlevé Rand, il était forcément au courant.

— Le seul problème, fis-je remarquer, c'est que huit ans plus tard Cherish et Barnett ne sont toujours pas mariés. Pourquoi se donner tant de mal et se contenter d'une relation extraconjugale ?

— Hé, c'est compliqué une relation ! Je ne sais pas... la passion s'est émoussée.

— Pas au point d'arrêter les escapades dans les motels.

— OK. Ils se sont rendu compte que l'interdit était plus excitant que la vie conjugale. Ou bien Cherish n'est pas prête à se passer de ses revenus confortables, avec les allocations du comté et les extras de Drew. Dans un divorce, la femme a plus à perdre en général, n'est-ce pas ? Il n'y a qu'à voir Weider. Comme ça, Cherish garde la maison, les gosses, le prêchi-prêcha, et les incartades.

— Possible, dis-je. Ça colle parfaitement avec la préméditation suggérée par Allison. Troy se fait payer pour tuer Kristal et amène Rand en renfort. Au départ, Rand n'était pas au courant, mais il a fini par comprendre d'une manière ou d'une autre.

Milo se frotta vigoureusement le visage.

— C'est quand même un peu fort de café, dit-il. Accuser Barnett du meurtre de Kristal. Un type qui essayait depuis des années d'avoir un enfant, qui a été jusqu'à s'endetter pour suivre un traitement.

— Nina Balquin subodore que l'argent n'a pas servi à ça.

— Il a bien fallu que Barnett et Lara fassent quelque chose, Alex. Pour avoir une môme. Si Cherish est un Hitler en jupons, je peux concevoir qu'elle supprime la gosse d'une femelle concurrente. Par contre, que lui zigouille sa propre fille pour sa maîtresse...

J'entendais sa voix, mais mon esprit était ailleurs. Le nom de Nina Balquin m'avait ramené chez elle. Devant le mur du fond.

— Nom d'un chien... murmurai-je.

— Quoi ?

— La photo de Kristal. Ses yeux. De beaux yeux marron. Barnett a les yeux bleus, et Lara aussi. Je me souviens de ses crises de larmes au tribunal, ses grands yeux bleu-gris qu'elle essuyait sans cesse. Deux parents aux yeux marron peuvent avoir un enfant avec des yeux clairs, mais l'inverse est rarissime par mutation spontanée.

— Kristal n'était pas la gamine du cow-boy ?

— Lara n'est tombée enceinte que six ans après avoir emprunté l'argent.

— Elle s'est offert un traitement d'un autre genre, dit-il avec un sourire mauvais. Ils se trompaient mutuellement, sauf que Lara en a laissé la preuve, ce que Barnett n'a pas supporté.

— Barnett dominait Lara et l'avait isolée, dis-je. Une autre raison qui l'a poussée à chercher l'amour ailleurs. N'importe quel mari serait furieux d'apprendre que sa femme a eu un enfant d'un autre, mais chez un type asocial et caractériel comme Barnett, dingue de flingues, une réaction violente est encore plus probable. Il a puni Lara deux fois. D'abord en éliminant le fruit de son infidélité. Et après, comme cela n'avait pas apaisé sa rage, en la supprimant elle. Et s'il avait besoin d'encouragements, Cherish était là pour l'y inciter.

— Confidences sur l'oreiller, dit-il. « J'ai pensé à une solution, chéri... » Ouais. Ça se tient, hein ?

— Ça se tient tellement que j'en ai l'estomac noué.

— Bon. Comment Rand a-t-il pigé ?

— Un détail a dû lui revenir, un truc de l'époque du meurtre. Comme d'avoir aperçu Cherish en compagnie de Troy peu de temps avant l'enlèvement, ou Cherish avec Barnett. Qui nous dit que l'un d'eux n'était pas présent ce jour-là au centre commercial pour s'assurer que tout se déroulait comme prévu ? Il se pourrait même que Barnett ait joué un rôle direct. Lara soutenait qu'elle avait tourné la tête à peine une minute. Et si Kristal avait été attirée par quelqu'un de confiance, qu'elle connaissait très bien ?

— « Viens voir papa », dit-il. Et papa la remet à Troy et Rand. Putain... Et Rand aurait reconstitué le puzzle spontanément, après avoir croupi pendant des années derrière les barreaux ?

— Rand savait qu'il était en prison parce qu'il avait pris part à un crime épouvantable. L'isolement et la maturation l'ont fait cogiter. Il s'est mis à évaluer sa part de responsabilité. Pour retrouver un peu d'estime de soi. Barnett et Cherish n'avaient aucune raison de le craindre, vu qu'il ne faisait pas partie du complot. Jusqu'au moment où il s'est confié à elle. Troy, en revanche, représentait une menace immédiate et on l'a donc éliminé tout de suite.

— Où a-t-elle fait ses études de théologie ?

— Au Séminaire Fulton.

— Tu sais où ça se trouve ?

Je fis non de la tête.

— Cherish m'a confié que Troy y était enterré. Elle a persuadé le doyen de leur accorder une parcelle.

Il ricana et fit craquer ses phalanges.

— Je lui fais confiance !

— D'un autre côté... dis-je.

— Quoi ?

— Tout ça n'est qu'un château de cartes. On sait seulement que Cherish couche avec Barnett Malley.

Ses traits se durcirent.

— On va donc creuser. La vie est faite pour ça, hein ? S'ouvrir de nouveaux horizons.

# 28

Je raccompagnai Milo à sa voiture.

– Kristal a-t-elle été inhumée ou incinérée ? lui demandai-je.

– Tu songes à l'ADN ?

– Si tu parvenais à obtenir un échantillon de Barnett, ça réglerait la question de la paternité.

– Laisse-moi t'expliquer comment marche un test d'ADN dans la vraie vie. Avant, on envoyait les échantillons au laboratoire du shérif, mais ils ont une liste d'attente jusqu'au prochain millénaire et le comté refuse de débloquer l'argent pour du matériel de pointe, alors on est obligés de faire appel au privé. La police vient de passer un accord avec Orchid Cellmark dans le New Jersey, mais tout est affaire de priorité : en premier les homicides avec agression sexuelle, puis les viols, et enfin les crimes sur mineurs. Il faut compter un minimum de deux à quatre mois. Et ça, c'est après avoir obtenu l'accord des ronds-de-cuir. Pour ce cas précis, en mettant que Kristal ait été inhumée, il me faudrait un permis d'exhumer, ce qui risque de prendre encore plus de temps que les analyses d'ADN, surtout sans le consentement du parent survivant. Et si on s'oriente dans cette voie, Malley saura qu'il est soupçonné.

– C'était juste une idée, dis-je.

– D'un autre côté, si le coroner avait conservé des échantillons, je pourrais les envoyer chez Cellmark... Je vais passer à la Crypte, voir s'ils retrouvent quoi que ce soit. Ciao.

Je rentrai, décidé à combler mes lacunes sur le dédommagement des familles d'accueil dans le comté de Los Angeles, ainsi que sur le Séminaire Fulton.

Le premier volet n'était pas compliqué. J'appelai Olivia Brickerman à son domicile. Professeur de questions sociales dans une vénérable université située à l'autre bout de la ville, Olivia a longtemps bataillé dans les tranchées des services sociaux de Californie. Veuve d'un grand maître aux échecs, c'est une véritable pile électrique aux cheveux bouclés qui aurait l'âge d'être ma mère, et l'une des personnes les plus intelligentes que je connaisse.

— Si tu m'appelles, me dit-elle, c'est que tu as besoin d'un service.

— Je suis un fils ingrat.

Elle rigola et manqua de s'étrangler.

— Ça va ? m'inquiétai-je.

— Comme si ça pouvait te faire quelque chose !

— Bien sûr que...

— Je tiens encore debout, mon ange. Ce qui est un signe rassurant, somme toute. Alors, comment ça va avec le D$^r$ Blanche-Neige ?

— Allison ?

— Le teint d'albâtre, les cheveux noirs, la voix de velours, la splendeur... la comparaison s'impose. Je franchis les bornes ?

— Allison va bien.

— Et Robin ?

— Elle est à Seattle.

— Et... ?

— La dernière fois qu'on s'est parlé, ça allait.

— Alors, c'est vraiment fini ?

Je gardai le silence.

— Je suis une incorrigible yenta[1], Alex. Tu peux me tirer les oreilles. Seattle, tu dis ? J'y allais souvent avec le Génie. Pour le

1. Femme qui se mêle de tout, en yiddish.

café et les ordinateurs. Le Génie était bon rameur, on faisait du bateau sur le lac Washington. Robin est toujours avec Beau Parleur ?

– Ouais.

– Monsieur Tralala. Elle est passée avec lui il y a quelques mois, prendre le brunch un dimanche. Certains trouvent le temps.

– Allison et moi t'avons emmené dîner au Bel-Air, Olivia.

– Ne chicane pas. Là où je veux en venir, c'est qu'il ne m'a pas trop plu.

– Il plaît à Robin.

– Il est trop calme, s'obstina-t-elle. Distant, si tu veux mon avis. Et même si tu t'en passes.

– Je suis toujours prêt à écouter tes lumières, Olivia.

– Hmm. Bon, qu'est-ce que tu veux savoir ?

– Quel montant l'État verse-t-il aux familles chez qui sont placés des enfants ?

– J'espérais un truc un peu plus sorcier, mon ange. D'abord, c'est l'État qui délègue le placement et fixe les barèmes, mais ce sont les comtés qui versent les allocations. Et ils ont le pouvoir de compléter ce que donne l'État. Cela dit, ils sont généralement près de leurs sous. Les montants varient assez peu. Quel comté ?

– L.A.

– Il faut aussi que tu saches qu'officiellement ce ne sont pas les familles qui sont payées. Le montant stipulé est attribué à chaque enfant, et la famille d'accueil a pour charge de le reverser.

– Ce qui revient tout de même à les rémunérer, dis-je.

– Tout à fait. Le montant de base varie en fonction de l'âge de l'enfant. Entre quatre cent vingt-cinq et cinq cent quatre-vingt-dix-sept dollars par mois. Plus le gamin est âgé, plus ça monte.

– J'aurais cru le contraire. Un bébé demande beaucoup plus de soins.

– C'est parce que tu raisonnes logiquement, mon ange. Là c'est l'administration. Un de leurs experts a dû nous pondre une table en fonction du poids.

– Quelle catégorie d'âge a droit au maximum ?

– Quinze ans et plus. Cinq cent quarante-six entre douze et quatorze, et ainsi de suite jusqu'aux bébés qui ont droit à quatre cent vingt-cinq dollars. Ce qui ne fait pas beaucoup de talc et de couches. Le plus souvent, ce sont des membres de la famille qui demandent la garde. C'est peut-être le cas des gens qui t'intéressent ?

— Non, ils n'ont aucun lien de parenté. Dis-moi… y a-t-il moyen de compléter l'allocation de base ?

— Les enfants exigeant des soins particuliers ont droit à une rallonge. Dans la limite de cent soixante-dix dollars par mois. Ça, c'est pour les Services de l'enfance, mais on peut mettre d'autres administrations à contribution, pourvu de savoir jouer de la paperasse. Le système est très juteux.

— Un enfant souffrant de T.A. entre-t-il dans cette catégorie ?

— Bien sûr, c'est un handicap reconnu. Je perds mon temps si je te demande pourquoi tu veux savoir tout ça ?

— Un couple a éveillé les soupçons de Milo, dis-je. Il se demande s'il ne s'engraisse pas sur le dos des contribuables.

— Ce cher Milo. A-t-il perdu du poids ?

— Sans doute un peu.

— Ce qui veut dire non. Moi non plus ! Tu sais ce que je dis aux gens qui restent toujours maigres comme des clous ? Du vent ! Mais bon, si tu me donnes leur nom, je pourrais faire une recherche dans l'ordinateur dès que je passerai au bureau.

— Drew, sans doute le diminutif d'Andrew, et Cherish Daney. J'épelai le nom de famille et la remerciai.

— Cherish ? Ça ne s'invente pas, quand on s'occupe de gamins.

— En effet.

— Sauf qu'elle chérit peut-être un peu trop l'argent ?

— C'est possible.

— Autre chose ?

— Combien d'enfants peut accueillir une même famille ?

— Six maximum.

— Ces gens-là en ont huit.

— C'est mal. Mais ils ne risquent pas de se faire pincer. L'État manque de familles jugées acceptables, et il y a trop peu d'assistantes sociales pour aller vérifier. Tant que tout se passe bien, personne ne vient y mettre son nez.

— C'est quoi, une famille « acceptable » ?

– Deux parents, de classe moyenne si possible. Pas de casier judiciaire. Dans l'idéal, l'un d'eux travaille et l'autre reste à la maison pour s'occuper des enfants.

– Les Daney correspondent en tout point. Est-ce que l'État verse une allocation pour scolarisation à domicile ?

– Même réponse que tout à l'heure : tout dépend comment tu remplis les formulaires. Il y a l'allocation vêtements, l'allocation vêtements complémentaire, sans compter une multitude d'abondements à caractère médical. Quel est le problème, mon ange ? Une fraude de plus ?

– C'est une histoire compliquée, Olivia.

– Comme toujours avec toi !


Le Séminaire Fulton ne formait qu'à un seul diplôme : une maîtrise en théologie. D'après le site Internet, l'établissement proposait un cursus mettant l'accent sur « une formation pastorale tournée vers les Écritures, le prêche et l'action caritative ». Il proposait aux étudiants toute une gamme de « disciplines intellectuelles », notamment « leadership et christianisme », « promotion de l'évangélisation » ou encore « direction de programmes ».

Plusieurs paragraphes étaient consacrés aux présupposés philosophiques de l'enseignement dispensé : la perfection divine, la primauté de la foi dans le Christ sur toute autre action, la dépravation de l'être humain avant son salut, le rôle essentiel de la prière et de la foi pour guérir un monde qu'il était urgent de sauver.

Le campus occupait un hectare vallonné au nord de Glendale. À un quart d'heure en voiture du motel de Chevy Chase.

Je fis défiler plusieurs écrans de photos. Petits groupes d'étudiants soignés et souriants, pelouses verdoyantes, toujours le même bâtiment années soixante à façade de verre. Aucune mention d'un cimetière.

Le corps enseignant comprenait sept pasteurs. Le doyen était un certain D$^r$ Crandall Wascomb, diplômé en théologie et titulaire d'un doctorat. D'après sa photo, il semblait avoir une petite soixantaine d'années. Visage fin, front haut et lisse, cheveux argentés qui lui couvraient le haut des oreilles, paupières ridées, yeux du même bleu pastel que sa veste.

Je composai son numéro de poste. Un message enregistré par une voix féminine m'annonça que le D$^r$ Wascomb n'était pas disponible, mais qu'il accordait la plus grande importance à ce que je souhaitais lui dire. « Vous pouvez laisser un message sans limite de durée, et n'oubliez pas d'indiquer vos nom et coordonnées au moins une fois. Merci, bonne journée, et que le Seigneur soit avec vous. »

Je laissai un message sans entrer dans les détails, en signalant tout de même mon affiliation policière. D'une manière qui exagérait sans doute le caractère officiel de ma position, mais le D$^r$ Wascomb était bien placé pour tolérer les peccadilles.

Je répétai mon nom et mon numéro, puis raccrochai en méditant sur la dépravation de l'être humain.

Le D$^r$ Crandall Wascomb rappela vers vingt et une heures, alors que j'étais sorti avec Allison.

— Un monsieur charmant, me dit l'opératrice de mon télésecrétariat.

Puis elle m'indiqua un numéro différent de celui où j'avais laissé mon message. Il était onze heures passées, mais je décidai malgré tout d'appeler. Une femme à la voix douce décrocha.

— Le D$^r$ Wascomb, je vous prie.

— Puis-je demander de la part de qui ?

— Le D$^r$ Delaware. Je suis psychologue.

— Une seconde…

Wascomb prit le combiné au bout d'un court instant et m'accueillit comme un vieil ami. Voix de ténor, ton vif qui faisait penser à quelqu'un de plus jeune.

— Si j'ai bien compris, vous êtes psychologue de la police ?

— Je suis consultant pour la police, docteur Wascomb.

— Je vois. M'appelez-vous au sujet de Baylord Patterman ?

— Pardon ?

Une hésitation.

— Peu importe, dit-il. Que puis-je faire pour vous ?

– Je suis désolé de vous déranger si tard, docteur, mais je souhaite vous parler d'une ancienne élève de Fulton.

– Qui donc ?

– Cherish Daney.

Silence, puis :

– Il lui est arrivé quelque chose ?

– Pas du tout.

– Cherish n'a donc pas été victime de quelque tragédie, dit-il d'un ton soulagé.

– Non. Vous avez des raisons d'être inquiet ?

– En général, la police n'est pas messagère d'espoir. Pourquoi vous intéressez-vous à Cherish ?

– On m'a chargé de me renseigner sur son passé...

– Dans quel cadre ?

– C'est un peu compliqué, docteur Wascomb.

– Eh bien, dit-il, je ne peux pas vous parler d'une affaire compliquée au téléphone.

– Pourrait-on se rencontrer ?

– Pour parler de Cherish ?

– Oui.

– Je préfère vous prévenir, je n'ai que des louanges à son sujet. Cherish était une de nos meilleures élèves. Je tombe des nues en apprenant que la police se renseigne sur son passé.

– Pourquoi n'a-t-elle pas terminé ses études ? lui demandai-je. *Et qui est Baylord Patterman ?*

– Il serait sans doute préférable qu'on se rencontre, dit-il.

– Je peux tout à fait me déplacer.

– Mon emploi du temps est très chargé. Laissez-moi regarder mon agenda... On dirait justement que j'ai un trou demain. À une heure. Ma pause-déjeuner.

– C'est parfait, docteur Wascomb.

– Je serais ravi de m'échapper du campus, mais il faut que ce soit dans le quartier. Je n'ai que trois quarts d'heure...

– Je connais un endroit, dis-je. Légèrement au sud du Séminaire, dans Brand. Chez Patty.

— Chez Patty... Ça fait une éternité que je n'y suis pas allé. Quand l'école était en travaux, j'y retrouvais parfois les élèves. Vous étiez au courant, monsieur ?

— Pas du tout, répondis-je. C'est juste que j'aime les pancakes.


J'obtins cinq réponses en tapant « Baylord Patterman » dans Google. Avocat à Burbank, il avait été arrêté l'année précédente pour une escroquerie à l'assurance sous couvert de faux accidents de la route. Le réseau avait été démantelé quand un banal accrochage dans Riverside Drive avait mal tourné, un airbag provoquant la mort d'une fillette de cinq ans. Patterman, ses automobilistes mercenaires, deux chiropracteurs véreux et quelques employés avaient été inculpés pour homicide par véhicule. La plupart avaient plaidé coupable et n'avaient été poursuivis que pour l'infraction financière. Patterman, lui, avait été condamné pour homicide involontaire, rayé du barreau, et purgeait une peine de cinq ans dans une prison de l'État.

Le lien avec le Séminaire Fulton apparaissait dans deux des résultats. Patterman était le fils d'un des membres fondateurs de l'école et figurait toujours au nombre des donateurs de la juste cause. Et le D\ Crandall Wascomb s'était déclaré « consterné », prétendant tout ignorer de la face cachée de son bienfaiteur.

S'il était sincère, j'avais pitié pour lui. Une vie vouée à promouvoir la vertu et le pauvre homme n'était pas au bout de ses déconvenues.

# 29

Pour moi, c'était la semaine des cafés.

Chez Patty, ça fleurait bon le beurre et les œufs, le bacon grillé, la pâte à pancake. La jeune serveuse hispanique, « Heather » d'après son badge, sentait l'eau savonneuse et m'invita d'un ton enjoué à m'installer où je voulais.

La salle était à moitié remplie. Une clientèle de retraités avec un bon coup de fourchette. Portions généreuses, grands verres, mentons dégoulinants. Les dictateurs de la diététique n'avaient qu'à bien se tenir. Ma présence faisait baisser la moyenne d'âge d'une bonne dizaine d'années. Je m'installai dans un box d'où je pouvais surveiller l'entrée et Heather la joviale m'apporta une tasse de café brûlant, dont le goût n'était pas gâché par une appellation pompeuse.

Le D$^r$ Crandall Wascomb franchit la porte à une heure sept en ajustant son nœud de cravate et en tapotant ses cheveux blancs. C'était un homme de petite taille, svelte, avec un visage en lame de couteau mangé par de grosses lunettes à monture noire. Veston à chevrons marron, chemise blanche, pantalon marron clair, mocassins beiges. Sa cravate bleu vif ressortait comme un spinnaker.

Quand son regard croisa le mien, je lui fis un discret signe de la main. Il s'approcha, me serra la main et s'assit.

Sa chevelure était plus courte et clairsemée que sur la photo du site. Son front lisse était strié de rides parallèles. Je lui donnai dans les soixante-dix ans. Il était parfaitement à sa place parmi les autres clients.

– Merci d'avoir accepté de me rencontrer, docteur Wascomb.

– C'est naturel. Nourrissez-vous des préjugés à l'encontre des chrétiens évangélistes, docteur Delaware ?

– Quand je juge les gens, c'est d'après leurs actes et non leurs croyances.

– C'est tout à votre honneur.

Il n'avait pas cillé. Ses yeux semblaient d'un bleu plus intense que sur la photo. À moins que ce ne soit l'effet de la cravate.

– J'imagine que vous vous êtes renseigné sur l'affaire Baylord Patterman, reprit-il.

– En effet.

– Je n'ai pas d'excuses à vous fournir, mais quelques précisions. Le père de Baylord était quelqu'un de bien, c'est grâce à lui que nous avons pu nous lancer. Il y a trente-deux ans. Je venais d'Oklahoma City, où j'avais travaillé pour des sous-traitants de l'industrie pétrolière avant de reprendre mes études. Je souhaitais agir. Gifford Patterman était un homme fortuné comme il s'en trouve peu, avec le cœur sur la main. J'ai eu la naïveté de croire que cela valait aussi pour le fils.

Heather s'approcha, son carnet à la main.

– Ça fait longtemps que je ne suis pas venu, dit Wascomb. Les flannel cakes valent toujours le détour ?

– Ils sont sensas', répondit Heather.

– Alors je vais prendre ça.

– La complète ou une demi-portion ?

– La complète. Avec du beurre, du sirop d'érable, de la confiture, la totale. (Il sourit, dévoilant un dentier ivoire.) Un petit déjeuner en milieu de journée, rien de tel pour repartir du bon pied !

– Je vous sers quelque chose à boire, monsieur ?

– Une tisane. De la camomille, si vous avez.

– Et vous, monsieur ?

– Je vais aussi me laisser tenter par les flannel cakes.

– Un bon choix, me dit Heather. Vous allez vous régaler.

Wascomb ne la regarda pas s'éloigner. Il fixait sa serviette en papier.

— Baylord Patterman a trompé votre confiance, dis-je.

— Surtout celle de Fulton. L'enquête sur ses agissements nous a porté un sale coup, d'autant que nous étions le principal bénéficiaire de son argent sale. Vous pouvez vous imaginer la réaction de certains de nos donateurs.

— Ça s'est bousculé au portillon ?

— Une véritable ruée, dit-il. On a souffert. Fulton est une petite école, avec très peu de moyens. Je dis toujours qu'on est le séminaire qui fait plus avec moins. Nous arrivons tout juste à survivre parce que nous sommes propriétaires du campus, et les frais de fonctionnement sont à peu près couverts par le legs d'une bonne chrétienne. La grand-mère de Baylord Patterman.

On lui apporta sa tisane. Joignant les mains, il prononça un bénédicité en silence avant d'y goûter.

— Je suis navré pour vous, dis-je.

— Merci. Nous avons sorti la tête hors de l'eau. C'est pour ça que j'ai préféré vous voir ici plutôt qu'au Séminaire. Je ne peux plus me permettre la moindre publicité négative.

— Ce n'est pas du tout dans mes intentions.

— Merci, dit-il en m'observant par-dessus sa tasse. Je vais vous parler ouvertement, parce que c'est ma nature. Et puis, franchement, le respect de la vie privée n'a plus de sens. Pas à l'époque de l'ordinateur. Pour autant, je ne suis pas libre de vous parler d'une ancienne élève sans son accord. À moins d'une raison valable.

Sans reposer sa tasse, il se cala contre la banquette.

— Par exemple ? dis-je.

— Pourquoi vous ne me diriez pas ce que vous cherchez ?

— Je suis moi aussi tenu à une certaine discrétion, docteur Wascomb. La police préfère taire certains détails.

— Il s'agit donc d'une enquête pour homicide ? (Il sourit devant ma mine surprise.) J'ai moi aussi conduit ma petite enquête, docteur Delaware. Vos consultations pour la police concernent principalement des homicides. Je suis sidéré. Je n'arrive pas à imaginer Cherish impliquée dans quoi que ce soit d'illégal, sans parler d'un meurtre. C'est quelqu'un de très doux. Une de nos meilleures élèves, comme je vous l'ai déjà dit.

— Mais elle n'a jamais obtenu son diplôme.

— C'est tout à fait regrettable, dit-il. Mais cela n'a tenu qu'à elle.

J'attendis la suite.

Wascomb jeta un coup d'œil en direction du comptoir. Heather bavardait avec la caissière.

— Docteur ? dis-je.

— Les malheurs de Cherish me rappellent les miens, dit-il. Vis-à-vis de Baylord Patterman.

— Elle a été mêlée à l'escroquerie à l'assurance ? demandai-je, surpris.

— Non, je faisais une analogie. La Bible nous invite à nous méfier des mauvaises fréquentations. Cherish et moi n'avons pas tenu compte de ces exhortations. Mais j'étais le maître et elle l'élève, je dois en partie assumer le fardeau de ses fautes.

— Cherish s'est vu reprocher quelque chose qu'un ami avait fait ?

— Cherish s'est retrouvée dans une position délicate sans y être pour quoi que ce soit.

Heather nous apporta nos assiettes.

— Voici, messieurs !

— Ça a l'air délicieux, dit Wascomb en lui souriant.

— Bon appétit ! lança-t-elle en haussant le sourcil gauche.

Wascomb marmonna silencieusement son bénédicité, puis d'un seul coup de couteau il coupa en deux le tas de pancakes. Il fit pivoter son assiette, trancha de nouveau, et répéta encore deux fois l'opération, la pile se retrouvant découpée en huit parts. Lauritz Montez n'y aurait rien trouvé à redire. Tous deux consacraient leur vie aux pécheurs. On ne pouvait pas leur en vouloir de chercher à maintenir l'illusion d'un ordre universel.

Wascomb se régalait tellement que je n'eus pas le cœur de l'interrompre. J'attaquai mes pancakes à mon tour.

— Qui était l'ami peu recommandable de Cherish ? finis-je par lui demander au bout d'un moment.

Il posa sa fourchette.

— Vous avez absolument besoin de le savoir pour votre enquête ?

— Je ne peux pas vous répondre à l'avance, docteur.

— J'apprécie votre sincérité.

Il s'essuya la bouche, retira ses lunettes et s'effleura les tempes du bout des doigts.

— Il ne s'agissait pas d'un ami, soupira-t-il. Mais de son mari.

— Drew Daney.

Lentement, il fit oui de la tête.

— Comment lui a-t-il attiré des ennuis ?

— Ça ! dit Wascomb à qui ces souvenirs semblaient peser. J'ai très vite eu des réserves à son encontre. Nous sommes toujours à court d'argent, ce qui nous contraint à être très sélectifs. Notre étudiant type est diplômé avec mention d'une université biblique respectable, qui l'aura formé dans la tradition évangéliste. Ce qui était le cas de Cherish. Elle était sortie major de sa promotion au Viola Mercer College, à Rochester, dans l'État de New York.

— Et Drew ?

— Drew prétendait être diplômé d'une université réputée de Virginie. En vérité, il n'a jamais terminé le lycée. Son éducation s'est arrêtée là.

— Il a menti dans son dossier d'admission ?

— Avec de faux diplômes, murmura Wascomb qui poussa son assiette, dont il n'avait mangé qu'un tiers. Vous devez me prendre pour un imbécile crédule. Ou quelqu'un de léger. Sans vouloir me défendre, je tiens à souligner qu'il s'agit d'un cas exceptionnel. La grande majorité de nos diplômés se met au service de Dieu et œuvre dans la société d'une manière exemplaire.

— Drew a dû jouer finement pour vous duper.

Il sourit.

— C'est très gentil à vous de me dire ça, monsieur. Oui, il avait toujours le mot qu'il fallait et semblait bien connaître les Écritures. En fait, il tenait ses connaissances religieuses de son expérience de moniteur dans des colonies de vacances chrétiennes.

— Il connaissait le jargon, dis-je.

— Exactement.

— Quand le scandale a-t-il éclaté ?

— Il y a sept ans et demi.

Mémoire précise. Six mois après le meurtre de Kristal Malley.

— Qu'est-ce qui vous a poussé à vous pencher sur son passé ? demandai-je.

– C'est quelqu'un d'autre qui s'en est chargé. Un homme furieux, qui prétendait que Drew le trompait avec sa femme. Ce qui s'est avéré exact, dit-il en grimaçant.

– Racontez-moi.

Il fit non de la tête et poussa son assiette un peu plus loin.

– C'est une question de respect. Des personnes innocentes sont concernées...

– Six mois avant que vous ne le démasquiez, Drew et Cherish se sont investis dans une affaire de meurtre dans le cadre de leurs activités bénévoles pour Fulton. Ils suivaient un garçon qui avait assassiné une fillette. Je suis sûr que vous vous en souvenez, docteur Wascomb.

Il cligna des yeux à deux reprises, fut sur le point de dire quelque chose, mais se ravisa.

– Monsieur ?

– Pauvre petite fille, murmura-t-il d'une voix rauque. Cette affaire n'est toujours pas close ? Tant d'années après ?

– Un des deux assassins de la fillette vient d'être tué à son tour.

Il plissa les yeux.

– Mon Dieu ! Dans ce cas, mieux vaut ne rien vous cacher. (Il fit claquer son dentier.) Drew a commis l'adultère avec une avocate qui travaillait sur cette affaire.

– Sydney Weider, dis-je.

Hochement de tête affirmatif.

– C'est son mari qui a débarqué dans mon bureau en brandissant des résultats d'analyse. Il m'a traité d'incompétent, a insulté notre école, m'a demandé comment je pouvais former des gens pareils et a fulminé contre les « cinglés de la Bible » qui n'étaient tous qu'une bande d'hypocrites. Tout ça me coupe l'appétit, dit-il en détournant le regard.

– Désolé.

Malgré tout, j'étais décidé à ne pas laisser tomber le sujet.

– Nous parlons bien de Martin Boestling, dis-je. Le producteur de cinéma.

– Un personnage exubérant. Sur le moment, je l'ai trouvé très grossier. À la réflexion... une fois le choc passé... j'ai songé à ce qu'il avait enduré et j'ai éprouvé de la compassion pour lui. Je l'ai appelé, j'ai tenté de m'excuser. Il l'a pris de bonne grâce.

– Ce qu'il avait enduré, dis-je. Plus que l'adultère.

Il regardait droit devant lui.

– Quand vous parlez de résultats d'analyses, vous voulez dire des analyses médicales ?

Léger hochement de tête.

– Des prélèvements effectués sur lui et son épouse.

– Il avait attrapé une infection. Le sida ?

– Un peu moins grave, mais quand même embêtant. Une blennorragie. Il avait été infecté par sa femme et soutenait qu'elle-même la tenait de Drew... (Il secoua la tête.) Ce qui sous-entendait, bien entendu, des mœurs dissolues. J'ai mené ma petite enquête sur Drew, ai découvert ses mensonges et l'ai renvoyé. Nous n'avons plus eu aucun contact.

– Et Cherish l'a suivi, dis-je. Par fidélité conjugale ?

– Parce qu'elle avait honte. Comme je vous l'ai dit, nous formons une toute petite communauté. (Il joua avec sa fourchette.) Que devient Cherish ? Ils sont toujours ensemble ?

– Oui.

– Drew s'est-il repenti ?

– Je ne saurais vous dire.

– J'ai toujours espéré qu'elle finirait par trouver la paix... et voilà que vous venez me poser des questions sur elle.

– Il n'est pas dit que ça débouche sur quoi que ce soit, monsieur.

– Est-elle... diriez-vous, docteur Delaware, que Cherish est toujours une femme respectable ? Ou bien l'influence de Drew lui a-t-elle perverti l'âme ?

*Si seulement vous saviez...*

– Autant que je puisse en juger, dis-je, elle continue à œuvrer pour le bien.

– Et lui ? Il en est où ?

– Il n'a pas changé.

Son regard se durcit.

– Que ce soit une leçon pour vous, docteur Delaware. Il ne suffit pas toujours de juger les actes. Ce qui compte se trouve sous la surface.

— Et comment s'y prend-on pour le sonder, monsieur ?

— Les hommes n'ont pas à s'en préoccuper, dit-il en se levant. Seul Dieu peut en juger.

— Une dernière question, docteur Wascomb. Cherish m'a confié que Troy était enterré sur votre campus.

Il posa la main sur la table, comme pour s'appuyer.

— C'est en partie vrai.

— Comment cela ?

— Cherish me l'a demandé... elle m'a supplié. Nous possédons un petit cimetière à San Bernardino. Pour le corps enseignant et des indigents qui nous sont recommandés par nos donateurs et d'autres personnes de confiance. Nous considérons cela comme une œuvre sociale.

Cherish était une personne digne de confiance ?

— Elle le reste, docteur Delaware. À moins que vous n'ayez quelque chose à me dévoiler.

Je gardai le silence.

— C'était montrer de la compassion envers un pécheur que d'accorder une sépulture consacrée à ce garçon. Après en avoir délibéré, j'ai jugé la requête acceptable. Le garçon a eu droit à un office.

— Qui était présent ?

— Cherish, moi et mon épouse.

— Pas Drew ?

— Si, il était là. Il voulait diriger l'office. J'ai préféré m'en charger.

— Et la mère de Troy ?

— Elle n'est pas venue. Cherish avait tenté de la joindre, sans succès. Je me souviens très bien de cette journée. Vers la fin du printemps, il faisait beau, l'air était pur. Le petit cercueil n'a fait quasiment aucun bruit quand on l'a descendu en terre.

Il posa de l'argent sur la table.

— Laissez, dis-je. C'est pour moi.

— Il n'en est pas question.

— Moitié-moitié, alors.

— D'accord.

Il me sourit.

— Je suis désolé de vous avoir fait passer un mauvais moment, docteur Wascomb.

– Pas du tout, pas du tout. Ce que vous faites est important.

Il se retourna pour partir, s'arrêta et me toucha l'épaule.

– Ce garçon avait commis un crime épouvantable, docteur Delaware, mais on avait peine à le croire devant ce tout petit cercueil.

# 30

Heather s'approcha et jeta un coup d'œil à l'assiette de Wascomb.

– Vous voulez un doggy-bag ?

– Non, merci.

– Il a à peine touché à ses pancakes, dit-elle en observant Wascomb qui s'éloignait d'un pas traînant. Il a eu un malaise ?

– Non, ça va.

– C'est votre papa ?

– Non, répondis-je en lui tendant dix dollars de plus que le montant de l'addition. Vous pouvez garder la monnaie.

Large sourire.

– Vous avez travaillé hier ? lui demandai-je.

– Ici ? Oui, je crois bien.

– Vous avez deux boulots ?

– Trois. Ici, le *Kentucky Fried Chicken* tous les après-midi à cinq heures, et les jeudis et vendredis soir je garde les enfants d'un médecin urgentiste du Glendale Memorial.

– Ça fait un emploi du temps chargé.

– C'est ce que dit mon père. Il n'arrête pas de me tanner pour que je laisse tomber un des boulots et que je m'amuse un peu plus. (Elle se mordilla la langue.) J'économise pour me payer une école de styliste.

– Vous avez bien raison. Hier matin, auriez-vous remarqué un couple qui est passé vers neuf heures ? Une blonde aux cheveux longs. Un grand type avec un chapeau de cow-boy en cuir.

– Ah, ceux-là ! Bien sûr, c'est moi qui les ai servis. Je me souviens de lui parce qu'il ressemble à un acteur que mon père adore. Peter... Peter quelque chose.

– Fonda ?

– C'est ça. Il y a un vieux film que mon père n'arrête pas de regarder. Avec Jack Nicholson aussi, mais nettement plus jeune et plus mince.

– *Easy Rider ?*

– Ouais. Nicholson et l'autre, ce Peter machin-chouette, ils jouent des espèces de motards hippies. (Elle gloussa.) Peter est plutôt mignon, si on les aime un peu rétro, genre hippie. Votre gars, celui avec le chapeau de cow-boy, m'a fait penser à eux.

– Le genre rétro.

– Perdu dans les années soixante. Avec ses cheveux qui lui tombent dans le dos et sa chemise à boutons pression. D'ailleurs, ça m'a donné l'idée d'une robe. Un truc punk western.

– Original.

– Merci. Pourquoi vous me posez ces questions ?

– Je travaille pour la police.

Elle écarquilla les yeux.

– Vous êtes flic ?

– Je suis consultant.

– Waouh ! Ils ont fait quelque chose de mal ?

– Ce sont juste des personnes auxquelles on s'intéresse.

– Genre des témoins ?

– En quelque sorte. Vous avez remarqué quoi que ce soit ?

– Pas vraiment. Ils n'ont pas dit grand-chose.

– Entre eux ?

– Ni entre eux, ni à moi. Je suis une sacrée bavarde, comme vous pouvez voir. Je parle toujours aux clients. Ils ont l'impression qu'on s'intéresse à eux et c'est payant côté pourboire. Mais pas avec ces deux-là. Ils sont restés silencieux, comme s'ils s'étaient disputés.

– Ils ont mangé quelque chose ?

– Ils ont commandé, mais lui seul a mangé. Des œufs au bacon. La dame a pris un verre de lait et une viennoiserie, mais elle n'y a pas touché... comme le vieux monsieur qui était avec vous. Je me suis dit que je n'allais pas avoir droit à grand-chose, et j'avais raison. Dix pour cent de service, c'est ringard. C'est elle qui a réglé.

— Vous n'avez rien entendu de leur conversation ?

— Je ne les ai même pas vus se parler.

— Ce sont des habitués ?

— Je les avais déjà vus une fois. La semaine dernière. C'est Lauren qui les a servis. À l'heure du dîner, à la fin de mon service.

— Quel jour ?

— Voyons... dit-elle en portant l'index à sa lèvre inférieure. Lauren travaille le mardi, le jeudi et le vendredi. Ce n'était pas vendredi, puisque c'est mon jour de congé, et mardi elle s'est fait porter pâle parce que son copain avait des places pour le concert de Jason Mraz... (Elle s'arrêta pour reprendre son souffle.) C'était forcément jeudi.

— Vers quelle heure ?

— Vers cinq heures. Waouh ! C'est pour une enquête, alors ?

— Hmm.

— Et vous ne pouvez vraiment pas me dire ce qu'ils ont fait ?

— Désolé, Heather.

— C'est cool. Pigé.

— C'était donc seulement la deuxième fois qu'ils venaient ?

— Moi, je ne les ai vus que ces deux fois.

— Et ça fait combien de temps que vous travaillez ici ?

— Trois ans. Avec des interruptions.

— Comment se sont-ils comportés jeudi ?

— Pareil. C'est pour ça que je m'en souviens. Lauren m'a dit qu'ils étaient restés assis sans rien se dire. Lui a mangé, elle non.

— Dix pour cent de service.

— En fait huit, dit-elle en souriant. Ça doit être mon charme.

Je la remerciai et lui donnai un autre billet de dix dollars.

— Waouh ! Faut pas...

Mais elle se garda bien de me le rendre.

— Si vous voulez, ajouta-t-elle, je peux ouvrir l'œil, vous prévenir si jamais ils reviennent.

— J'allais justement vous le demander.

Je lui tendis ma carte.

– Psychologue, dit-elle. Genre les criminels cinglés, les types comme Hannibal Lecter ?

– En général, c'est beaucoup moins excitant que ça.

– Ma sœur voyait un psychologue. Elle était pas mal givrée, elle avait de très mauvaises fréquentations.

– Ça l'a aidée ?

– Pas vraiment. Mais elle est partie vivre ailleurs et c'est déjà ça. J'ai plus besoin de me farcir ses scènes.

– On peut dire que c'est un succès partiel.

– Ouais, dit-elle d'un air absent.

Elle retourna à la caisse en vérifiant la somme que je lui avais donnée.

Je rentrai par la 134 direction ouest et profitai d'un ralentissement pour consulter mes messages.

Un seul, d'Olivia Brickerman. Je pris la sortie Laurel Canyon, m'engageai dans Ventura Boulevard, trouvai un endroit où me garer en face d'un motel et la rappelai au bureau.

– M. et M$^{me}$ Daney savent y faire avec la paperasse, me dit-elle. Ils touchent environ sept mille dollars par mois en tant que famille d'accueil. Ça fait un peu plus de sept ans qu'ils ont commencé, et ils ne se cachent pas d'avoir deux enfants de plus que la limite autorisée. Ce qui me fait dire que ce sont de vieux pros qui savent que les caisses du système sont vides. M$^{me}$ Daney a aussi demandé une habilitation en tant qu'éducatrice spécialisée, ce qui lui donnerait droit à des allocations supplémentaires. En général, on exige une formation, mais les règles ont été assouplies à cause du manque de postulants. Satisfait ?

– Très. Dis-moi, le système ne marche vraiment plus ?

– Les génies du parlement de l'État viennent de refuser le recrutement d'assistantes sociales, et les comtés sont déjà en sous-effectifs. Autant dire qu'on n'a plus le temps de rien contrôler. Deux détails supplémentaires concernant les Daney... Ils ne prennent que des adolescentes avec des difficultés d'apprentissage. C'est vraiment curieux de n'accueillir que des filles. Ce ne sont pas les garçons qui manquent.

– Les familles ont-elles la possibilité de choisir l'âge et le sexe ? demandai-je.

– Les services sociaux sont censés se mettre d'accord avec la structure d'accueil. Dans l'intérêt de l'enfant.

– On peut donc demander une fille.

– Alex, dit-elle, au jour d'aujourd'hui, si tu es blanc, de classe moyenne et que tu n'as pas de casier, tu es en mesure d'obtenir quasiment tout ce que tu veux.

Je la remerciai et lui demandai une liste des enfants placés chez les Daney.

– Ma liste ne couvre que les dernières années. Je te la faxe dès que je sors du boulot. Bien des choses à Allison. J'espère que tu n'as pas trouvé que j'y allais un peu fort en la comparant à Blanche-Neige.

– Pas du tout. Le talent a ses privilèges.

– Petit flatteur !


Le seul Martin Boestling qui figurait dans l'annuaire tenait une confiserie dans Fairfax Avenue. Peu probable qu'il s'agisse du même, mais c'était à deux pas, de l'autre côté de Laurel Canyon.

La Nut House[1] occupait l'équivalent de deux boutiques, dans le pâté de maisons juste après le centre commercial du Farmer's Market. Me fiant à l'enseigne qui annonçait un parking à l'arrière, je trouvai une place à côté d'une camionnette verte arborant le nom du magasin, l'adresse et les coordonnées du site Internet, le tout sous une noix de cajou géante qui faisait penser à une larve sans yeux. La porte des livraisons était ouverte, mais la moustiquaire fermée à clé. Je sonnai, une grosse femme coiffée d'un foulard et âgée d'une soixantaine d'années me jeta un coup d'œil, puis tourna le verrou sans un mot et regagna l'avant du magasin.

Dans une vaste salle étaient alignés des bocaux de bonbons, de thé et de café, de toutes sortes de fruits secs aux couleurs de l'arc-en-ciel, de friandises gélifiées non moins criardes et de noix

1. *Nut* signifie « noix » au sens large, mais aussi « cinglé » au sens figuré.

en tout genre. Pas moins d'une douzaine de variétés d'amandes. *Garanti sans cacahouètes,* annonçait une affiche. *Aucun risque pour les personnes allergiques.*

Quelques clientes parcouraient les allées, remplissant de friandises les sachets verts qu'on prenait sur des rouleaux en hauteur. Un homme d'une cinquantaine d'années, en tablier vert, tenait la caisse. Corpulent, épaules arrondies, cheveux bruns ondulés. Un visage qui semblait s'être pris un mur. Agitant ses mains énormes aux doigts boudinés, il plaisantait de bon cœur avec deux femmes qui réglaient leurs achats. Sur la photo que j'avais vue sur Internet, il portait un smoking et Sydney Weider lui donnait le bras. L'avocate avait beaucoup changé. Pas Martin Boestling.

Je pris un sachet, choisis des amandes grillées et attendis un moment de calme pour me diriger vers la caisse.

Il fit le total.

— Vous m'en direz des nouvelles, me dit-il. Elles sont grillées par une famille indienne de l'Oregon.

— Génial, dis-je. Vous êtes bien monsieur Boestling ?

Il plissa les yeux.

— Pourquoi ?

— Je recherche un Martin Boestling qui travaillait dans le cinéma.

Il mit les amandes dans un sachet en papier, le posa devant moi. Avant qu'il n'ait le temps de me tourner le dos, je lui montrai ma carte de police.

— Un psy de la police ? Qu'est-ce que vous me voulez ?

— On me consulte quand...

— Et vous voilà à la Nut House ! Ça ne s'invente pas... (Il porta le regard vers la cliente qui patientait derrière moi.) Au suivant.

Je m'écartai et attendis qu'elle ait fini de régler.

— C'est bon, vous êtes servi ? me dit Boestling.

— C'est au sujet de Sydney Weider. Et de Drew Daney.

Ses mains faisaient penser à deux gourdins en chair.

— Qu'est-ce que vous me voulez ?

— Je vous demande juste quelques minutes de votre temps, monsieur Boestling.

— Pourquoi ?

— Daney fait l'objet d'une enquête.

Silence.

— Ça pourrait être sérieux, ajoutai-je.

— Vous voulez des ragots.

— Si vous en avez.

Il fit signe à la femme au foulard.

— Magda, tu vas me remplacer. Un vieil ami vient de passer à l'improviste.


Nous marchâmes dans Fairfax et trouvâmes un banc libre à un arrêt de bus. Martin Boestling avait oublié de retirer son tablier ; à moins que ce n'ait été un oubli volontaire.

— Sydney n'était qu'une salope de première, ce mec un vrai enculé, et un ingrat par-dessus le marché. Point final.

— Je suis au courant pour la blennorragie, dis-je.

— Et vous connaissez peut-être la taille de ma bite ?

— Je pourrais sans doute obtenir l'information, si ça a un rapport.

Il sourit.

— On pourrait croire que ça a son importance, la longueur. Moi, j'ai épousé Sydney parce qu'elle était intelligente, belle, riche et adorait baiser. En fait, je venais à peine de lui passer la bague au doigt qu'elle se payait déjà ma tronche.

— Une nymphomane.

— Il aurait fallu qu'elle se calme un peu pour qu'on puisse la traiter de simple nymphomane. Le jour de notre mariage, elle s'est tapé un de mes soi-disant amis. (Il se mit à compter sur ses doigts.) Le garçon de piscine, le prof de tennis, le type des aquariums, un tas de collègues avocats. C'est seulement par la suite, après le divorce, que les gens m'ont fait des confidences, avec plein de compassion hypocrite dans le regard. Désolé, Marty, on voulait pas faire de vagues. Je n'ai aucune preuve, mais je suis persuadé qu'elle se faisait aussi sauter par ses clients. Vous voyez quel genre de personnes elle défendait ?

— Des indigents.

— Des assassins, des voleurs, des ordures. Vous vous rendez compte ? Elle reste tard au bureau pour se faire sauter par des minables pendant que je me démène pour lui offrir le train de vie auquel elle s'est habituée. Je ne pouvais pas supporter le milieu du cinéma, mais je m'accrochais parce que j'avais trop envie de l'épater. Vous savez comment on s'est rencontrés ?

— Non.

— Votre enquête n'est pas remontée aussi loin ? On s'est connus au Palisades Vista Country Club. Sa famille était membre et moi j'y bossais en tant que groom pour payer mes études. Distribuer de l'eau minérale aux riches qui se dorent comme des poulets à la broche. J'aurais dû me douter de la suite quand Sydney a planté son petit ami friqué dans la salle à manger pour qu'on s'envoie en l'air dans une cabine de plage. On est sortis ensemble et après la fac j'ai décroché un job au courrier chez CAA et elle a accepté de m'épouser.

— C'est elle qui vous a poussé à travailler dans le cinéma ?

— J'avais une maîtrise de lettres, ce qui sert à peu près autant qu'un deuxième appendice du cæcum. Je trouvais ça intéressant et j'étais plutôt doué. Je l'ai surtout fait pour Sydney. J'étais fou d'elle. (Il tripota son tablier.) C'est son père qui m'a obtenu le boulot au courrier, mais j'y ai fait mon trou. J'ai bossé comme un malade et je me suis fait traiter comme un chien par des gens de la pire espèce. J'abattais plus de boulot que tous les types d'universités prestigieuses qui faisaient ça pour le fun. J'ai rapidement gravi les échelons, je gagnais bien ma vie et Sydney faisait ses études. Elle était très intelligente, elle a eu son diplôme avec mention, puis elle s'est arrêtée le temps d'avoir les gamins, et ensuite on s'est installés à Berkeley pour qu'elle puisse faire son droit à Boalt. Moi, je travaillais la semaine à L.A. et je venais les voir le week-end. Je maîtrisais parfaitement la chose, le vol pour Oakland à quatre heures le vendredi afin d'éviter le brouillard, retour tard le dimanche soir. Les garçons s'en sont bien sortis, tout compte fait. Ils détestent leur mère tous les deux. Le mariage a vite tourné au vinaigre... on s'ennuyait ensemble. Mais comme les autres couples autour de nous n'allaient pas mieux, ça ne me perturbait pas plus que ça.

— Jusqu'aux résultats d'analyse, dis-je.

— C'est venu plus tard. Là où tout a pété pour de bon, c'est quand je l'ai surprise avec Daney. Chez moi, dans mon pieu, avec mon peignoir et mes sandales posés sur la chaise… (Il rigola.) Le parfait cliché. J'avais rendez-vous chez Fox TV pour un scénario. La connasse de service a abrégé le rendez-vous en prétextant une audience mal ciblée. Ce qui voulait dire que je m'adressais à un public avec un QI supérieur à celui d'un rutabaga. Je m'attendais à ce que ça dure plus longtemps, j'avais même fait venir le scénariste, pauvre type. Je me retrouve donc dehors au bout de dix minutes, pas franchement de bonne humeur, et je décide de rentrer à la maison, histoire de piquer une tête dans la piscine et de suer un coup dans mon sauna tout neuf. En arrivant, j'entends des gémissements et des grognements à l'étage, et je vais voir dans notre chambre, dont je venais de refaire toute la déco pour une fortune… je peux vous dire qu'on avait une super-baraque à Brentwood… la porte est grande ouverte, et Sydney et ce nullard sont en train de faire la bête à deux dos.

Il parlait de plus en plus fort, provoquant la curiosité des passants. Il défroissa son tablier et fit craquer ses poings.

— Je me mets à crier et Sydney ouvre les yeux. Puis elle les referme et continue ! Je me précipite et je bourre Daney de coups, dans le dos et dans le cou. Il cherche à se dégager, mais elle le tient prisonnier entre ses jambes. Je continue à le frapper comme un malade, partout où je peux, et il se débat pour partir, mais Sydney ne le lâche pas. Quand elle a terminé, elle le repousse brusquement et ce connard prend ses fringues et ses jambes à son cou, comme s'il avait les couilles en feu ! (Il en rit aux larmes.) Aujourd'hui, j'arrive à en rire. J'ai même pitié de ce pauvre con.

Je me contentai d'un sourire poli.

— Plutôt mitigé dans votre genre ! me lança-t-il. Heureusement qu'on ne prend pas des mecs comme vous pour les émissions filmées en public ! Mais bon. Voilà l'histoire.

— Savez-vous depuis combien de temps ils se voyaient ?

— Non, on n'en a jamais parlé. Sydney s'est enfermée dans la salle de bains pour prendre une douche. Quand elle est sortie, j'étais prêt à en découdre. Elle passe devant moi l'air de rien, monte dans sa voiture et se tire. Elle n'est pas rentrée de la nuit. Heureusement, les garçons étaient en pension. Je l'ai attendue, assis comme un con, et j'ai fini par prendre une chambre au Bel Air Hotel. Au bout de quelques jours, j'avais du pus à la bite. Mais je me suis bien vengé. Vous savez comment ?

– L'argent ?

– Notre contrat de mariage. Que son vieux avait prévu pour protéger sa petite chérie. En gros, elle conservait ses biens propres à la date du mariage. Le seul problème, c'est que son père avait vidé le fonds en fidéicommis destiné à Sydney, suite à des mauvais placements. Elle n'avait plus rien à son nom, ce qui ne laissait que nos biens communs. Et ça ne représentait pas tant que ça, parce qu'on vivait nettement au-dessus de nos moyens. Pour moi, ce n'était pas un drame. Mon père a toujours bossé dur... dans sa confiserie. Je ne trouvais pas ça très chic, jusqu'au jour où j'ai découvert le milieu du cinéma.

– Sydney a eu du mal, dis-je.

– Sydney n'est qu'une salope pourrie gâtée qui est devenue avocate pour le prestige et l'épanouissement personnel. Après notre séparation, elle a voulu bosser pour un gros cabinet, mais ça n'a pas marché. En attendant, les avocats qui s'occupaient du divorce ont bouffé le peu qui restait. Sa mère est morte et lui a laissé de quoi s'acheter une baraque aux Palisades et se constituer une petite rente mensuelle. Un code postal prestigieux, mais elle vit dans un taudis et ne fait rien pour l'entretenir. Elle a toujours été hyperactive, mais là je me suis laissé dire que ça virait à la maniaco-dépression.

Il me regarda, attendant une confirmation.

– Comment se fait-il que ça n'ait pas fonctionné avec le gros cabinet ? lui demandai-je.

– Alors ça, dit Boestling en souriant. Malheureusement, son patron a reçu une photocopie de ces maudites analyses. Ainsi que tous les principaux cabinets pénalistes de la ville. On se demande vraiment qui serait capable d'être rancunier à ce point, dit-il en réprimant un bâillement.

– Et vous avez aussi averti la faculté de théologie, où étudiait Daney.

– Je me suis dit que j'œuvrais pour le Seigneur. Merci pour tous ces bons souvenirs, Doc. Il est temps que je retourne à la vraie vie.

– Vous avez traité Daney d'ingrat...

– Je ne vous le fais pas dire ! Je leur avais obtenu des rendez-vous avec des gens importants, à lui et à Sydney.

– Pour faire un film ?

– Non, de la saucisse polonaise ! Bien sûr, un film. Pour le cinéma, pas pour la télé. Sydney y tenait beaucoup. Elle me répétait toujours que je ne faisais que de la télé, autant dire que j'étais un petit calibre. Son film, par contre, aurait droit à des stars et à un gros budget. Ils s'imaginaient tous les deux tenir l'histoire la plus sensationnelle de tous les temps. Et quand on a eu besoin de contacts, qui est-on venu trouver ?

– C'était l'histoire du meurtre de Kristal Malley ?

– Ouais. Deux gamins butent une fillette et vont en taule. Pas franchement *Titanic*.

– Qui a eu l'idée ?

– Je n'en sais rien, mais Daney m'avait l'air du genre à se monter la tête et c'est lui qui a dû contaminer Sydney... (Il pouffa.) Avec ces lubies, entre autres !

– Vous êtes sûr que c'est lui qui lui a transmis l'infection ?

– Lui ou une autre des cinq mille bites qu'elle s'est tapées. C'est lui que j'ai surpris, alors ça me permet de mettre un visage dessus, façon de parler. (Il haussa les épaules.) Mais ça pourrait tout aussi bien être l'avocat de l'autre gosse, un Latino.

– Lauritz Montez, dis-je. Lui aussi, elle couchait avec ?

– Bien sûr.

– Comment vous...

– Quand Sydney a commencé à bosser sur le dossier, elle n'arrêtait pas de dire du mal de lui. Un crétin sans expérience, un albatros qui allait l'entraîner avec lui dans sa chute... Et puis, au bout de quelques semaines, elle s'est mise à avoir des réunions tard le soir avec lui. Très souvent. Pour mettre au point une défense conjointe. J'ai tout gobé jusqu'au jour où je l'ai surprise avec ce salopard de Daney et où j'ai cessé d'être le plus gros couillon de la galaxie. Les arguments juridiques, c'était seulement une fois que Montez avait remballé sa quéquette.

Je gardai le silence.

— Ah ! souvenirs, souvenirs... dit-il. Bien. Si ça ne v...

— Sydney ne vous a jamais fait aucune confidence sur l'affaire Malley ?

— C'est donc ça ? Après tant d'années ? De quoi Daney est-il suspecté ?

— Je ne peux pas entrer dans les détails. Désolé.

— Une conversation à sens unique.

— Malheureusement.

— Eh bien, malheureusement pour vous, Sydney m'a seulement confié que son client était un petit monstre d'assassin et qu'elle ne pouvait rien pour lui. Vous l'avez vue récemment ?

— J'ai essayé de lui parler il y a quelques jours. Elle a très mal réagi...

— Elle est devenue folle furieuse et s'est mise à hurler ? C'est ça ?

— Oui.

— Sacrée Sydney ! Le pétage de plombs a toujours été sa technique. Au tribunal, elle était pleine de self-control, mais à l'extérieur, dès qu'on n'était pas d'accord avec elle, le niveau sonore devenait digne des cinq cents miles d'Indianapolis. Avec moi, les garçons, ses parents... (Il hocha la tête.) Quand je pense à ce que j'ai supporté ! Ma deuxième femme, c'était une tout autre histoire. Calme, gentille comme c'est pas permis. Mais nulle au pieu. Je finirai bien par tomber sur le bon équilibre.

Il se leva et se dirigea vers son magasin. Je l'accompagnai et l'interrogeai pour en savoir plus sur le projet de film.

— Je n'ai jamais vu le scénario. Je n'ai jamais été impliqué directement. N'oubliez pas, je n'étais qu'un tâcheron de la téloche.

— Vous étiez tout de même là pour obtenir les rendez-vous, dis-je.

— C'est vrai, reconnut-il en se grattant le menton. Je n'étais pas toujours très futé, à l'époque. J'avais un petit problème de drogue qui me faisait faire des conneries. Je vous raconte tout ça parce que mon parrain dit que je dois être honnête vis-à-vis de l'extérieur.

Comme Nina Balquin. De nos jours, n'aurait-on pas tendance à confondre franchise et pénitence ?

— Je vous en suis reconnaissant, lui dis-je.

— Je le fais pour moi, dit Boestling. J'ai eu tort de ne pas être plus égoïste quand ça comptait.


Je repris ma voiture et filai jusqu'à Beverly Hills, où j'interpellai Lauritz Montez à sa sortie du tribunal, à l'angle de Burton Street et du Civic Center. Une grosse mallette suspendue à l'épaule droite, il se dirigeait vers le parking à l'arrière du bâtiment.

— Maître Montez ?

Haussement de sourcils, mais sans ralentir l'allure. Je le rattrapai.

— Qu'est-ce que c'est ?

— Une source crédible m'a raconté que votre relation avec Sydney Weider dépassait le cadre professionnel.

— De qui s'agit-il ?

— Je ne peux pas vous le dire.

Aucune réaction.

— Parlez-moi des projets de cinéma de Sydney, insistai-je.

— Pourquoi voudriez-vous que je sois au courant ?

— C'est curieux, vous ne me demandez même pas quel film.

Nous arrivâmes dans le parking où il se dirigea vers une Corvette grise vieille de dix ans.

— Vous commencez à m'agacer, dit-il en posant sa mallette.

— Même si le juge Laskin a pris sa retraite, dis-je, je suis sûr qu'il a encore beaucoup d'amis. Les autorités judiciaires et le barreau seraient sans doute édifiés d'apprendre comment vous vous êtes comporté à l'occasion d'une affaire retentissante.

— Une menace ?

— Loin de moi cette idée. Cela dit, si vous tenez à passer les vingt prochaines années à Compton à remplir des formulaires de mise en examen…

— Vous êtes drôlement gonflé, dit-il en baissant la voix. Je suis prêt à parier que le LAPD n'est même pas au courant de vos manigances.

Je lui tendis mon portable.

– Vous n'avez qu'à composer le 5.

La touche d'appel rapide pour mon dentiste. Montez ne le prit pas.

Un policier passa au volant d'une Suburban flambant neuve. Un seul agent pour une telle cylindrée. À Beverly Hills, on ne se souciait pas franchement d'économies d'énergie.

Je rangeai mon téléphone.

– Qu'est-ce que vous me voulez vraiment ? me demanda l'avocat, sa voix marquant une légère fébrilité sur les deux derniers mots.

– Ce que vous savez sur le film, et tout ce que vous pouvez me dire sur les Daney.

Il recula, se glissa entre l'avant effilé de la Corvette et le mur du parking.

– Les Daney, dit-il avec un sourire froid. J'ai toujours flairé l'hypocrisie derrière leur fanatisme religieux. J'avais donc raison.

– Bien. Pourquoi ?

– Daney se tapait Sydney quand et où ça lui chantait.

– Comment étiez-vous au courant ?

– Je l'ai vue lui tailler une pipe dans sa voiture. Un soir dans le parking. Je lui en ai parlé le lendemain, mais elle m'a dit d'aller me faire foutre et de lui lâcher les baskets.

– Quel parking ?

– Celui de la prison du comté.

Où elle m'avait également proposé sa voiture pour discuter avec Jane Hannabee.

– Un comportement très risqué, fis-je remarquer.

– Sydney trouvait ça très excitant.

– Drew Daney a donc enfreint le huitième commandement. Et sa femme, pourquoi est-elle une hypocrite ?

– Voyons, dit Montez. Elle était forcément au courant. Sydney et Daney étaient toujours fourrés ensemble. Comment voulez-vous qu'elle ne se soit doutée de rien ? (Il fit mine de cracher et s'essuya la bouche du revers de la main.) Elle me hérissait le poil. Une cervelle de moineau qui la ramenait toujours avec sa psychologie de comptoir. En fait, elle ne s'intéressait qu'à Troy.

Elle n'a même pas voulu rencontrer Rand. Quand on se sent vraiment impliqué, on tend la main à tout le monde.

— En quoi aurait-elle pu vous servir ?

— Comme témoin de moralité.

— Et comment se fait-il qu'elle se soit intéressée seulement à Troy ?

— Parce qu'ils le connaissaient d'avant. Ils l'avaient rencontré dans le cadre de leurs B.A. à la Cité 415. Ce qui vous montre toute leur efficacité.

— Rand ne faisait pas partie du projet ?

— Rand n'avait fait aucune grosse bêtise avant de fréquenter Troy, et n'avait pas donc pu profiter de leurs sages conseils. Ce qui n'aurait pas changé grand-chose, comme je vous l'ai dit.

— Le scénario était écrit.

— Si vous ne croyez pas que tout est décidé à l'avance, vous ne méritez pas votre doctorat.

— Et le vrai scénario, qu'en est-il advenu ?

— Le film de Sydney ? Qu'est-ce que vous croyez ? Rien du tout. On est à L.A.

— Quelle était la trame ?

— Comment voulez-vous que je le sache ?

— Elle ne vous l'a pas fait lire ?

— Pas question. C'était top secret. Je ne sais même pas si elle est allée jusqu'à l'écrire, ce scénario.

Il sortit une télécommande, déverrouilla la portière de la Corvette et me contourna pour l'ouvrir.

— Le projet se présentait sous quelle forme ? demandai-je.

Aucune réponse.

— Puisque c'est comme ça, dis-je en prenant mon portable.

— Je n'ai vu qu'un résumé, OK ? Sydney appelait ça un synopsis. Je suis tombé dessus par hasard, en cherchant des allumettes dans le tiroir de son bureau. (Un léger sourire.) J'aime fumer après.

— Vous faisiez ça au bureau ?

— Le mobilier administratif a des vertus insoupçonnées.

— Que racontait le synopsis ?

– Les noms étaient changés, mais c'était en gros l'affaire Kristal Malley. Sauf que dans cette version le père de la gamine avait manipulé les garçons pour qu'ils tuent sa fille.

– Avec quel mobile ?

– Ce n'était pas précisé. Ça tenait en deux paragraphes. Quand Sydney est revenue des toilettes, elle m'a vu en train de le lire, me l'a arraché des mains et s'est mise à crier, à son habitude. Je lui ai dit : « Thèse intéressante. On pourrait peut-être s'en servir pour de vrai. » Elle est devenue folle furieuse et m'a botté le cul. Elle m'a littéralement flanqué un coup de pied, dit-il en se frottant l'arrière-train. J'ai eu drôlement mal, elle portait des talons aiguilles.

– Le synopsis était donc écrit avant la fin de l'affaire ?

– Avant la sentence formelle, mais tout le monde se doutait de l'issue.

– Qui a eu l'idée du compromis ? m'enquis-je.

– Sydney a fait la proposition, Laskin l'a acceptée. Elle lui a raconté que j'étais d'accord, ce qui était un mensonge. J'ai tout de même suivi, parce que je ne voyais pas ce que je pouvais obtenir de plus pour Rand.

– Qu'on les envoie enfin en taule, que vous puissiez fêter ça avec votre consœur, dis-je.

– Ce n'est pas du tout ça, protesta-t-il. Ce soir-là… sur son bureau… on avait terminé le gros du boulot. C'est là que c'est vraiment devenu sérieux avec Sydney. Avant, c'était des broutilles. Jamais au bureau.

– Des motels ?

– Ça ne vous regarde pas.

– Dans sa voiture ?

– Vous êtes là pour me jeter la pierre ? Je m'en tape. Ce n'est pas un crime de s'amuser.

– Les coups de pied, ça ne devait pas être trop amusant.

– Elle était cinglée, mais je peux vous dire qu'elle ne manquait pas de talents.

# 31

– Une nymphomane, dit Milo. Pour reprendre l'expression consacrée.

Il recracha une volute de fumée de cigare. Une manière de purifier l'air, avec le niveau de pollution ambiante.

– Cela dit, ajouta-t-il, je n'aime pas particulièrement les expressions consacrées pour en avoir essuyé quelques-unes.

– Tu ne dois plus te faire traiter de pédale très souvent.

– C'est comme négro. Il faut s'appeler Snoop Dog pour continuer à l'employer. Balance ça aux types qui traînent à l'angle de Main et de la 69$^e$ et tu verras si ça déclenche l'hilarité générale.

Les ronds de fumée s'élevaient dans le ciel où ils se dissipaient lentement. Nous marchions tranquillement à deux rues du commissariat, nos réflexions silencieuses entrecoupées de volées verbales.

– Comme ça, tout le monde baise tout le monde, dit-il. Et pas seulement au sens littéral. À ton avis, Weider laissait aller son imagination quand elle mettait tout sur le dos de Malley ? Ou bien Daney et elle ont-ils découvert quelque chose il y a huit ans ? Par exemple… que Malley n'était pas le père de Kristal. Autre possibilité : Troy confie à Weider que Malley a commandité le meurtre.

– Quand Lauritz Montez lui a suggéré en plaisantant que ça ferait une bonne diversion, Weider a pété les plombs. Ce n'était peut-être pas seulement la peur de perdre son idée géniale.

– Elle détient des preuves disculpant son client, mais les dissimule. Parce que son but premier n'est pas de défendre Troy, mais de monter son film. Diabolique. La morale façon Hollywood.

— Weider pouvait se trouver des justifications, dis-je. Malley a tiré les ficelles, mais ce sont les garçons qui ont commis le meurtre et, de toute manière, ils allaient écoper d'une longue peine. Elle aurait conseillé à Troy de la fermer en lui promettant de le faire sortir au plus vite et qu'il serait riche. Ce qui expliquerait ses lubies de faire fortune.

— Troy était tout de même un voyou des rues, Alex. Tu crois qu'il aurait gobé ça ?

— C'était aussi un gamin de treize ans sans avenir, lui objectai-je. Comme il en arrive tous les jours à Hollywood et chacun est persuadé qu'il va devenir riche et célèbre. Malgré tout, on ne peut pas compter indéfiniment sur la patience d'un gamin. Tout compte fait, ce n'est pas forcément Malley qui a fait tuer Troy.

Il mordilla son cigare. Crachota un rond de fumée irrégulier. Retira un bout de tabac sur sa langue, cracha et fronça les sourcils.

— Weider bossait pour l'aide judiciaire, dit-il. Elle aurait su comment recruter Nestor Almedeira.

— De même que Daney, suggérai-je. Il travaille avec des jeunes en difficulté. Il a lui aussi rendu visite à Troy, comme Cherish.

— Daney serait le Blanc dont parlait Nestor, et pas Malley ? Nom d'un chien… (Quelques bouffées de cigare.) Ouais, ça se tient aussi bien que Cherish dans le rôle de Jacqueline l'Éventreuse. D'autant que je n'ai de preuve solide pour aucun des deux scénarios.

Il jeta le cigare sur le trottoir, l'écrasa du talon et attendit qu'il refroidisse pour le mettre dans sa poche.

— Quel sens civique ! dis-je, moqueur.

— Cette ville est déjà bien assez crasseuse. Bon. Comment s'explique le meurtre de Rand si on retient l'option Drew / Weider ?

— Pareil que dans le cas Cherish / Barnett. Rand n'était pas de mèche, on lui laisse donc la vie sauve. D'une manière ou d'une autre, il découvre la vérité sur le meurtre de Kristal, ce qui en fait une cible.

— La vérité étant que Malley s'est vengé de ne pas être le père de Kristal.

— Ça m'a l'air d'être la constante, dis-je. Des progrès du côté de l'ADN ?

– J'ai rempli une demande, j'attends la réponse des grands manitous. J'aimerais bien savoir quand et comment Cherish a commencé à coucher avec Barnett. Maintenant, on connaît peut-être le pourquoi : pour se venger des coucheries de Drew.

– Ça se tient. La serveuse de Chez Patty m'a dit que c'était seulement la deuxième fois qu'elle les voyait, et elle travaille là depuis plusieurs années. Cherish a choisi ce café parce qu'elle y allait pendant ses études... Wascomb y donnait parfois rendez-vous à ses élèves. Mais ils doivent avoir d'autres endroits où ils se retrouvent.

– Le motel en premier lieu. Je vais y faire un tour, interroger le personnel.

– J'ai une autre possibilité, dis-je. Cherish balance Rand à Drew, pas à Barnett.

– Elle trompe son mari. Pourquoi voudrais-tu qu'elle se confie à lui ?

– Sans aller jusqu'à se confier, elle aurait pu mentionner au passage que Rand lui semblait très nerveux, qu'il faisait allusion à Troy. Parce qu'elle soupçonne que Drew est impliqué dans le meurtre de Troy, et qu'il sera donc tenté d'éliminer Rand, ce qui épargne à Malley de s'en occuper.

– La petite amie prévenante qui joue les épouses dévouées. Du grand art en matière de manipulation. Wascomb te l'a pourtant décrite comme une fille vertueuse.

– Wascomb ne maîtrise pas toutes les subtilités du cynisme.

Il sortit un nouveau cigare, le laissa dans son cellophane et le fit rouler habilement d'un doigt à un autre. Impressionnant ; c'était la première fois que je le voyais faire ça.

– Il y a une autre manipulation à envisager, dis-je. C'est parce que Drew nous a parlé d'un pick-up noir que nous nous sommes penchés sur Barnett Malley. Mais compte tenu de ce qu'on a appris sur lui, on peut se demander dans quelle mesure il ne s'est pas joué de nous.

– Il ne craignait pas Malley, mais voulait seulement nous envoyer sur une fausse piste.

– Malheureusement pour Drew, cela nous a conduits à nous intéresser de plus près à lui.

– Trois gamins assassinés, murmura-t-il. Et peut-être par trois paires d'assassins différentes.

Nous tournâmes à un coin de rue.

– Alex, je commence à me dire que le meurtre de Jane Hannabee pourrait avoir un lien. Mettons que Troy parle du film à sa mère et que celle-ci exige sa part, elle devient alors gênante pour Sydney et Drew.

– Une droguée dans la dèche, dis-je. C'est évident qu'elle veut sa part.

– Nous disions que Cherish savait peut-être où dormait Jane… c'était sa conseillère spirituelle. Mais ça vaut aussi pour Drew. (Il fourra les mains dans ses poches.) Cette histoire se développe comme un cancer. Tu as pu apprendre combien les Daney se font en suçant les mamelles du comté ?

– Sept mille dollars par mois.

– Pas trop mal, pour un couple de pasteurs défroqués.

– Et une partie de manière frauduleuse, précisai-je. Olivia dit que personne ne contrôle jamais rien, mais ça pourrait fournir un angle d'attaque au besoin. Je lui ai demandé la liste complète des enfants qu'ils ont accueillis. Drew n'a pas hésité à faire des faux par le passé. Il ne s'est peut-être pas arrêté là.

– Bonne idée. Et Weider ? Tu penses que je dois la cuisiner, au péril de ma vertu ?

– Si j'en crois Boestling et Montez, la scène qu'elle m'a faite est sa manière habituelle de réagir en cas de contrariété. Tu n'as que des rumeurs d'adultère et tu ne peux pas la menacer d'être rayée du barreau, puisqu'elle n'exerce plus.

– Je pourrais quand même l'embarrasser.

– Après l'humiliation que lui a fait subir Boestling, je doute qu'il lui reste beaucoup d'amour-propre à défendre.

– Raison de plus, dit-il. Il faut la frapper tant qu'elle est à terre.

– Tu peux toujours essayer.

– Mais tu me le déconseilles ?

– Le jeu n'en vaut pas la chandelle.

– Alors à qui je dois m'attaquer ?

– Dis plutôt à quoi. Réponse : à la paperasse.

Je l'accompagnai jusqu'au parking en face du commissariat, où il récupéra son véhicule banalisé et me suivit. Me dépassa au niveau de Westwood Boulevard et arriva le premier devant chez moi.

Le fax d'Olivia nous attendait. Une page remplie de données – noms, numéros de sécurité sociale, dates de naissance, dates du placement.

Douze filles, entre quatorze et seize ans, dont huit vivaient toujours chez les Daney. Un nom nous était familier. Quezada, Valerie. L'adolescente nerveuse et agressive, à qui Cherish avait expliqué un exercice de mathématiques, avec des trésors de patience. Quelques instants plus tard, Cherish avait fondu en larmes en leur parlant de Rand...

La liste ne couvrait qu'une période de vingt-cinq mois. Olivia avait griffonné quelques mots en haut de la page. « *Je n'ai pas pu remonter plus loin. Nos fonctionnaires de génie ont des archives sens dessus dessous. Pas sûre que ça s'améliore.* »

– On va commencer par les quatre qui ne sont plus chez eux, dit Milo. Quelques vérifications de base.

– Du genre ?

– En premier, le scénario du pire.

Il appela le coroner et demanda à parler à Dave.

– Non, pas aujourd'hui, dit-il à son interlocuteur. Mais je finirai bien par passer. Et la prochaine fois, je veux bien un masque digne de ce nom... j'ai beau m'y connaître en décomposition... je sais, il n'y a rien de tel qu'un cadavre qui a traîné dans la flotte. Écoute, Dave, j'ai besoin d'une petite vérification dans vos archives... Ouais, je sais, ma voix te fait l'effet d'un rayon de soleil...

Cinq minutes plus tard, David O'Reilly, enquêteur au service du coroner, nous rappela. Aucun des quatre noms ne figurait sur leur registre des morts violentes. Milo composa ensuite le numéro des archives municipales, où on le fit patienter avant de l'adresser aux services du comté, où était tenu le registre des morts naturelles.

– On dirait qu'elles sont toutes vivantes, dit-il en raccrochant. La bonne nouvelle de la journée.

Je songeai qu'elles avaient très bien pu mourir ailleurs que dans le comté de Los Angeles.

— Et maintenant ?

— T'as une idée ?

— Tu pourrais essayer de les retrouver, voir ce qu'elles ont à raconter sur les Daney. Moi, je me concentrerai sur les deux mineures. Peut-être que ça va mieux pour elles, qu'elles n'ont plus besoin de famille d'accueil. D'un autre côté...

— J'aime ça, dit-il. Le pessimisme constructif.


Grâce à un contact d'Olivia au Service de l'enfance, nous pûmes obtenir les renseignements voulus avant quinze heures.

Leticia Maryanne Hollings, dix-sept ans, était désormais placée chez une personne de sa famille. Une tante à Temecula. Personne ne répondit au téléphone. Milo garda le numéro sous le coude.

Wilfreda Lee Ramos, seize ans, ne figurait plus sur les listes des enfants placés. Le seul parent mentionné était un certain George Ramos.

Un frère âgé de vingt-cinq ans. Son numéro de téléphone était indiqué, mais pas d'adresse, hormis le fait qu'il résidait à Los Angeles, en Californie. Il était étudiant. Les trois premiers chiffres du numéro, « 825 », correspondaient à l'université.

Je le composai. Ligne coupée. J'appelai les services administratifs de l'université. Deux George Ramos y faisaient actuellement leurs études. L'un avait dix-huit ans et était inscrit en première année. L'autre, âgé de vingt-six ans, venait d'entamer son droit. On refusa de m'en dire davantage.

Milo prit le combiné, fit état de sa qualité, mais ne put arracher le moindre renseignement supplémentaire. Un coup de fil au secrétariat du Département de droit donna le même résultat.

Nous nous rendîmes au campus, nous garâmes dans la partie nord et marchâmes jusqu'à l'administration, où Milo parlementa avec une secrétaire aux cheveux blancs qui finit par lui dire :

— Mais vous venez d'appeler. Malheureusement, la réponse est la même. Respect de la vie privée.

— On souhaite juste parler à M. Ramos, madame.

— Je n'en doute pas une seconde, dit-elle avec le sourire, mais n'oubliez pas où vous êtes. Vous vous imaginez combien de nos élèves se feraient un plaisir de nous faire un procès pour atteinte à la vie privée ?

— Très juste, dit Milo. Est-ce que ça vous rassure si je vous dis que M. Ramos n'a rien à craindre de la police, mais que sa sœur pourrait être en danger ? Je suis sûr qu'il tient à être prévenu.

— Désolée. J'aimerais sincèrement pouvoir vous aider.

Il détendit les épaules. Lentement, de manière délibérée, comme quand il a toutes les peines du monde à rester calme. Large sourire. Il écarta quelques mèches noires de son front et s'appuya au comptoir de tout son poids. La secrétaire eut un mouvement de recul.

— Où sont les étudiants de première année en ce moment ? demanda-t-il.

— Ils devraient avoir terminé… le cours de jurisprudence. Sans doute en train de traîner sur la pelouse.

— Ils sont combien, en tout ?

— Trois cent sept.

— Hispanique de sexe masculin, dit Milo. Ça devrait me suffire pour faire le tri. À moins que vous n'ayez fait des progrès du côté des minorités…

— Il n'a pas vraiment le type hispanique, dit la secrétaire.

Milo la regarda droit dans les yeux. Elle rougit, se pencha vers lui et chuchota :

— Quelqu'un de très grand, ça se repère facilement.

Milo lui sourit.

— Assez grand pour jouer au basket ?

— En position d'ailier, confirma-t-elle.


George Ramos traversait la pelouse à longues et lentes enjambées, en suivant une trajectoire tortueuse mais déterminée. À la manière d'un échassier, telle une aigrette se déplaçant dans un marais. Il devait mesurer dans les un mètre quatre-vingt-quinze. Teint pâle, dos voûté, des manuels et un ordinateur portable dans les bras. Dégarni, quelques mèches châtains lui recouvrant en partie les oreilles. Pull bleu à col en V, tee-shirt blanc, pantalon kaki, chaussures marron. Petites lunettes sur un nez en forme de bec. Un jeune Benjamin Franklin qui aurait subi le supplice du chevalet.

Quand nous lui barrâmes le passage, il cligna des yeux et voulut nous contourner.

– Monsieur Ramos ? lui dit Milo.

– Oui ? dit le grand échalas en se figeant.

Présentation du badge.

– Vous auriez un instant pour nous parler de votre sœur Wilfreda ?

Les yeux marron de Ramos se durcirent derrière ses verres. Ses poings se gonflèrent et pâlirent.

– Vous êtes sérieux ?

– Tout à fait, monsieur.

Ramos marmonna dans sa barbe.

– Monsieur ?

– Ma sœur est morte.

– Je suis vraiment désolé, monsieur.

– Qu'est-ce qui vous a conduit à moi ?

– Nous nous intéressons à certains enfants placés en famille d'accueil et...

– Lee s'est suicidée il y a trois mois, dit Ramos. Tout le monde l'appelait comme ça. Lee. Si vous vous étiez renseignés un minimum, vous sauriez qu'elle ne supportait pas le prénom Wilfreda.

Milo garda le silence.

– Elle avait seize ans, reprit Ramos.

– Je sais, monsieur, lui dit Milo.

C'est très rare qu'il soit obligé de pencher la tête en arrière pour regarder quelqu'un. Ça l'agace beaucoup.

– Quel genre de parents oserait appeler leur fille Wilfreda ? dit Ramos.


Nous trouvâmes un banc libre dans la partie ouest de la pelouse.

– Qu'est-ce que vous voulez savoir ? demanda George Ramos.

– Parlez-nous du séjour de Lee en famille d'accueil.

– Pourquoi ? Un scandale ?

– Ça se pourrait.

– Son séjour.. dit Ramos. Pour Lee, c'était nettement plus tranquille en famille d'accueil qu'à la maison. Son père... mon beau-père... n'est qu'un fasciste. Ces pasteurs chez qui elle était ne s'occupaient pas du tout d'elle. Ce qui était parfait pour quelqu'un comme elle.

– Que voulez-vous dire ? demanda Milo.

– Lee était une rebelle dès sa conception. Elle n'en faisait qu'à sa tête. Elle est tombée enceinte pendant son placement et s'est fait avorter. C'est le coroner qui nous l'a appris après sa mort. Les pasteurs tenaient de beaux discours, mais j'ai le sentiment qu'ils empochaient l'argent et laissaient Lee livrée à elle-même.

– De quel coroner s'agit-il ?

– Celui du comté de Santa Barbara. Lee vivait à Isla Vista avec une bande de camés quand elle s'est...

Ramos retira ses lunettes et se frotta les yeux.

– Après avoir quitté sa famille d'accueil, enchaîna Milo.

Ramos acquiesça d'un hochement de tête.

– Le fasciste a accepté de la reprendre, à condition qu'elle respecte toutes ses règles. Elle a fugué au bout de deux jours. Le facho a décrété qu'elle n'avait qu'à assumer les conséquences de ses actes, et ma mère lui est complètement soumise. Personne n'a tenté de la retrouver. C'est seulement après sa mort qu'on a su où elle vivait. Un studio minable à Isla Vista, avec une dizaine de gamins entassés comme des bêtes.

– Vous avez le même nom de famille que Lee, fis-je remarquer, alors que le fasciste n'est pas votre père.

– Pas du tout. Elle s'appelait Monahan. Quand il en a eu assez d'elle, il a fait une demande de placement, puis il l'a mise à la porte, a brûlé toutes ses fringues et lui a sorti qu'elle n'était plus sa fille. Elle lui a dit d'aller se faire foutre et a décidé de se faire appeler Ramos.

– Un type charmant, dit Milo.

– Une vraie crème, renchérit Ramos en faisant craquer ses poings. Elle m'a appelé d'Isla Vista pour que je l'aide à changer légalement de patronyme. Je lui ai expliqué que ce n'était pas possible parce qu'elle était mineure et elle m'a raccroché au nez.

– C'est pourtant « Ramos » qui figure sur les documents administratifs, dis-je.

Ramos s'esclaffa.

— L'État est incapable de distinguer son trou du cul d'un cratère sur la lune ! Il faudrait changer quasiment tout le système.

— C'est pour ça que vous faites du droit ? lui dit Milo.

Ramos le dévisagea en plissant les yeux comme un myope.

— Vous plaisantez ?

Milo sourit.

— C'est ça, reprit Ramos en se marrant. Je me casse le cul pour passer ma vie dans une bureaucratie absurde, où je serai payé au lance-pierres ! Non, dès que j'ai mon diplôme en poche, je m'installe comme avocat d'affaires.

Nous lui parlâmes encore un quart d'heure. Ce fut à mon tour de poser les questions, la conversation portant sur mon rayon.

Wilfreda Lee Monahan-Ramos avait toujours eu des difficultés d'apprentissage et des troubles du comportement — cela aussi loin que remontaient les souvenirs de son frère. George Ramos avait perdu son père à l'âge de cinq ans et sa mère s'était remariée quelques années plus tard avec un ancien Marine qui concevait l'éducation des enfants comme une variante d'un camp d'entraînement.

À l'adolescence, Lee avait découvert les garçons et la drogue, et connu de violentes sautes d'humeur dont je doutais qu'elles aient été dues aux seuls stupéfiants. À quatorze ans, elle en était déjà à deux tentatives de suicide — des appels à l'aide sous forme d'overdose. Elle avait eu droit à un vague suivi thérapeutique et à un torrent de reproches à la maison. Son père l'avait mise à la porte le jour où il l'avait surprise dans sa chambre en train de faire l'amour avec un garçon.

George Ramos n'avait eu vent d'aucun problème pendant le séjour de six mois chez les Daney, mais il reconnut en baissant les yeux qu'il ne leur avait jamais rendu visite.

Lee Ramos avait quitté sa famille d'accueil un mois avant ses seize ans. Le jour de son anniversaire, elle était restée à la maison pendant que ses colocataires sortaient faire la fête. Peu de temps après leur départ, elle s'était ouvert les poignets avec un cutter rouillé et s'était laissée mourir sur un matelas crasseux.

# 32

George Ramos avait les traits blafards et tirés lorsqu'il cessa de parler de sa sœur.

Milo s'excusa de notre indiscrétion.

— Vous faites votre boulot, lui dit Ramos qui fixait la pelouse.

— Vous n'avez eu aucun contact avec les Daney ? lui demandai-je.

— Je les ai appelés une fois, après la mort de Lee. Ne me demandez pas pourquoi. Je me disais sans doute que ça les toucherait.

— Ça n'a pas été le cas ?

— J'ai eu la femme. Charity ? Chastity ? Elle avait un prénom de ce genre...

— Cherish.

— C'est ça. Elle a été prise de sanglots, m'a quasiment fait une crise d'hystérie. Je suis peut-être cynique, mais j'ai trouvé que ça faisait un peu trop.

— Comme si elle jouait la comédie ? dit Milo.

— Lee n'est restée que quelques mois chez eux et ils n'ont manifestement pas été à la hauteur.

— Vous avez sorti ça à Cherish Daney ?

— Non. Je n'étais pas d'humeur causante.

— A-t-elle dit quelque chose qui vous ferait penser qu'elle simulait le chagrin ?

— Non, mais qui sait ? On ne peut jurer de rien, hein ?

— Vous n'avez jamais parlé au mari ?

— Non, juste à elle.

Il se leva et prit ses manuels et son portable.

– Lee ne vous a jamais laissé entendre qu'elle était enceinte ? lui demandai-je.

Son long visage s'assombrit.

– Vous faites exprès, ou quoi ? Je viens de vous expliquer qu'on ne se parlait pas.

Il empoigna la sangle au bout de laquelle se balançaient ses livres, serra son portable contre sa poitrine et s'éloigna, de sa démarche d'échassier. D'autres étudiants en droit sortaient des locaux, certains bavardant par petits groupes, tandis que les solitaires allaient leur chemin.

Milo se leva et s'étira.

– J'en ai les os qui grincent...

– Je n'ai rien entendu.

– Comme ça, les Daney accueillent plus d'enfants que la loi ne l'autorise, mais n'exercent aucune autorité. Ça colle bien avec leur laxisme moral.

– Tout à fait.

– On y va ?

Je restai assis sur le banc.

– Alex ?

– Et si...

Il se rassit.


Et attendit qu'une bande d'étudiants soit passée pour me demander :

– Quelles pensées ignobles se sont-elles emparées de ta cervelle ?

– Ramos présume que Lee est tombée enceinte d'un garçon rencontré à l'extérieur. Mais cela aurait pu se passer à demeure. Au sens propre.

– Daney ?

– Le seul mâle du foyer. D'ailleurs, tout bien réfléchi, la situation est digne d'un harem. Toutes ces gamines qui ont connu une enfance à problèmes... Les Daney ont peut-être de bonnes raisons de n'accueillir que des filles.

– Putain...

— On sait déjà que Daney est un imposteur et un coureur, et des soupçons de meurtre pèsent sur lui. Mettre enceinte une mineure dont il avait la charge ne serait pas surprenant de sa part. Il aurait pris soin de mettre un terme à la grossesse et, justement, Lee Ramos a avorté. Ce qui pourrait aussi expliquer son suicide. On a affaire à une jeune fille très perturbée, qui avait des rapports hostiles avec son père. Elle s'est sans doute cherché une figure de substitution compatissante. L'État lui en a trouvé une, mais si cette personne l'a trahie et l'a obligée à supprimer les preuves de son forfait, ce serait un traumatisme énorme.

— Un inceste par procuration.

— C'est le genre même de violence qui peut entraîner une profonde dépression.

— Et faire qu'on se tranche les poignets le jour de son anniversaire. À supposer qu'elle se soit vraiment suicidée.

— Tu as des doutes ?

— Je laisse libre cours à mon imagination.


Milo appela le coroner de Santa Barbara, parla au légiste qui s'était chargé d'autopsier le corps de Lee Ramos, l'écouta longuement et raccrocha en hochant la tête.

— Le suicide n'a l'air de faire aucun doute. Elle s'est enfermée dans la chambre et a mis de la musique. L'unique fenêtre était bloquée par une couche de peinture. Aucun signe de résistance, pas de blessures défensives, juste de longues incisions sur l'intérieur des avant-bras... elle était décidée. Avant, elle s'est enfilé une bouteille de Southern Comfort et un flacon de Valium. Si le rasoir n'avait pas suffi, les cachets auraient sans doute fait l'affaire. Les autres gamins qui vivaient là ont raconté que ça faisait plusieurs semaines qu'elle était déprimée. Ils ont essayé de la convaincre de sortir avec eux... Pour fêter son anniversaire. Au dernier moment, elle a tenu à rester, en prétextant qu'elle se sentait mal.

J'en avais la gorge nouée. Une fille que je n'avais jamais rencontrée.

— Se suicider le jour de son anniversaire, dis-je. Parce qu'on se sent incapable de tenir un an de plus.

Il se cala contre le dossier du banc, me tourna la tête et croisa les bras. Une brise agita les feuilles des arbres derrière nous. Ce fut au tour de l'herbe quelques secondes plus tard.

– Comme elle avait toujours du liquide, dit-il, les autres la soupçonnaient de faire des passes. Seize ans. Dis-moi, on n'en arrive pas là du jour au lendemain ?

Avant que je puisse lui répondre, il se leva d'un bond et s'éloigna en tapant son calepin sur sa cuisse. Lui ne se déplaçait absolument pas comme un oiseau.

Plutôt comme un ours à l'affût. Un ours, voilà.

Je le suivis, sans trop savoir quel animal j'étais.

Nous regagnâmes la voiture et longeâmes doucement la partie est du campus.

– Daney connaît toutes les ficelles du système, dis-je. Je me demande s'il accepterait de payer une IVG de sa poche.

Milo ralentit l'allure.

– Ce fumier met enceinte une gamine placée chez lui et se permet de facturer l'avortement à l'État ? Après tout, pourquoi pas ? Puisque ça passe pour tout le reste.

– Et c'est le genre d'hypothèse qu'on peut vérifier.

– Officiellement, ces informations sont confidentielles, répondit Olivia. Je ne pense pas que tu puisses en faire état devant un tribunal.

– Commençons par voir si on trouve quelque chose, lui dis-je.

– Comme tu veux, mon ange. Ça risque de prendre un certain temps.

– Avec toi, c'est toujours un plaisir de patienter.

– Eh oui ! C'est mon allure de jeune fille.

Mon portable sonna tandis que nous remontions Beverly Glen, à moins de deux kilomètres de chez moi. « Un certain temps » n'avait pas duré cinq minutes.

– Rien sous le nom de Ramos, m'informa Olivia. Mais l'IVG de Wilfreda Lee Monahan a effectivement été facturée au contribuable. L'intervention s'est faite à Hollywood Nord. L'Institut du Bien-Être féminin.

Elle me lut une adresse dans Whitset. On pouvait facilement s'y rendre en voiture de chez les Daney. L'étau se resserrait.

– Était-elle accompagnée par un adulte ? demandai-je.

– Cette information ne figure jamais au dossier. La Cour suprême de l'État a supprimé le consentement parental depuis 1998.

– Même en cas de placement familial ?

– Tout à fait. Et comme il y avait déjà des allocations à son nom, la facturation était un jeu d'enfant. Il suffisait d'ajouter un code. Enfin... plusieurs, on dirait qu'elle a eu droit à un examen gynécologique complet, un soutien psychologique pour la grossesse et une sensibilisation à la prévention du sida.

– Très complet, dis-je.

– Non mais quel *chutzpah*[1] !

– Je t'épargne le reste, Olivia. Tu pourrais vérifier un autre nom ? Leticia Maryanne Hollings, dix-sept ans.

– Encore une ? dit-elle. Ça dépasse donc le simple culot.


L'IVG de Leticia Hollings s'était déroulée un mois avant celle de Lee Monahan. Même facture détaillée.

Même clinique.

L'Institut du Bien-Être féminin me disait quelque chose, sans que j'arrive à mettre le doigt dessus. Je demandai à Olivia de faire une recherche sur les deux jeunes filles qui avaient effectué un séjour chez les Daney et atteint leur majorité.

L'une d'elles, une certaine Beth Scoggins âgée de dix-neuf ans, s'était elle aussi fait avorter à l'Institut du Bien-Être féminin. Deux ans auparavant, à l'époque de son placement.

– Ça devient franchement sordide, dit Olivia.

1. « Culot » en yiddish.

Je mis Milo au courant pour Scoggins. Le regard incendiaire, il me prit le téléphone des mains en grinçant des dents. L'air de rien, il remercia Olivia d'une voix douce et aimable.

Nous nous garâmes devant chez moi et je me précipitai dans mon bureau, suivi de Milo.

Trente-huit résultats pour l'Institut du Bien-Être féminin. La plupart renvoyaient à des services tout à fait sérieux au sein d'hôpitaux réputés. Trois concernaient la clinique d'Hollywood Nord.

Dès le premier, je compris où j'avais lu ce nom.

J'étais tombé dessus au cours de mes recherches sur Sydney Weider. Un gala de charité huit ans auparavant – Weider et Martin Boestling figuraient au nombre des donateurs. Un cliché de relations publiques pris à une époque plus souriante.

Les deux autres références dataient de deux ans plus tard. Toujours des soirées pour financer « les œuvres bénévoles et charitables » de la clinique. Aucune mention de Weider ni de Boestling ; ils avaient eu le temps de divorcer et de tomber de quelques rangs dans l'échelle sociale.

J'obtins quand même la liste alphabétique de l'équipe soignante de la clinique.

Un nom ressortait comme une cicatrice, coincé parmi ceux des médecins et titulaires de doctorats en tous genres, des chiropracteurs et autres spécialistes du massage ou de la thérapie par l'art.

*Drew Daney, diplômé de théologie, consultant pastoral.*

Le grognement que j'entendis dans mon dos me hérissa les poils du cou.

– « Je travaille pour diverses œuvres caritatives », marmonna Milo. C'est ça, mon gars. Dis carrément que t'es un vrai saint.

– Peut-être qu'il touche un pourcentage sur la facturation totale, suggérai-je. Une incitation supplémentaire pour les mettre enceintes et les faire avorter.

– Supplémentaire ?

– Ce genre d'histoire, ça ne se limite jamais à une question de fric.

Nous passâmes dans la cuisine, où je préparai du café.

– Au bas mot, c'est du détournement de mineures, reprit Milo. Et en admettant que ce type soit vraiment coupable de tout ce dont on le soupçonne, on a affaire à un Charles Manson à la petite semaine. Tout le problème, c'est que je n'ai pas le droit de faire quoi que ce soit parce que la loi m'interdit l'accès au dossier médical des demoiselles. Cela dit, même si j'en avais le droit, ça ne prouverait pas que Daney était le père.

– En tant que psychologue, lui renvoyai-je, je suis tenu de dénoncer toute maltraitance. Sans me soucier des preuves admissibles.

– Sur quoi dois-tu te baser ?

– La loi parle de « soupçons de maltraitance ». Le sens n'est pas très clair. Je n'ai jamais pu obtenir la moindre précision... que ce soit auprès de mon avocat, l'ordre des médecins ou la Société de psychiatrie de Californie. Je connais des collègues qui ont eu des ennuis après une dénonciation, et d'autres qui se sont fait emmerder faute d'avoir réagi.

Il refusa une tasse de café et se leva pour aller prendre une bière dans le frigo.

– La loi est conne, dit-il. Il y a un point qui me chiffonne. Je veux bien que Daney touche financièrement mais, tout de même, il risque gros en les mettant enceintes. Il ferait mieux de leur trouver un moyen de contraception, ou d'utiliser un préservatif, plutôt que de courir le risque qu'elles en parlent à quelqu'un.

– Jusqu'à présent, aucune d'elles n'a parlé, dis-je. À moins qu'on ne les ait pas écoutées.

– La pauvre Lee Ramos.

J'acquiesçai d'un signe de tête.

– Même s'il n'a assassiné personne, il est d'une certaine manière responsable de sa mort, si c'était bien lui le père de l'enfant.

Il décapsula sa bière et but.

— Bon alors, comment je m'y prends pour le savoir ?

— Voici ce que je te propose : je peux essayer de rencontrer Leticia Hollings et Beth Scoggins, sous couvert d'une enquête générale sur les familles d'accueil. Si elles font la moindre allusion à des abus, j'aurai clairement l'obligation d'alerter la police.

— Tu penses à un flic en particulier ?

— Tu feras l'affaire... à la rigueur.

Il eut un sourire désabusé.

— Malheureusement, Alex, si tu les contactes en tant qu'auxiliaire de police, la question du secret médical sera toujours là pour couper court à toute enquête criminelle.

— Pas forcément. Au départ, j'étais là en tant que consultant de la police, mais j'ai bifurqué sur des recherches personnelles.

— Je pensais que c'était une couverture.

— Ça pourrait être la vérité.

— Comment ça ?

— J'entends parler du suicide de Lee Ramos dans le cadre d'une consultation pour toi, et cela pique ma curiosité intellectuelle.

— C'est-à-dire ?

— Les liens entre suicide et placement en famille d'accueil. Ce serait tout à fait naturel, après les articles que j'ai publiés il y a plusieurs années sur le stress et la maltraitance.

— Tu fais toujours de la recherche ?

— Pas ces derniers temps, mais je suis professeur titulaire, et un professeur titulaire est libre de faire ce qu'il veut.

— Quand as-tu été nommé ?

— L'an dernier.

— Tu ne m'avais pas dit ça.

— Ce n'est rien d'extraordinaire. Un poste en clinique. En fait, on me demande de temps en temps de suivre un interne ou un doctorant, de siéger dans une commission ou de lire un projet de recherche.

— Et on te paye ?

— Non. C'est ma façon de montrer ma reconnaissance.

Je formai une auréole avec mes mains et me la plaçai au-dessus de la tête.

– Quel type formidable tu es ! dit-il, moqueur. T'as encore une tête de jeune maître de conférences.

Son portable sonna.

– Sturgis. Tiens, salut... Ouais, ça fait un bail... Sérieux ? C'est génial. Un gros merci. Je te revaudrai ça.

Grand sourire. Ça faisait longtemps.

– C'était Nancy Martino, une enquêtrice du coroner. Elle a retrouvé des tissus de Kristal Malley dans une chambre froide. Un rein et un bout d'estomac. Ça n'a pas l'air en trop bon état, mais on récupérera peut-être de quoi effectuer un test d'ADN. Ils me gardent ça sous le coude en attendant que je prenne une décision.

– Félicitations.

– Pour ce que ça vaut...

Son sourire s'évanouit.

– Qu'est-ce qu'il y a ?

– Qu'est-ce que l'ADN nous apprendra de plus, Alex ? Ce qu'on sait déjà au vu de la couleur des yeux : le cow-boy n'était pas le père de Kristal. Mais ça ne m'avance à rien pour relier Malley au meurtre de Rand. Ni Daney à toutes les saloperies qu'il a pu faire. (Il tapota un rythme de calypso sur la bouteille de bière.) Deux méchants, aucune piste. La vie est belle.

– C'est toujours mieux que zéro méchant.

– Tu parles d'un réconfort ! Dis-moi, tu ne serais pas thérapeute ?

# 33

Je notai le numéro de téléphone de Leticia Hollings à Temecula, et Milo put obtenir le dernier domicile connu d'Elizabeth Mia Scoggins auprès des Services d'immatriculation automobile de Santa Monica ; un numéro de téléphone correspondant à l'adresse en question figurait dans l'annuaire, au nom de « Scoggins, E. ».

Il jeta sa bouteille vide et s'en alla sans que je le raccompagne.

L'appartement de Beth Scoggins se trouvait dans la 20e Rue, près de Pico Boulevard. Quartier balnéaire à loyers modérés. Il était réconfortant de penser qu'elle avait trouvé une forme d'indépendance.

Il était dix-neuf heures quinze. Allison avait son cabinet dans Montana, la partie chic de Santa Monica. Je savais qu'elle voyait des patients jusqu'à vingt et une heures, mais en général elle faisait une petite pause vers vingt heures. Si je m'arrangeais pour rencontrer Beth Scoggins, j'aurais peut-être le temps de passer la voir après...

Saint Alex...


La jeune femme qui me répondit paraissait méfiante.

– Mademoiselle Scoggins ?

– Beth à l'appareil.

Je me présentai, lui dis ma fonction et lui demandai si elle accepterait de me parler de son expérience en famille d'accueil.

– Comment m'avez-vous retrouvée ?

Son ton paniqué me donna envie de faire marche arrière. Mais cela risquait de l'alarmer davantage.

– Je fais des recherches...

– Vous cherchez à m'arnaquer ?

– Pas du tout, je suis vraiment psycho...

– Quelles recherches ? Qu'est-ce que vous me racontez ?

– Je suis désolé si...

– Quelles recherches ?

– Le stress psychologique lié au placement dans une famille d'accueil.

Silence.

– Je suis consultant pour la police et une jeune femme dont s'est occupée la même famille que vous s'est...

– Qui s'est occupée de moi ? C'est bien ça que vous avez dit ? S'occuper de moi ? Qui êtes-vous ?

Je répétai mon nom. Des grattements... – elle notait.

– Mademoiselle Sco...

– Vous ne devriez pas m'appeler. Ce n'est pas bien.

Clic.


Je restai assis devant mon téléphone, écœuré par moi-même. Voilà qui me laissait tout le temps de voir Allison, mais je n'étais pas d'humeur causante. Je me connectai au serveur de la fac de médecine et lançai une recherche sur les liens entre suicide et placement, sans trouver la moindre étude objective, rien que des généralités sur les nombreux risques auxquels est exposé un enfant retiré de sa famille.

Merci messieurs les universitaires.

Je songeai à rappeler Beth Scoggins. Mais que dire sans risquer d'aggraver la situation ? Peut-être le lendemain. Ou deux jours après. Pour lui laisser le temps de la réflexion...

À huit heures, je sentis le besoin de me nourrir. Pas vraiment de la faim, plutôt l'obligation de maintenir mon taux de glycémie. Pour pouvoir aider quelqu'un ?

J'hésitais entre une soupe en boîte et du thon quand Robin appela.

Le son de sa voix me donna des frissons dans la nuque.

— Tiens, dis-je.

Quelle éloquence !

— J'appelle au mauvais moment ?

— Pas du tout.

— Bon, dit-elle. Ce n'est pas facile, Alex, mais j'ai pensé que je devais te prévenir. Spike ne va pas très fort.

— Qu'est-ce qu'il a ?

— C'est l'âge. Il a de l'arthrose aux pattes arrière... tu te souviens qu'il faisait un peu de dysplasie à la patte gauche ? Maintenant, sa patte est vraiment très affaiblie. Il a aussi la thyroïde qui flanche et manque d'énergie. Je dois lui mettre des gouttes dans les yeux et il n'y voit quasiment plus la nuit. Tous les autres indicateurs sont normaux, mis à part le cœur qui a légèrement grossi. Le vétérinaire dit que ça n'a rien d'étonnant, compte tenu de son âge. Pour un caniche, c'est un petit vieux.

La dernière fois que je l'avais vu, Spike était capable de projeter en l'air ses dix kilos et quatre-vingt-dix centimètres et de retomber sur ses pattes comme si de rien n'était.

— Pauvre bête, dis-je.

— Ce n'est plus le chien que tu as connu, Alex. Il reste couché une bonne partie de la journée et il est devenu assez passif. Avec tout le monde, y compris les inconnus.

— Sacré changement.

— J'ai préféré te mettre au courant, c'est tout. On prend bien soin de lui, mais... pas de « mais ». Je tenais à ce que tu le saches.

— C'est gentil, dis-je. Je suis content que tu aies trouvé un bon véto là-haut.

— Je parlais du D$^r$ Rich.

— Tu es de retour à L.A. ?

— Ça fait un mois, dit-elle.

— C'est définitif ?

— Peut-être... je préfère qu'on parle d'autre chose. Je ne sais pas combien de temps Spike va tenir. J'ai trouvé que ça valait mieux plutôt que de t'appeler un jour pour t'annoncer la mauvaise nouvelle sans que tu y sois préparé.

— Merci... Sincèrement.

— Si tu veux, tu peux passer le voir. Ou je pourrais te l'amener un de ces jours... (Un silence.) Si Allison n'y voit pas d'inconvénient, ajouta-t-elle.

— Je suis sûr qu'elle n'a rien contre.

— Non, elle est adorable.

— Et toi, comment ça va ?

— Pas très fort... C'est terminé entre Tim et moi.

— Désolé.

— C'était préférable, dit-elle. Mais je t'appelais pour te parler de Spike, pas de moi. Si tu veux le voir...

— Je veux bien, si tu penses que ça lui ferait plaisir. La dernière fois qu'on s'est vus, il était plutôt jaloux.

— Ça fait une éternité, Alex. Ce n'est plus le même chien. Au fond de lui, il t'aime beaucoup. Et je crois que ça lui donnait une raison de se lever le matin, quand il était en concurrence avec toi pour accaparer mon attention. Le défi d'un autre mâle dominant.

— Ça, plus la faim, dis-je.

— Je préférerais qu'il se goinfre comme avant. Maintenant, il me faut des trésors de patience... Curieusement, il ne s'est jamais attaché à Tim... Aucune hostilité, juste de l'indifférence. Mais bon...

— Je passerai un de ces jours. Tu habites où ?

— Au même endroit. Les murs n'ont pas bougé, eux. Salut, Alex. Porte-toi bien.


Am, stram, gram... Le sort désigna la soupe. Poulet vermicelle. Un quart d'heure, ça faisait un peu long pour une telle décision. J'étais en train d'ouvrir la boîte quand le téléphone sonna à nouveau.

— Salut, c'est moi, dit Allison. J'ai un problème.

— Tu es prise ? J'avais envie de te voir, mais ça peut attendre demain.

— Non, il faut qu'on se voie tout de suite. C'est ça le problème.

Vingt minutes plus tard, j'étais dans la salle d'attente de son cabinet. La pièce était déserte, l'éclairage tamisé. J'appuyai sur le bouton rouge à côté de la plaque « D^r Gwynn » et elle arriva.

Pas d'embrassade, pas de bise, pas de sourire – et je devinai aussitôt pourquoi. Elle s'était attaché les cheveux, et la journée avait eu raison de son maquillage. Elle me fit entrer dans le petit bureau qu'occupait normalement son assistante.

Elle s'assit sur le bord du bureau et fit tourner son bracelet doré.

– Elle pense être prête, me dit-elle.

– Ta patiente. Je n'arrive toujours pas à y croire.

– Et si. Cinq mois de thérapie.

– Tu peux me dire comment elle est arrivée chez toi ?

– Je peux tout te dire. Elle me laisse carte blanche. Mais je ne compte pas en profiter, vu qu'elle n'est pas en état de prendre une décision judicieuse.

– Je suis désolé, Alli…

– C'est une bénévole du Holy Grace Tabernacle Hospital qui me l'a adressée. Elle cherchait un thérapeute et, après quelques échecs, on a enfin eu l'idée raisonnable de l'envoyer à l'extérieur. C'est une jeune femme solide et qui s'en sort plutôt bien en apparence. Dans le cadre d'une étude, on jugerait qu'elle se porte à merveille parce qu'elle ne souffre d'aucune dépendance et gagne sa vie… elle est vendeuse chez Gap. Elle possède une vieille guimbarde qui accepte généralement de démarrer et elle partage un appart' avec trois copines.

– Tu la vois gratis ?

– Rien n'est jamais gratuit. Je ne suis pas là pour vendre des illusions.

Une fois par semaine, Allison consultait bénévolement dans un hospice. Contrairement à la plupart des autres thérapeutes réputés du West Side, elle accordait d'énormes rabais à certains patients.

Ce n'était donc pas le seul fait du hasard si Beth Scoggins avait atterri chez elle.

– Il m'a fallu trois mois pour gagner sa confiance. Ensuite, on a commencé à louvoyer autour des questions. L'histoire de son abandon était manifestement un point crucial. Mais elle faisait de la résistance. Elle ne voulait pas non plus parler du placement en famille d'accueil, sauf pour me dire que ça n'a pas été très amusant. Je suis devenue plus directive au fil des semaines, mais le processus est long. Nous avions rendez-vous dans quatre jours, mais elle m'a appelée en urgence il y a une heure. En larmes, agitée... je ne l'ai jamais vue comme ça, c'est une jeune femme très réservée. Quand j'ai enfin réussi à la calmer, elle m'a expliqué qu'un soi-disant psychologue l'avait appelée à l'improviste, à propos d'une étude sur le placement en famille d'accueil. Elle était perdue et terrorisée, elle ne savait plus quoi penser. Puis elle m'a donné le nom du psychologue en question. (Elle croisa les jambes.) Elle n'a pas respecté la limite de vitesse pour venir ici, Alex. Elle n'a pas pris le temps de s'asseoir et s'est mise à tout déballer.

– Quelle histoire... Je suis vraiment désolé, Alli...

– Au bout du compte, ce sera peut-être positif.

Ses yeux se posèrent sur moi. Bleus, froids, directs.

– Tu fais vraiment une étude ?

– D'une certaine façon.

– Ce qui veut dire que ça concerne Milo ?

Je fis oui de la tête.

– C'est ce que je craignais, dit-elle. La tromperie te paraissait indispensable ?

Je lui fis part de nos soupçons sur Drew Daney. Je l'informai de la grossesse de Lee Ramos, de son avortement et de son suicide. De la piste de mensonges et de trahisons qui m'avait conduit à Beth Scoggins.

– Je suis sûre que tu estimais ne pas pouvoir faire autrement, dit-elle. Je me retrouve avec une jeune fille de dix-neuf ans très vulnérable dans mon bureau. Tu es prêt ?

– Tu crois vraiment que c'est une bonne idée ?

– Tu la trouvais géniale avant de savoir que c'était ma patiente.

– Allison...

– Ce n'est pas le moment, Alex. Elle attend dans mon bureau et j'ai un autre patient dans quarante minutes. Même si j'étais contre, je ne pourrais pas l'en dissuader. Tu as ouvert la boîte de Pandore et Beth est quelqu'un de très tenace. À un point obsessionnel, parfois. Je n'ai pas cherché à éradiquer cela parce qu'au stade où elle en est, j'estime que la ténacité pourrait l'aider à s'adapter. Prêt ? répéta-t-elle en se dégageant du bureau.

– Des consignes ?

– Un tas. Mais ce n'est pas à toi que je vais faire un dessin.


Beth Scoggins était assise dans un des fauteuils blancs d'Allison, la posture raide. En me voyant entrer, elle tressaillit, puis s'efforça de ne pas baisser le regard. Allison fit les présentations et je lui tendis la main.

Jeune femme frêle et froide. Visage parsemé de taches de rousseur. Ongles rongés. Je sentis une aspérité s'accrocher momentanément à ma peau quand elle retira sa main.

– Merci d'accepter de me rencontrer, dis-je.

Elle haussa les épaules. Cheveux jaune paille, coupe au carré. Bouche fine, contractée par des rides d'angoisse. Grands yeux marron. Analytiques.

Sa tenue ne venait pas de chez Gap, qui devait pourtant faire un rabais aux vendeuses. Tailleur bleu du plus pur polyester. Trop grand d'une taille. Bas grisâtres dissimulant des jambes maigres. Chaussures plates bleu marine, à bout carré. Sac à main en plastique bleu marine, posé par terre à côté d'elle. Un rang de fausses perles.

Elle s'était déguisée en dame mal fagotée d'un autre temps.

Allison s'installa à son bureau et je pris l'autre siège blanc. Les coussins étaient encore tièdes et conservaient le parfum d'Allison. Beth Scoggins se trouvait à moins d'un mètre.

– Désolée de vous avoir raccroché au nez, dit-elle.

– C'est à moi de m'excuser.

– Vous m'avez peut-être rendu service… (elle jeta un regard à Allison)… le D$^r$ Gwynn m'a dit que vous travaillez pour la police.

— En effet.

— Votre histoire de recherche, ce n'était pas vrai ?

— Il se pourrait que je me penche sur la question du placement en général, mais, pour l'instant, je m'intéresse à une famille d'accueil en particulier. Cherish et Drew Daney.

— Drew Daney a abusé de moi.

Je me tournai vers Allison, qui gardait les yeux fixés sur Beth. J'avais l'impression d'être redevenu interne, à l'époque où j'interrogeais des patients sous le regard d'examinateurs postés derrière une glace sans tain.

— Au début, reprit Beth, il était gentil et moral. J'ai cru que j'avais enfin trouvé quelqu'un de sincère.

Son regard devint absent. Puis elle cilla et fixa Allison.

— Je raconte toute mon histoire ?

— C'est à toi de voir, Beth.

La jeune fille inspira longuement et redressa les épaules.

— Mon père a quitté ma mère quand j'avais dix-huit mois. Je crois qu'il est charpentier, mais je ne sais presque rien sur lui, et je n'ai ni frères ni sœurs. Ma mère a quitté le Texas pour venir à Willits... c'est dans le nord de la Californie... et puis elle m'a abandonnée à son tour, quand j'avais huit ans, pour élever des chevaux dans le Kentucky. J'avais de grosses difficultés d'apprentissage. On se disputait sans arrêt pour les devoirs et ce genre de trucs. Elle me disait toujours que j'étais une enfant pénible, alors, quand elle est partie, j'ai pensé que c'était de ma faute.

Elle serra les genoux, deux boules luisantes enveloppées de nylon gris.

— Elle a toujours aimé les chevaux, poursuivit-elle. Ma mère. Elle les aimait plus que moi, et je dis pas ça juste comme ça. Je pensais que c'était parce que je lui causais des problèmes. Maintenant, je comprends qu'elle était paresseuse, qu'elle avait envie d'avoir un animal facile à élever.

# 34

Beth Scoggins se tut et fixa le plafond.

– Beth ? dit Allison.

La jeune femme baissa la tête et toucha le sac à main du bout de sa chaussure. Profonde inspiration. Elle reprit le récit de son abandon d'une voix douce et neutre.

Élevée par sa grand-mère maternelle, une veuve qui gagnait chichement sa vie avec une brocante de charité. Scolarité dont elle n'avait pas retenu grand-chose. Les garçons, l'alcool, la drogue et l'école buissonnière à partir de douze ans. Première fugue à treize.

– Mamie se fâchait, mais elle acceptait toujours que je revienne. Les flics lui conseillaient d'aller trouver un juge pour me faire placer en foyer, mais elle voulait agir comme une personne responsable.

Si Beth Scoggins avait été ma patiente, j'aurais peut-être souligné que sa grand-mère avait de l'affection pour elle.

Mais on n'était pas en thérapie.

*Mais... en quoi étions-nous donc ?*

– La dernière fois, j'ai carrément fui jusqu'à Louisville dans le Kentucky. J'ai pris le car et j'ai fait du stop. Au bout d'une semaine j'ai fini par la retrouver. Ma mère. Elle avait changé de coiffure, perdu du poids et s'était remariée avec un garçon d'écurie. Et ils avaient un bébé tout mignon, une petite fille. Amanda. On ne se ressemble pas du tout. Ma mère a été vachement surprise de me voir débarquer. Elle n'arrivait pas à croire à quel point j'avais grandi. Elle m'a dit que je pouvais rester. J'ai passé quelques jours là-bas, mais je n'aime pas les chevaux et je n'avais rien à faire, alors je suis rentrée. Mamie est tombée malade du foie parce qu'elle buvait, elle est morte et on est venu vider sa boutique... ils ont tout emporté dans des cartons. Des gens des services sociaux voulaient me parler, mais je me suis tirée.

Elle repartit dans son silence.

Son histoire rappelait celle de Troy et de Rand. Mais eux en étaient venus à assassiner une enfant. Alors que cette jeune femme cherchait à s'en sortir. Elle avait fait de vrais progrès, jusqu'au coup de fil de l'inconnu.

— C'est très bien, Beth, lui dit Allison.

Ses mains marquées de taches de rousseur agrippèrent sa jupe en polyester.

— Je suis montée dans l'Oregon, puis je suis rentrée à Willits. Des gens se rendaient à L.A. Pour un concert à l'Anaheim Pond. Ils devaient me trouver une place. Ça ne s'est pas fait, mais comme j'étais ici, je suis restée. À Hollywood. J'ai rencontré d'autres gens... (Elle cilla à plusieurs reprises.) Je me suis retrouvée dans un foyer à Glendale... géré par une fac religieuse. On m'a confiée à M^{me} Daney, qui était gentille ; et sa coiffure me rappelait maman. Elle m'a proposé de venir habiter chez elle. Soi-disant qu'elle hébergeait d'autres filles et que c'était sympa, à condition de ne pas se droguer. J'y suis allée et j'ai trouvé ça pas mal, sauf qu'on priait trop et que la plupart des autres filles étaient mexicaines. M^{me} Daney nous faisait l'école à la maison, elle avait un tas de manuels et de programmes de leçons. J'avais dix-sept ans et je détestais l'école. M^{me} Daney m'a dit qu'il fallait bien que je m'occupe, alors je suis devenue l'assistante de son mari. Ça voulait dire que je l'accompagnais partout où il allait, pour l'aider.

— Où ça, par exemple ?

— Pour des activités sportives, dans des églises, des camps religieux. Il circulait beaucoup pour faire toutes sortes de boulots.

— Des boulots religieux ?

— Des fois il dirigeait des prières de groupe, ou une action de grâces, répondit-elle. La plupart du temps, il était entraîneur ou moniteur. Ou bien il enseignait le catéchisme. Il faisait ça pour l'argent.

— C'est lui qui vous a dit ça ?

– Il m'a expliqué qu'il n'avait pas pu devenir pasteur et qu'il ne gagnait pas assez. Tout l'argent des services sociaux servait pour les gosses. C'est vrai qu'on était bien nourries et qu'on avait des habits propres, même si c'était toujours du bon marché. Ça faisait un mois que j'étais son assistante quand il a commencé à me violer.

Elle fixa la moquette des yeux.

– Tu peux t'arrêter quand tu veux, lui dit Allison.

Beth se mordilla la lèvre inférieure.

– Je pense qu'il a dû mettre un truc dans mon Seven-Up, genre la drogue du viol.

– Vous pensez qu'il vous a droguée ?

– J'en suis presque sûre. On rentrait en voiture d'un camp, un soir assez tard, et il m'a dit qu'il avait faim. On s'est arrêtés dans un Burger King et il s'est acheté un cheeseburger et deux Seven-Up. Après avoir bu le mien, j'ai eu sommeil. Quand je me suis réveillée, on était garés ailleurs, sur une route très sombre. Je me trouvais sur la banquette arrière, il était à côté de moi et je n'avais plus mon pantalon, et j'ai su qu'on l'avait fait à cause de l'odeur.

Elle se courba, comme sous le poids de la douleur. Deux respirations.

– Après, on l'a fait assez souvent. Il ne me demandait rien, il se garait et me faisait passer à l'arrière. Il me prenait par la main et me tenait la portière, il me parlait gentiment et ne me faisait jamais mal. C'était toujours très rapide, alors ça n'était pas bien grave. Des fois il me disait merci. Ce n'était pas... je veux dire... je ne ressentais pas grand-chose, à l'époque. (Des larmes brillaient aux coins de ses yeux.) Je devais penser qu'il m'aimait bien parce que des fois il me demandait si ça allait, si ça m'avait plu, ce qu'il pouvait faire pour que ça soit mieux. (Elle tripota son collier.) Je lui mentais, je lui disais que c'était super. Au bout de quelques mois, j'ai eu du retard dans mes règles. Quand je le lui ai dit, il s'est mis à devenir bizarre.

Ses deux mains, qui serraient le tissu, ramenèrent sa jupe sur les genoux. Elle la défroissa d'un geste rapide, s'essuya les yeux.

– Bizarre, c'est-à-dire ? demandai-je.

– On aurait dit qu'une part de lui était heureuse, mais qu'une autre paniquait.

– Heureuse ?

– De m'avoir mise enceinte. Comme si... Il ne m'a jamais dit « Génial, t'es enceinte ! » mais je sentais un truc... sa façon de me regarder... comme s'il était... Docteur Gwynn ?

– Fier de lui ? suggéra Allison.

– Voilà, fier de lui. L'air « C'est moi qu'ai fait ça ».

– Mais il y avait aussi une part de colère.

– Exactement, docteur Gwynn. Genre « Regarde un peu ce que t'as fait, connasse ». Le « problème », qu'il appelait ça. « C'est ton problème, Beth, mais je vais t'aider à le résoudre. » Moi, je lui ai dit que ce n'était pas la première fois que j'avais du retard... (Son regard se porta par terre.) Ce que je ne lui ai pas dit, c'est que j'étais déjà tombée enceinte, mais que j'avais perdu le bébé... pas vraiment un bébé, un petit caillot de sang, je l'ai vu dans les toilettes. C'était à Portland. Les gens avec qui je traînais m'ont emmenée dans une clinique gratuite. Je me suis fait cureter et ça m'a fait mal comme une crampe. Je ne tenais pas à recommencer, sauf si c'était sûr. Il n'a rien voulu savoir.

– Il a exigé que tu règles ton problème, dit Allison.

– Il m'a dit : « On ne peut pas se permettre d'attendre, Bethy. » Il m'appelait toujours comme ça : « Bethy ». Je détestais ça, mais je ne voulais pas lui faire de peine. (Elle se tourna vers Allison.) C'est bête, hein ?

– Pas du tout, Beth. C'est parce qu'il te manipulait que tu le trouvais gentil.

– Oui, exactement, dit-elle, les yeux humides. Même quand il me parlait de « régler mon problème », il se montrait patient. Mais je n'avais pas le droit de discuter. Chaque fois que je lui disais d'attendre un peu, il me posait son doigt sur les lèvres. Moi, je ne voulais pas refaire un curetage. Mais bon, un jour il a dit à M^me Daney qu'on allait à une manifestation sportive très loin... à Thousand Oaks, je crois bien... mais en fait on a été dans une clinique près de la maison. C'était la nuit, ça avait l'air fermé, mais un médecin nous a accueillis. Elle m'a mise dans une chambre et m'a avortée vite fait.

– Vous vous rappelez le nom de cette femme ? lui demandai-je.

– Elle ne me l'a pas dit. Elle parlait avec un accent. Petite et la peau foncée, un peu… pas vraiment grosse mais… costaude, vous savez ? On l'imaginait mal avec un jean moulant, plutôt le genre flottant. Elle avait personne pour l'aider, mais elle faisait tout très vite, ça a vraiment été très rapide. Après, comme Drew avait faim, on est allés manger des doughnuts. J'avais des crampes, mais ça allait quand même. Quelques jours après, il a arrêté de m'emmener avec lui et a pris une autre fille comme assistante. Une nouvelle, qui était arrivée depuis quelques jours. Je crois que j'étais un peu jalouse. Comme je m'embêtais, je lui ai piqué de l'argent dans son portefeuille et j'ai filé à Fresno. Là-bas, j'ai rencontré d'autres gens. J'ai soif, docteur Gwynn.

Elle but deux verres d'eau.

– Merci. Ça fait du bien… Si vous voulez, dit-elle en s'adressant à moi, vous pouvez me poser des questions.

– Vous rappelez-vous le nom de la fille que M. Daney a prise comme nouvelle assistante ?

– Miranda. Je ne connais pas son nom de famille. Elle était plus jeune que moi, dans les seize ans. Mexicaine. Comme la plupart des filles, je vous l'ai dit. Elle se prenait pour une dure, mais c'était surtout une enfant gâtée… elle la ramenait tout le temps. Quand elle est devenue son assistante, elle ne se sentait plus. (Elle pivota pour faire face à Allison.) J'aurais peut-être dû la prévenir, docteur Gwynn, lui expliquer ce que ça voulait dire d'être « l'assistante ». Mais dès le début elle avait été méchante avec moi et puis… elle n'avait qu'à se débrouiller, si elle était si forte que ça.

– Tu avais déjà fort à faire, lui dit Allison. Ce n'était pas ta responsabilité de prévenir qui que ce soit.

– Ouais… et puis, comme vous m'avez dit une fois, je ne me rendais pas bien compte qu'il abusait de moi. Je prenais ça pour…

– De l'attention.

Beth se tourna de nouveau vers moi.

– Je n'avais aucun sentiment à l'époque, pour moi c'était de l'attention… (Ses joues ruisselaient de larmes.) Ce que vous m'avez dit la semaine dernière, docteur Gwynn... tout le monde a besoin de s'attacher à quelqu'un. C'était ça, en fait.

Allison se leva et vint à côté d'elle. Et prit la main que Beth lui tendait.

— C'est bon... vraiment. Monsieur... Docteur... vous pouvez continuer à me poser des questions.

— Vous êtes sûre ? lui dis-je.

— Oui.

Allison lui tapota le bras et retourna s'asseoir.

— Pensez-vous que M<sup>me</sup> Daney était au courant ? lui demandai-je.

— Je ne sais pas. Il lui mentait tout le temps. Pour des bricoles, comme si ça l'amusait.

— Quel genre de bricoles ?

— Il achetait des bonbons ou des gâteaux qu'il cachait dans sa Jeep. Il disait, genre : « Cherish veut pas que je gaspille l'argent pour des cochonneries, mais on va rien lui dire, hein ? » Et il me faisait un clin d'œil. Comme si... je faisais partie du... du complot, on peut dire. Mais il se gardait les bonbons et les gâteaux pour lui. Genre, il me disait : « Faut garder ta super-ligne, Bethy. » (Elle rigola.) Comme si j'étais un top-model ! M<sup>me</sup> Daney, elle était très stricte. C'est elle qui faisait la discipline, qui s'occupait des devoirs. Parfois elle faisait un peu le chef. Je me disais que ça ne devait pas être drôle tous les jours pour elle.

— Pourquoi donc ?

— Elle restait coincée à la maison, pour faire la cuisine et le ménage, pendant que lui se trimballait à ses activités. Il me disait : « Cherish n'aime pas s'amuser... Je suis vraiment content de t'avoir, Bethy. Tu es si jeune, avec un corps magnifique, et toi, tu sais t'amuser. » Et après, il me sortait des trucs religieux.

— Il vous parlait de religion ?

— Comme un sermon à l'église. Genre : « S'amuser n'est pas un péché, Bethy. Dieu a créé un monde superbe et le péché serait de ne pas en profiter, Bethy. » (Elle sourit.) En général, c'était juste avant de baisser sa braguette. Il cherchait... à se convaincre que ce qu'il allait faire plaisait à Dieu... (Elle eut un geste d'impatience.) Il se lançait dans des discours interminables sur Dieu et le fait de s'amuser. Des idioties comme quoi Dieu n'était plus le Dieu vengeur de l'Ancien Testament. En gros, Dieu était un mec sympa qui voulait qu'on s'éclate tous.

Un Créateur fêtard. De quoi réjouir Hollywood.

Beth Scoggins eut un rire fébrile.

– On aurait dit qu'il voulait se convaincre lui-même qu'il était quelqu'un de bien. Quand je suis tombée enceinte, ç'a été mon problème. Ç'avait l'air de lui plaire.

– Quoi donc ?

– De me faire avorter. Quand il m'a conduite là-bas, il était tout calme, mais après, il était de super bonne humeur. « Si on allait manger des doughnuts ? » Comme si on avait passé un bon moment.

Je lui demandai si elle se rappelait le nom de la clinique.

– Un truc avec « féminin ».

– L'Institut du Bien-Être féminin ?

– Oui, c'est ça. Il y avait un tas d'affiches sur le sida, les rapports protégés et les choix qui peuvent faire basculer une vie.

– Le médecin a-t-il fait autre chose, à part l'IVG ?

– Comme quoi ?

– Un test sanguin, un bilan de santé.

– Non, rien du tout. Comme je vous ai dit, elle a fait ça très vite. Un truc pour la douleur, gratte-gratte, et hop, terminé. Tenez, mademoiselle, prenez un Mydol si vous avez mal… (Elle frissonna.) J'avais un peu peur. Il faisait noir, c'était désert, et j'étais toute seule. Drew m'a remise au médecin et a filé. Quand je suis sortie, il était garé dans la rue.

– Vous y êtes retournée pour une visite de contrôle ?

– Non. J'ai pris mes cachets, et c'est tout. Drew m'a proposé un autre médicament… du Demerol, je crois… mais je ne l'ai pas pris. Je ne buvais quasiment plus et je ne prenais plus rien depuis mon passage au foyer.

Sauf le Rohypnol[1] qui avait tout enclenché.

1. La drogue du viol.

— Beth, savez-vous s'il a abusé d'autres filles, à part vous et Miranda ?

— Je n'ai jamais vu personne, mais c'est probable. Parce qu'il était... genre pas du tout nerveux. On aurait dit qu'il avait l'habitude, vous savez ? Et il n'accueillait que des filles. Pourquoi faites-vous une enquête sur lui ?

J'interrogeai Allison du regard.

— C'est bon, dit-elle.

— Une des filles placées chez les Daney s'est suicidée.

— Comment ? demanda Beth sans ciller.

— Elle s'est ouvert les poignets.

— C'est épouvantable, murmura-t-elle. Ça doit faire mal.

Je lui demandai si elle souhaitait savoir autre chose.

— Non.

Je la remerciai une fois de plus, me levai et lui serrai la main — toujours aussi fraîche.

— Je reviens tout de suite, lui dit Allison qui me raccompagna.

Il était presque neuf heures. Des passants se baladaient dans Montana Avenue.

— En ce qui me concerne, me dit Allison, je ne m'estime pas tenue d'alerter la police parce que Beth a dix-neuf ans. Ce type est un monstre, mais ce n'est pas mon problème. Elle changera peut-être d'avis, mais, en attendant, je te défends de la mêler à la moindre enquête de police.

— Aucune objection.

Elle me caressa la main. Ses lèvres étaient sèches.

— Il faut que j'y retourne. On se parlera plus tard.

— Je peux revenir quand tu auras terminé.

— Non, dit-elle. Je suis crevée et j'ai encore deux patients. Demain aussi, j'ai une journée chargée. Je t'appelle.

Je me penchai pour l'embrasser.

Elle serra ma main dans la sienne et me tendit la joue.

# 35

De retour à mon bureau, je sortis les articles que j'avais imprimés sur l'Institut du Bien-Être féminin.

Marta A. Demchuk, diplômée en médecine, en était le directeur médical et l'unique médecin à temps plein.

Quatre résultats en tapant son nom. Le plus ancien remontait à cinq ans : une liste de médecins exposés à des poursuites judiciaires ou des sanctions disciplinaires, établie par le Conseil de l'ordre de Californie. Demchuk était soupçonnée de fraude sur les honoraires.

Pourtant, cinq ans plus tard, elle continuait d'exercer. Pas de réponse chez Milo, mais je pus le joindre sur son portable.

– On traîne en ville, mon grand ?

– À Van Nuys, pour être précis. Je viens de rencontrer une espèce de gynécologue terrifiante pour lui toucher un mot de sa clinique.

– Marta Demchuk ?

Silence.

– Qu'est-ce… Si tu étais caché dans un coin, tu es vraiment passé inaperçu.

Je lui rapportai le récit de Beth Scoggins.

– Une patiente d'Allison ? dit-il. C'est ce qu'on appelle le karma.

– Malheureusement, on ne pourra pas la questionner davantage.

– Pourquoi ?

– Allison la protège.

– Tu ne pourrais pas…

– Non.

– OK, dit-il après un temps.

– Et toi, comment es-tu arrivé à Demchuk ?

– Plus j'y réfléchissais et plus cette clinique me semblait louche. Daney y fait avorter des mineures, les factures sont vraisemblablement gonflées et on l'a nommé au conseil en vertu d'un diplôme imaginaire en théologie. J'ai fait la même recherche que toi, j'apprends qui est la patronne et qu'elle a été poursuivie pour fraude. En creusant davantage, je découvre qu'elle est d'origine ukrainienne et qu'elle a dû présenter trois fois l'examen d'habilitation. À ce stade, je me dis que la mafia russe est peut-être de la partie et j'appelle un contact au Conseil de l'ordre. Apparemment, Demchuk a toujours donné dans l'IVG, dès son habilitation en poche. D'abord dans d'autres cliniques, toujours dirigées par des Ukrainiens, puis dans son propre établissement qu'elle a fondé il y a neuf ans.

– L'Institut du Bien Être féminin.

– Ça lui appartient. Elle donne exclusivement dans le remboursé à cent pour cent et cherche à faire du volume et du chiffre.

– Elle prétend être à la tête d'une œuvre caritative. Qui fait beaucoup appel à la charité publique.

– Ça veut simplement dire que la clinique a un statut d'organisme à but non lucratif et que Demchuk en est l'employée. Elle touche un gros salaire et l'Institut ne fait jamais le moindre profit. Elle a eu des ennuis il y a six ans parce que certains de ses actes ont été facturés deux fois, suite à une bévue administrative. Elle a mis la faute sur le dos d'une employée, a prétexté ne pas être au courant des agissements de son personnel et s'en est tirée avec une suspension de soixante jours de son homologation Medi-Cal.

– Une tape sur la main, fis-je remarquer. Des amis bien placés ?

– Elle est mariée à un grand avocat spécialiste de l'immigration, qui finance quelques politiciens.

– D'où les galas de bienfaisance.

– Exact. Je suis passé la voir à l'improviste il y a une heure. Elle touche un salaire à sept chiffres, mais la déco est vraiment chiche.

– Ce qui doit desserrer les cordons du cœur des donateurs. Tu es tombé sur elle parce qu'elle travaillait tard ?

– J'ai vu de la lumière et sa Mercedes était la seule voiture sur le parking. J'étais sur le point de m'en aller quand j'ai remarqué un autre véhicule garé un peu plus loin dans la rue. Une Jeep blanche.

– Daney ?

– Lui-même. Assis au volant, à se les cailler en grignotant quelque chose, et sans doute en musique vu qu'il dodelinait de la tête. J'ai fait le tour du pâté de maisons et je me suis posté à une centaine de mètres. Vingt minutes plus tard, Demchuk sort avec une gamine un peu vacillante. Daney descend de la Jeep, prend la fille par l'épaule, la fait monter et ils repartent. Je l'ai reconnue. C'est celle à qui Cherish faisait faire des maths.

– Valerie Quezada. Seize ans, troubles de l'apprentissage.

– Manifestement, il les aime jeunes et vulnérables. Seulement, à en juger d'après son comportement, elle l'aime bien elle aussi. Elle a posé la tête sur son épaule. Avant de monter dans la Jeep, elle lui a embrassé la main. Et elle venait de se faire avorter.

– Beth Scoggins dit qu'il était très doux, prévenant et attentif. Jusqu'au moment où elle est tombée enceinte. Après, il est devenu froid et a mis un terme à leur relation.

– Eh bien, il n'a pas encore rompu avec Valerie. Ce qui veut dire que même si je me débrouille pour lui parler, elle se fermera comme une huître. Et tu m'annonces que Beth Scoggins ne veut pas coopérer. Je suis coincé.

– D'après Beth, une certaine Miranda l'aurait remplacée. On a une Miranda sur la liste ?

– Je vérifierai demain au bureau. Comme ça, Allison n'est pas émue par les turpitudes de ce connard ?

– Dans l'immédiat, Allison se soucie avant tout de l'équilibre mental de Beth. Et puis, en ce moment, je ne suis pas vraiment en odeur de sainteté.

– Pourquoi ça ?

– Elle m'a découvert sous un jour qui ne lui a pas plu.

– Quel jour ?

– La duplicité.

– Une femme qui n'a pas encore compris que les hommes sont des menteurs ? Je pensais que ça lui plaisait, les histoires de flics.

– Jusqu'au moment où ça l'a touchée de trop près, dis-je.

– Tu crois vraiment que c'est irrémédiable ? Si tu lui en reparlais d'ici un ou deux jours ?

– Je vais y aller au feeling. Beth en viendra peut-être à le dénoncer publiquement. Pour l'instant, Allison estime qu'elle n'est pas assez solide.

– En attendant, Daney va mettre d'autres gamines enceintes.

Je gardai le silence.

– Bon, dit-il. Après le départ de Daney, Demchuk est restée dehors pour s'en griller une. Ça porte la blouse blanche, mais ça fume. J'ai décidé de tenter le coup. Je me suis approché dans le noir, je lui ai sorti mon badge et ça lui a flanqué une sacrée trouille. Elle en a laissé échapper sa clope et s'est mis de la cendre plein la blouse. Mais elle s'est vite ressaisie. Elle était sur ses gardes et m'a balancé qu'elle n'avait rien à me dire. Quand elle est rentrée, je l'ai suivie et elle a glapi que je bafouais ses droits civiques, mais moi aussi je suis monté sur mes grands chevaux et on a fini par trouver un terrain d'entente. Parce que la dame ne porte pas Daney dans son cœur. Elle l'a traité de rapace.

– Il touche une commission ? Elle l'a reconnu ?

– Elle prétend que niet, que rien de tel n'a jamais existé, qu'il s'agit seulement d'un échange de bons procédés. Tout a commencé quand elle l'a inscrit au Comité de patronage de la clinique, à la demande de Sydney Weider qui voulait lui assurer une certaine crédibilité en vue d'un projet de film. Peu de temps après, il a commencé à lui amener des filles.

– Demchuk ne s'est jamais doutée que Daney avait peut-être d'autres considérations que celles d'un bon père de famille d'accueil ?

– Elle soutient que non, mais comment veux-tu la croire... vu le nombre ?

– Ah bon ?

– On a passé un accord : quand je coincerai Daney, je ferai de mon mieux pour que le nom de Demchuk n'y soit pas mêlé. En échange, elle a accepté de me fournir la liste exhaustive des filles placées chez Daney qui se sont fait avorter dans sa clinique, et tout autre renseignement que j'exigerai. Tout se trouvait dans l'ordinateur, elle n'a eu qu'à me l'imprimer. Neuf filles en huit ans.

– Mon Dieu ! murmurai-je.

– Comme tu l'as dit toi-même, Drew s'est constitué son harem de mineures. Ce type est pire que tout.

— Il a réuni sous son toit le pool idéal de victimes. Des gamines abandonnées avec peu d'estime de soi, des difficultés d'apprentissage et probablement une sexualité débridée. Il les met enceintes délibérément, parce qu'il trouve jouissif de tuer l'enfant, et tout ça aux frais du contribuable.

— Sans vouloir trancher la question du commencement de la vie, Alex, on peut dire qu'on a un tueur de fœtus en série. En quoi est-ce jouissif ?

Je réfléchis à la question.

— Créer et détruire. Se prendre pour Dieu.

— Neuf gamines, dit-il. Et pas une seule n'a porté plainte.

— Il est doux… il les séduit, sans les contraindre. Tout ça mêlé à une espèce de complicité paternelle. Quand il les délaisse pour une autre, elles se le reprochent. Beth a reconnu qu'elle était même jalouse de sa remplaçante. Elle a réagi en fuguant.

— Je repense à la propriété des Daney, dit-il. La maison principale, le garage reconverti et le drôle de bâtiment en parpaing. Ça fait beaucoup d'édifices pour un terrain assez modeste. Je me disais qu'il avait fait un dortoir pour les gosses. Mais j'en viens à me demander ce qui se passe vraiment à l'intérieur. Cherish est forcément au courant, non ?

— D'après Beth, Drew trouve très amusant de tromper sa femme. Qu'il s'agisse de manger des doughnuts en cachette ou de partir en vadrouille avec ses « assistantes » pendant qu'elle se tape les corvées.

— Bon, dit-il. Je veux bien que ça ait marché un certain temps, mais elle a bien dû finir par s'en apercevoir.

— Et s'est mise à coucher avec Barnett Malley.

— Sa manière à elle de pécher.

— Comment Demchuk en est-elle venue à trouver Daney trop gourmand ?

— Ça fait un bon moment qu'il lui laisse entendre qu'il veut toucher sa part. Elle lui a prêté un peu d'argent, histoire de le calmer. Dans les trois ou quatre mille dollars, jamais remboursés. Mais ces derniers temps, il s'est fait plus insistant. Il exige carrément un pourcentage. Il lui sort qu'il est son « meilleur pourvoyeur », la menace d'aller voir ailleurs. Demchuk n'est pas du genre partageuse et Daney tombe au mauvais moment : elle est sur le point de se retirer, de vendre la clinique. Elle comptait lui faire un dernier chèque et l'envoyer paître. Je lui ai fait remarquer qu'elle aurait du mal à vendre dès que le scandale Daney éclaterait. Je lui ai laissé croire que c'était imminent. Elle a essayé de garder son sang-froid, mais j'ai bien vu qu'elle était secouée. C'est pour ça qu'elle a accepté de le balancer. En me remettant l'avorton de Valerie Quezada.

– Elle les conserve ?

– Non, elle les jette dans la poubelle à l'arrière de l'immeuble, en violation des règlements sanitaires. Je lui ai demandé d'aller le chercher et de me le mettre dans de la neige carbonique. Je l'ai déposé chez le coroner, qui me le garde avec les tissus de Kristal Malley. Et j'y suis toujours, à humer l'odeur de décomposition en buvant du café de cantine. Je n'ai pas encore de réponse pour mon test d'ADN, mais on dirait que je vais avoir un deuxième paquet à transmettre à Cellmark. Si on décèle effectivement l'ADN de Daney dans le fœtus, je vais pouvoir faire un joli cadeau à la Brigade des mineurs qui vient de se créer au siège.

– Tu comptes les associer à l'enquête ?

– Pas tout de suite, dit-il. Je veux d'abord être sûr de le coincer pour meurtre. Mais l'angle de la pédophilie pourrait constituer un bon levier.

– Tu vas garder ça pour toi encore longtemps ?

– Je vais avoir du mal à dormir en pensant aux huit gamines actuellement hébergées dans la maison de Galton Street, mais je ne peux pas risquer de tout foutre en l'air faute de preuves. L'urgent, c'est de se procurer un échantillon d'ADN de Daney. T'as une idée de la manière dont on pourrait s'y prendre ?

– Monter un rendez-vous en lui flattant l'ego. Lui expliquer que tu as mordu à l'hameçon Barnett Malley, mais que le cowboy conserve tous ses mystères. Tu lui demandes ses lumières.

– C'est la stricte vérité. L'enquête sur Malley se poursuit et ça ne donne rien. Bon, d'accord. Un tête-à-tête avec Drew le charmeur. Et après ? Je prélève un peu de salive sur sa brosse à dents ?

– Ça, c'est la partie facile, dis-je. Daney est grand amateur de doughnuts.

# 36

Le lendemain matin, il pleuvait et la température était tombée autour de quinze degrés. L.A. se décidait enfin à passer une audition pour l'hiver. Quand Milo engagea son véhicule banalisé dans le parking de Dipsy Donut à dix heures, le ciel était couvert et ça sentait le linge humide dans Vanowen Boulevard.

Drew Daney était déjà là, installé avec un café à la même table en alu que la première fois. Exactement la même place – un homme d'habitudes.

Il portait un blouson en velours côtelé marron et avait glissé un journal entre son arrière-train et le banc pour éviter de mouiller son jean. En nous apercevant, il sourit et nous fit signe.

Sourire chaleureux. Qui déforma sa barbe argentée. Yeux plissés.

Le visage du Mal incarné. Pourtant, il aurait pu figurer dans un dépliant publicitaire pour magasin de bricolage.

Milo lui donna une poignée de main vigoureuse, comme à un vieux copain.

– Salut. Vous n'avez pas faim ?

– Je vous attendais, répondit Daney avec un clin d'œil.

– Je prends un assortiment ?

– Parfait, lieutenant.

Milo s'éloigna et je pris place en face de Daney. Mon rôle, si je m'en sentais l'envie, était de me focaliser sur le langage du corps et autres « bidules de psycho ».

*Je me dis que ta présence lui flattera l'ego. Ça lui donnera l'impression d'être d'égal à égal... alors que tu es sans égal, Alex !*

Sans se départir de son sourire, Daney comprima les lèvres, dissimulant ses dents.

— Merci d'avoir trouvé le temps de nous voir.

— Hé, je suis toujours prêt à rendre service.

Sous son blouson, il portait un polo jaune immaculé, qui épousait son torse puissant. Belle musculature. Teint éclatant, yeux clairs.

Le portrait même de la vitalité. Trop souvent, la vie sourit à ceux qui ne le méritent pas.

— Comment réagit votre femme ? lui demandai-je.

Il cilla.

— C'est-à-dire ?

— À la mort de Rand. Elle avait l'air assez marquée.

— C'est normal. On a tous été choqués. C'est un chemin... faire son deuil.

— Les autres enfants ont dû accuser le coup eux aussi ?

— Tout à fait. Ça faisait très peu de temps que Rand était chez nous, mais il occupait une vraie place. Vous savez ce que c'est.

— La relation à la mort ?

— Ça, et les enfants en général. Les différents stades du développement.

— Les enfants que vous hébergez ont quel âge ?

— Ce sont tous des adolescents.

— Voilà qui ne doit pas être de tout repos...

— Je ne vous le fais pas dire !

— C'est un choix ?

— On est masos ! dit-il en pouffant. Non, sérieusement, les gens ne veulent pas s'embarrasser des ados avec leurs bagages très chargés. Alors Cherish et moi avons pensé que c'était là que nous serions le plus utiles. (Mimique gamine.) Des fois, je me pose quand même la question. À certains moments, c'est à devenir fou.

— Je veux bien vous croire.

Il jeta un coup d'œil vers la boutique. Bondée, comme la première fois.

— Rand était presque encore un ado, dis-je. Ce qui aurait pu poser problème à vos jeunes.

– Tout à fait, s'empressa-t-il d'acquiescer.

Mais je perçus à son regard qu'il ne me suivait pas.

– Les similitudes perçues, enchaînai-je. Quantité d'études ont établi un lien avec l'empathie.

– Si ça lui est arrivé à lui, pourquoi pas à moi ? dit-il. Ouais, ça se tient. Moi, je pensais plutôt aux questions essentielles que se posent ces jeunes... l'identité, la quête d'autonomie. Et, bien entendu, ils se croient immortels. (Sourire narquois.) Comme nous au même âge, hein ? Tout ce qu'on a pu cacher à nos parents.

Je me forçai à sourire. En essayant d'oublier tout le mal qu'il faisait à l'autonomie de ces jeunes filles.

Et l'image d'un gamin de treize ans se vidant de son sang au fond d'un débarras en prison.

– Heureusement que mes parents n'ont pas su tous mes exploits ! dis-je.

– Vous étiez un phénomène ? dit-il en se rapprochant.

Le regard foncé et chaleureux plongea en moi. Comme si j'étais la personne la plus importante au monde.

Retour des dents.

Le charisme. Les pires psychopathes savent en jouer comme d'une guitare. Il arrive même que les plus intelligents atteignent les plus hautes sphères du monde des affaires ou de la politique. Mais la plupart du temps, la paresse et le manque de rigueur contrebalancent les effets de manche.

Coucher avec la femme d'un autre dans le lit conjugal.

Pondre un maigre scénario en s'imaginant faire fortune du jour au lendemain.

Engrosser des mineures à ses heures perdues, et facturer les avortements au contribuable.

Daney avait beau être un manipulateur de génie, il était à des années-lumière d'obtenir ce qu'il souhaitait, le style de vie qu'il avait entrevu lors de sa liaison avec Weider : Brentwood, Aspen, les jets privés, les rêves de tapis rouge. Les conversations sur oreiller de soie lui étaient montées à la tête.

*Regarde-moi ! Regarde-moi ! Regarde-moi !*

Au lieu de quoi, huit ans plus tard, il en était réduit à chanter autour d'un feu de camp et à soutirer de l'argent à Marta Demchuk.

Peine perdue : Demchuk était coriace et seules les victimes les plus faibles se laissaient prendre aux manœuvres mielleuses de Daney.

Il actionna un poignet vigoureux, se passa la main dans son épaisse chevelure ondulée.

— Ça n'a jamais été au point d'avoir de gros ennuis, dis-je, mais je faisais pas mal de bêtises.

— Je vous crois volontiers.

— Et vous ?

Il marqua une hésitation.

— Non, j'étais sage. Peut-être un peu trop.

— Enfant de chœur ?

— On m'a appris à m'amuser en faisant le bien.

— Votre père était pasteur ?

— Exact...

Une ombre passa sur son visage. Une autre, digne d'un ours, vint assombrir le métal de la table.

Se retournant, Daney vit Milo qui le toisait, un carton graisseux à la main.

— Du graillon tout frais !

— Miam-miam, inspecteur !

Milo le fit choisir en premier.

Celui à la confiture. Comme la fois précédente.

L'observant se régaler, je me dis de mettre un frein aux analyses. Les doughnuts à la confiture étaient peut-être ses préférés, tout bêtement.

Il s'essuya la barbe et croqua une deuxième bouchée.

— C'est vraiment les meilleurs, hein ?

— La gourmandise est un péché, révérend, lui dit Milo en mordant à pleines dents dans une variante torsadée.

J'attaquai le mien, recouvert d'un glaçage au sirop d'érable. Les voitures ne cessaient d'arriver et de repartir du parking. L'air se réchauffait. Quelques pigeons survolèrent Vanowen Boulevard pour inspecter les restes. Milo leur balança une miette et ils s'agitèrent comme des paparazzi.

— Voilà votre B.A. pour la journée, dit Daney.

Nous rigolâmes.

Trois copains ravis de s'enfiler des cochonneries par une journée humide au cœur de la Valley.

— Alors, révérend, vous avez de nouvelles lumières pour nous ? lui demanda Milo.

Daney passa en revue le contenu de la boîte ; son choix se porta sur un machin rose parsemé de vermicelles au chocolat.

— Vous n'avez vraiment rien trouvé sur Malley ? voulut-il savoir.

— Je ne demanderais pas mieux, mais ce type est un vrai mystère.

— Ça se comprend, dit Daney.

— C'est-à-dire ?

— S'il a un passé de délinquant, c'est normal qu'il cherche à brouiller les pistes.

— Eh bien, dit Milo, si la piste est sérieuse, nous finirons bien par la remonter.

— Vous m'avez l'air très confiant, lieutenant.

— En général, on arrive toujours au fond des choses. C'est juste une question de temps... Tenez, passez-moi celui au chocolat...

La boîte était tout à fait à la portée de Milo, mais Daney tendit le bras et s'exécuta.

— Après votre coup de fil d'hier soir, dit ce dernier, j'ai réfléchi aux raisons qui pourraient expliquer une réaction aussi violente de la part de Malley au bout de huit ans. Je ne vois qu'une seule possibilité : Rand représentait une menace pour lui. Du moins dans l'esprit de Malley. Ce qui voudrait dire qu'ils se sont contactés d'une manière ou d'une autre. J'ai donc vérifié ma facture de téléphone pour voir si Rand avait passé des appels pendant le week-end. Rien. À moins qu'ils se soient vus en prison, ou que Rand l'ait appelé d'une cabine, je ne sais pas quoi vous dire.

— Où se trouve la cabine la plus proche de chez vous ? lui demanda Milo.

Daney porta le regard vers la gauche.

— Vous avez le moyen de vérifier les appels d'une cabine ? dit-il.

— Bien sûr.

— Eh bien, dit-il en pointant vers l'est, je crois qu'il y en a une à quelques rues d'ici, par là-bas. Je n'y ai jamais vraiment prêté attention. De nos jours, avec les portables, plus personne n'utilise les cabines.

— Sauf les gens fauchés, dit Milo.

— Hmm… Sans doute.

À mon avis, dis-je, peu importe d'où il a appelé. La question importante est de savoir pourquoi. Qu'est-ce que Rand voulait dire à Malley ?

Daney posa son doughnut rose.

— Ce n'étaient que des spéculations de ma part, dit-il. Parce que vous me l'avez demandé. Malley a peut-être tout simplement pété les plombs en apprenant la libération de Rand. De vieilles blessures qui se rouvrent.

— À moins qu'elles n'aient jamais cicatrisé, dit Milo. Le regard qu'il vous a lancé dans le magasin de bricolage.

— C'est vrai, dit Daney. C'était assez tendu. Mais bon…

— Vous avez revu la camionnette noire ?

Il fit non de la tête.

— Mais je suis souvent absent.

Milo tourna la tête, l'air distrait. Daney l'observa, puis reprit son doughnut, mais n'y toucha pas.

Je laissai quelques secondes s'écouler avant de rompre le silence.

— Mettons, juste comme ça, que Rand fasse une remarque qui mette Malley hors de lui. De quoi aurait-il pu s'agir, d'après vous ?

— Hmm… dit Daney. Je l'imagine mal sortir une méchanceté. Et Rand n'était pas non plus du genre à provoquer. C'était plutôt un gentil gamin.

Il se tut pour permettre à Milo de réagir. Celui-ci garda le silence.

— Je ne vois qu'une seule chose, reprit-il. Un malentendu.

— Du genre ? demanda Milo.

— Je ne sais pas vraiment. Comme je vous l'ai dit, on ne fait que brasser des idées.

— Compris, dit Milo. Mais tentez quand même le coup, vu qu'on n'a rien d'autre.

— Eh bien, dit Daney, quand on a ramené Rand à la maison il avait vraiment l'air embêté. Comme je vous l'ai dit. Je ne vois qu'une seule explication : la culpabilité qui continuait de lui peser. Il a peut-être cherché à tirer un trait en rencontrant Malley pour lui demander pardon.

— Ou alors c'est Malley qui l'accoste et exige des excuses ? suggérai-je.

— Bien sûr. C'est une autre possibilité.

— Je trouve que ça se tient mieux, révérend, lui dit Milo. Malley suit Rand quand il sort de chez vous pour se rendre au chantier, et le persuade de monter dans son pick-up, soit en se donnant des airs sympathiques, soit sous la menace d'une arme. Et puis ça dérape... parce que Malley exige des excuses, ou un truc du genre. T'en penses quoi, Doc ?

— C'est plausible.

— Rand avait du mal à s'exprimer, inspecteur, fit remarquer Daney. Je le vois bien dire quelque chose de déplacé, employer une formulation qui provoque la colère de Malley. En fait, c'est à l'origine de beaucoup de crimes, non ?

— Les malentendus ?

— Deux types dans un bar, dit Daney. La discussion dérape. C'est une grosse partie du boulot de la police, non ?

— Bien sûr, acquiesça Milo.

Daney prit une bouchée du doughnut rose. En mangea la moitié, puis le reposa.

— Il y a autre chose. C'est un peu tiré par les cheveux, mais puisqu'on est là pour discuter à bâtons rompus...

— Quoi donc ?

Daney marqua une hésitation.

– Je vous écoute.

– Ça remonte à très longtemps, inspecteur. Au procès des garçons. À la demande de la défense, j'étais très impliqué dans l'affaire. Cherish et moi étions présents à toutes les audiences et j'ai pu m'intéresser aux éléments de preuve.

– Il y avait quelque chose qui clochait ? dit Milo.

– Non, non, rien de tel. Là où je veux en venir, c'est que dans mon secteur d'activité on apprend à observer. Les gens, leurs réactions. Un peu comme vous, docteur.

J'opinai du chef.

– Ça me gêne un peu d'aborder ça, enchaîna-t-il. Il n'est pas question que je signe la moindre déposition et ça m'embêterait qu'on sache que ça vient de moi. Par contre, si vous arriviez à le confirmer de manière indépendante…

Il se tut. Se gratta la barbe. Hocha la tête.

– Désolé de tourner autour du pot, mais c'est…

Il agita la mâchoire, hocha de nouveau la tête.

– Je ne sais pas… Ce n'est peut-être pas une bonne idée…

– On est mal barrés, révérend, lui dit Milo. Tout ce que vous avez à nous dire pourrait nous être utile. Et si je peux confirmer la chose par mes propres moyens, je vous garantis que je le ferai.

– OK. D'abord, je tiens à vous expliquer que je n'en ai pas parlé avant parce que les garçons avaient de toute évidence commis ce crime. J'étais tout à fait partisan qu'on leur témoigne de la compassion, mais tout le monde avait déjà assez souffert comme ça, il était inutile d'en rajouter.

Il tendit la main vers le carton. Prit au hasard un doughnut à la pomme. Regarda le sucre glace tomber sur la table comme de la neige.

– La couleur des yeux, dit-il d'une voix à peine audible. La petite Kristal avait les yeux marron. Je ne m'en serais jamais aperçu, mais il y avait des photos versées au dossier. D'elle de son vivant, et de son cadavre. Je n'ai pas pu regarder celles de l'autopsie. Les autres étaient des photos d'elle bébé et l'accusation comptait s'en servir pour émouvoir. Montrer combien elle était petite et mignonne… Mais ce n'est plus le problème. J'ai donc vu ces photos, et sur le moment ses yeux marron ne m'ont pas surpris… jusqu'au moment où j'ai remarqué les yeux clairs de Lara et de Barnett Malley. Elle les avait bleus ou verts, je ne sais plus. Mais ceux de Barnett sont bleus, j'en suis sûr. Je ne suis pas généticien, mais j'ai fait un peu de biologie et je sais que les yeux marron sont un trait dominant et que des parents aux yeux clairs ne peuvent pas avoir un enfant aux yeux foncés. J'avais donc quelques doutes, mais je n'avais aucune raison de lever ce lièvre. Personne n'avait rien à y gagner. Mais hier soir, après que vous avez appelé pour me demander de réfléchir à l'enquête, j'ai fait des recherches sur Internet et je peux vous le confirmer… des parents aux yeux bleus n'ont quasiment aucune chance d'avoir un enfant aux yeux marron.

Il parlait de plus en plus vite, dans un murmure quasiment incompréhensible. Il inspira profondément, expira et reposa son doughnut.

— Loin de moi l'idée de calomnier qui que ce soit, mais…

— Kristal n'était pas la fille de Barnett, dit Milo. Waouh !

— C'est la seule explication logique, lieutenant. Et ça pourrait expliquer la colère de M. Malley.

— Kristal avait presque deux ans, fit remarquer Milo. Ce serait étonnant que Malley ne s'en soit pas rendu compte avant.

— Il m'a fait l'impression de quelqu'un d'assez fruste. Je crois bien qu'il bossait dans les rodéos, ou un truc de ce genre.

— Des rodéos ?

— Il montait des bêtes, les attrapait au lasso. Du moins, c'est ce qu'on m'a raconté. L'avocate de la défense.

— Apparemment, Mᵉ Weider était bien renseignée.

— À qui le dites-vous ! Très travailleuse et rigoureuse. J'ai été content qu'elle soit désignée pour l'affaire.

— Vous étiez déjà impliqué avant ? demandai-je, surpris. Je pensais que c'était elle qui vous avait contacté pour soutenir Troy.

— En fait, c'est tout le contraire. C'est grâce à moi qu'elle a pris le dossier. Pas officiellement, mais j'ai joué un rôle.

— Comment ça ?

— Je connaissais Troy parce que je m'étais occupé de lui à la Cité 415. Et aussi Mᵉ Weider, que j'avais croisée en travaillant avec des jeunes. En fac de théologie, on nous proposait d'enca-drer des enfants des quartiers difficiles, pour les inciter à parti-ciper à des camps d'été. Cela m'avait permis d'avoir des contacts avec le bureau d'aide judiciaire, étant donné que la plupart des gamins y avaient affaire un jour ou l'autre. Je connaissais cer-tains de leurs avocats, et j'ai pensé que Me Weider serait parfaite pour les garçons. C'est vraiment quelqu'un de sérieux. Je l'ai appelée pour lui demander si elle pouvait s'en charger. Elle m'a expliqué qu'il y avait une procédure à suivre, mais qu'elle ferait son possible.

— Pour vous rendre service.

— En partie, répondit Daney. Pour être franc, cette affaire l'intéressait à cause de son impact médiatique. Elle était assez ambitieuse.

— Et elle vous a demandé de vous impliquer comme soutien spirituel, dit Milo.

— Tout à fait.

— Vous lui avez parlé de cette histoire de couleur d'yeux ?

— Non. Je vous dis, je n'en voyais pas l'intérêt.

Milo expira longuement.

— Waouh... C'est explosif, tout ça. Merci, révérend.

— Ce n'est pas mon genre de raconter des histoires, mais...

— Vous pensez donc que Rand avait compris que Kristal n'était pas la fille de Malley et qu'il s'en est confié à lui ?

— Non, non, dit Daney. Je n'ai pas poussé le bouchon jusque là.

— Mais ça pourrait s'être passé comme ça.

— Non, lieutenant, je ne pense vraiment pas. Comment voulez-vous que Rand l'ait découvert ?

— Comme vous. Il s'en est aperçu.

Daney fit non de la tête.

— Rand n'était pas du tout observateur. Et même s'il avait su, il n'avait aucune raison de balancer ça à la figure de Malley.

— Quoi, alors ?

— Là où je veux en venir... pour le coup, c'est vraiment une idée folle... peut-être que Barnett Malley n'était pas seulement victime... (Il fit la grimace et repoussa le doughnut à la pomme.)

J'ai l'impression de... de m'aventurer sur un terrain très inconfortable. Désolé.

Relevant une manche en velours côtelé, il consulta une montre sport au cadran noir. Milo lui posa la main sur le bras. Afficha son sourire carnassier. Daney se crispa. Laissa retomber les épaules et prit l'air malheureux.

— J'ai une sensation désagréable, les gars. Vous savez... quand on a l'impression d'être allé trop loin ?

— Vous pensez que Malley a découvert que Lara le trompait ? dis-je. La colère monte et il décide de se venger sur Kristal ?

— Je préfère ne plus rien dire, décréta Daney. J'ai peur et je n'ai pas honte de l'avouer.

— Peur de Malley ? lui demanda Milo.

— Beaucoup de gens comptent sur moi, inspecteur. C'est pour ça que je ne saute pas en parachute, que je n'ai pas de moto et que je ne fais pas de l'escalade.

— Ça vous manque ?

— Plus du tout, répondit-il. Et maintenant, je dois vraiment filer...

— Ça change tout, dis-je en m'adressant à Milo. Dites-moi, révérend, Troy et Rand connaissaient-ils Malley avant le meurtre ?

— Je n'en sais rien.

— Lara se rendait souvent au centre commercial, ainsi que les garçons. Ce qui veut dire que Barnett aurait pu les croiser lui aussi... (Je me tournai à nouveau vers Milo.) Ils traînaient souvent dans une boutique de jeux vidéo. C'est le genre de passe-temps que pourrait avoir un type fruste comme Malley.

Nous dévisageâmes Daney.

— C'est possible, dit-il.

— Troy et Rand ne vous ont jamais confié qu'ils connaissaient Daney ? lui demanda Milo. Après leur arrestation ?

— Pour Troy, je suis sûr que non. Rand, je ne lui ai pas beaucoup parlé. Il n'était pas très causant à l'époque. Pas vrai, docteur ?

— Tout à fait. Mais j'avais toujours le sentiment qu'il ne me disait pas tout.

— Sur la défensive, dit-il. Oui, j'ai eu la même impression.

— Frustrant.

— J'ai essayé de l'aider à s'ouvrir, mais n'étant pas psychologue de formation, j'ai préféré ne pas m'aventurer en terrain inconnu. En fin de compte, cela n'a eu aucune importance, étant donné que l'affaire s'est terminée pour le mieux. Du moins pouvait-on le croire.

— C'est-à-dire ? dit Milo.

— Regardez ce qui est arrivé à Troy. Et à Rand.

— Je vous suis tout à fait, révérend... quand vous dites que Rand n'était pas perspicace. Mettons qu'il ait deviné la culpabilité de Malley... Vous pensez qu'il aurait gardé ça huit ans ?

— C'était peut-être confus dans sa tête, dit Daney qui se leva prestement. Désolé, mais ça devient un peu complexe pour moi et je ne vois pas ce que je peux vous dire de plus. Tant mieux si ça vous aide. Mais je vous demande surtout de ne pas citer mon nom.

Il passa sa main sur son polo, comme pour en enlever la poussière. Milo se leva à son tour et se posta devant lui en jouant de sa grande taille.

— Certainement, monsieur. À votre place, je dormirais sur mes deux oreilles, car, pour être franc, je ne vois pas ce que je vais pouvoir tirer de tout ça.

Daney leva les yeux vers lui.

— Comme vous le dites vous-même, reprit Milo, ce ne sont que des spéculations.

Daney acquiesça d'un signe de tête.

— Bonne chance, dit-il ensuite.

Il commença à s'éloigner.

— Pour que votre témoignage devienne pertinent, ajouta Milo, il faudrait qu'on réunisse des preuves matérielles contre Malley et que celui-ci se retrouve derrière les barreaux. Dans ce cas, on vous demanderait une déposition.

Daney se figea. Sourire contraint.

— Si on en arrive là, inspecteur, vous pouvez compter sur moi.

# 37

Milo contempla la Jeep blanche qui s'éloignait.

– Dommage qu'il n'y ait pas une douche dans le coin, dit-il.

Il enfila des gants, prit un sachet plastique dans sa mallette et y plaça le gobelet de Daney après avoir remis le couvercle. Le reste de doughnut rose alla dans un second sachet.

– Il l'a attaqué juste avant de nous livrer, à contrecœur, ses lumières sur la couleur des yeux, fis-je remarquer. Il s'est piqué au jeu et ça l'a mis en appétit.

– Nous faire savoir que Barnett Malley n'est pas le père de Kristal. En s'imaginant être subtil !

– C'était doublement jouissif. Primo, il s'accorde le rôle du héros en te faisant part d'un renseignement crucial. Secundo, il braque encore plus l'attention sur Malley.

– Il fait semblant d'avoir la trouille de cette terreur de Barnett, alors qu'il nous a confié d'emblée que Malley n'était qu'un délinquant qui brouillait les pistes.

– Cela dépassait peut-être la simple stratégie de diversion, dis-je. Prêter son propre comportement à Malley, consciemment ou inconsciemment.

– Ça, il s'y connaît pour brouiller les pistes.

– Les mensonges n'ont sans doute pas commencé avec son dossier d'admission en faculté. Il cherche à se donner une image de type marrant, mais avec un côté sensible et profond. Pendant que tu commandais, il m'a raconté qu'il était un enfant sage, élevé dans la religion. Ça serait intéressant de connaître la vérité sur son enfance.

Il fourra les sachets dans sa mallette.

– Le moment est venu de creuser sérieusement. Pourvu que ce soit plus productif qu'avec Malley. Je n'ai trouvé aucune trace d'assurance-vie au nom de Lara ou de Kristal, le cow-boy ne semble avoir usurpé ni son identité ni son numéro de sécurité sociale, il n'a ni casier ni dossier militaire et ne possède aucun bien immobilier. D'après certains documents, il serait né à Alamogordo, au Nouveau-Mexique, mais son nom ne figure pas dans les registres d'état civil et aucun Malley ne réside sur place. Un détail a pu m'échapper, il existe des gadgets informatiques que nous n'avons pas encore dans la police…

Il prit son portable sur la table, composa un numéro et demanda à parler à Sue Kramer.

– Nancy Drew ? dit-il au bout de quelques secondes. C'est Joe Hardy[1]. Écoute, je ne sais pas si tu es débordée… Vraiment ? Tant mieux. Écoute, Sue, tu sais les trucs que vous pouvez vous offrir dans le privé et pas nous ? Les gadgets électroniques et tout ça ?… Oui, justement, je m'intéresse à deux types… oui, celui-là… et aussi le conseiller spirituel… Daney… Mettons simplement qu'il a piqué notre curiosité… L'habituel, plus ce que tu jugeras bon… Pour avant-hier, comme toujours… Je te réglerai personnellement… Non, non, facture-moi la totale… Je suis sérieux, Sue… Bon, mais je tiens à payer quelque chose… Merci. Bonne journée. J'espère que vous avez du vent. (Il coupa la communication.) Elle vient de terminer sa surveillance à Beverly Hills. Elle a fini par repérer la veuve coréenne qui entrait dans l'appart', l'a retrouvée en train de sangloter devant une espèce d'autel en se lamentant qu'elle aimait toujours son cher mari et qu'il n'aurait jamais dû faire ça. La thèse du suicide est donc confirmée et Sue se plonge dans notre affaire dès demain. Elle s'est pris une journée de repos.

– Du vent ? dis-je. Elle fait de la voile ?

Milo repensait à sa brève expérience en tant que détective privé, le temps d'une suspension du LAPD. Le meilleur salaire.

---

1. Nancy Drew et les frères Hardy sont les jeunes héros de romans à énigmes pour la jeunesse.

Le poids de l'ennui. Quand la police avait proposé de le reprendre, il avait accouru comme un pigeon voyageur.

— Elle vogue au large, dit-il. Sur son nouveau voilier.

— Le privé te manque par moments ?

— L'absence de bureaucratie et de discipline militaire ? L'occasion de bien gagner sa vie ? Pourquoi voudrais-tu que ça me manque ? (Il regarda son portable et en referma le cache.) Quand Daney me sort que j'ai l'air très confiant, tu interprètes ça comment ? Une provocation ?

— Ou alors il voulait te soutirer des renseignements. Voire les deux à la fois. Quand il a abordé le sujet des cabines téléphoniques, c'était manifestement pour tâter le terrain. Il a cillé quand tu lui as dit qu'il était possible de retrouver la trace des appels passés d'une cabine.

— Ouais, j'ai remarqué.

— Rand m'a appelé d'une cabine, mais Daney ne pouvait pas être au courant, sauf s'il était présent.

Il plissa les yeux, qui devinrent deux fentes chirurgicales.

— Daney se trouvait avec Rand quand il t'a contacté ?

— Ou bien dans les parages, en train de l'épier. Ce qui m'a donné une idée : cette histoire de pick-up noir n'est peut-être qu'une invention pour nous mettre sur la fausse piste de Malley alors que c'est lui qui a suivi Rand. D'après Cherish, il s'est absenté cette après-midi-là.

— Il était pris par une de ses activités caritatives.

Il fit passer son portable d'une main dans l'autre. Tapota la table. Se frotta le visage.

— C'est Daney qui a buté Rand, finit-il par dire. Pas Malley.

— C'est à cause de Daney qu'on s'est focalisés sur Barnett.

— Plus la belle-mère qui nous raconte que son gendre n'est qu'une ordure de dealer qui maltraitait Lara.

— Une ordure de dealer sans casier, qui opère sous son vrai nom et son véritable numéro de sécurité sociale ? dis-je. Qui enregistre ses armes ? En un sens, Nina Balquin est un témoin de moralité pour Malley. Elle ne peut pas le sentir, mais elle ne l'a jamais soupçonné d'avoir tué Lara.

Il rempocha son portable. Se déganta, prit un doughnut « patte-d'ours » et mordit dedans sans se soucier des miettes qui volaient.

— Ce qui ne règle pas le problème de la couleur des yeux. Malley devait bien savoir que Kristal n'était pas sa fille.

— Daney a peut-être raison de dire qu'il était trop fruste pour s'en apercevoir. Et même s'il était au courant, de là à tuer une fillette, il y a une sacrée marge... À moins de lui trouver des antécédents de psychopathe.

— Alors qu'avec Daney, on sait qu'on a affaire à un très mauvais garnement.

Je fis oui de la tête.

— Une autre possibilité, dis-je, c'est que Barnett ait su pour Kristal, mais qu'il s'en soit fichu.

Il posa la patte-d'ours.

— Le type accepte d'élever la gosse d'un autre sans broncher ? C'est un peu fort de café.

— Les Malley ont eu beaucoup de mal à avoir un enfant. Lara a fini par tomber enceinte, mais le problème venait peut-être de Barnett. Qui nous dit qu'il n'a pas accepté l'idée d'un géniteur par procuration ?

— Un autre mec pour saillir Lara ?

— Ou bien elle le trompait et est tombée enceinte, et Barnett s'est fait une raison. Si les soupçons de Balquin sur la came sont fondés, il se pourrait que Lara et Barnett aient eu d'autres comportements déviants. Échangisme, partouzes. Ou tout simplement infidélité.

— Elle se fait mettre enceinte à une partouze et Barnett dit : « On garde l'enfant, ma chérie ? » Je trouve ça sacrément tolérant, Alex.

— Tu as sans doute raison. Quoi qu'il en soit, maintenant qu'on sait à quoi s'en tenir pour Daney, on ne peut plus l'écarter pour le meurtre de Rand. Ce n'est pas le devoir civique qui l'a poussé à dénoncer Malley.

Il mordilla de nouveau la patte-d'ours. Fit la grimace et la reposa. Je bus une gorgée de café. Qui me dégoulina dans l'estomac. Me brûla comme du détergent, ce qui me stimula les neurones.

— Daney a lâché un autre détail, dont il n'était pas censé être au courant. L'histoire du rodéo. Il prétend que c'est Sydney Weider qui lui en a parlé, et c'est peut-être la vérité. Mais j'ai lu le dossier judiciaire en long et en large, et ça ne figurait nulle part. D'ailleurs, j'avais plutôt l'impression que Weider ne se souciait pas du tout des Malley. Daney nous manipule, Milo. Et il s'emmêle les pinceaux, comme toujours les psychopathes, parce que son intelligence lui joue des tours.

— Daney a buté Rand, dit-il, le regard fixé au loin. Oui, ça colle parfaitement.

— Autre chose : les garçons connaissaient-ils Lara ou Barnett avant le meurtre ? La question reste en suspens. Par contre, on est sûrs que l'un d'eux connaissait Daney. Troy était un psychopathe en devenir. Et Daney la version aboutie. Tu les mets ensemble et tu sais qui tire les ficelles.

— Daney a persuadé Troy de tuer Kristal ?

— Et maintenant il t'aide à résoudre l'enquête.

— Toi, tu as vraiment l'esprit mal tourné.

— Je sais, on me l'a déjà dit.

— C'est un peu comme ces pyromanes qui reviennent sur les lieux de l'incendie pour secourir les gens. Ou ces mères souffrant du syndrome de Münchausen qui veulent ranimer leur gosse.

— Ça colle avec le numéro de Daney. L'image compte beaucoup pour lui. Vis-à-vis de l'extérieur, il se présente comme un homme de foi, qui se dévoue inlassablement pour les jeunes et recueille des adolescentes malmenées par la vie. Pendant que tu commandais, il m'a sorti sa psychologie de comptoir : Cherish et lui s'occupent d'ados parce que personne d'autre n'en veut. Si je n'avais pas été averti, j'y aurais cru. En attendant, il gruge l'administration, séduit des gamines et les met sciemment enceintes. Il trouve jouissif de les faire avorter, aux frais du contribuable.

— Un vrai prince charmant... Une fois qu'on aura le résultat de l'ADN, on le tiendra pour détournement de mineure dans le cas de Valerie Quezada... (Il hocha la tête.) Il a suffi d'un interrogatoire supplémentaire et c'est maintenant lui notre nouvel Hitler. Et qu'est-ce qu'on fait de Cherish ? Coupable ou innocente ?

— Je ne sais pas. Leur relation est un gros point d'interrogation.

— Je n'ai aucune peine à imaginer Daney dans le rôle de l'ordure. Cela dit, j'ai un autre point d'interrogation : quel était son mobile pour supprimer Kristal ?

– Kristal avait survécu, dis-je.

– Survécu à quoi ?

– Survécu. Point. Daney supporte mal que sa progéniture vive et respire.

– Daney était le père de Kristal ? D'où tu sors ça ?

– C'est mon esprit mal tourné, dis-je en me tapotant le front. Réfléchis une seconde : Daney adore se prendre pour Dieu. Il donne la vie et la retire. On sait que ses prouesses sexuelles ne sont pas réservées aux ados placées chez lui… Weider en est la preuve. Pourquoi pas d'autres femmes mariées ? Et qu'est-ce qui l'empêche de jouer au fœtus avorté avec elles aussi ? Tu étais dans le mille en parlant d'un serial-avorteur. Le tueur en série est toujours à la recherche d'une stimulation accrue.

– Du fœtus on passe à une victime à terme.

– Il existe des mères comme ça, dis-je. Elles n'arrêtent pas de tomber enceintes, mais ne supportent pas l'idée d'être mère. Des pères aussi. Je te passe le nombre d'affaires où le mari ou le compagnon secoue trop fort le gamin. On met toujours ça sur le compte d'une pulsion, de la colère. Mais ce n'est pas forcément ça. En tout cas, c'est fréquent chez les primates. Les mères chimpanzés doivent sans cesse défendre leurs bébés contre les pères trop agressifs.

– Je crée, je détruis… Sauf que c'est une chose de séduire des gamines fragiles, Alex. Mais pour mettre enceinte une femme mariée, il faut des négligences de toutes parts.

– La capote trouée, ou un coup de ce genre. Beth Scoggins pense que Daney l'a droguée. C'est peut-être sa méthode habituelle. Et d'une certaine façon, une femme mariée constitue une cible beaucoup plus facile. Aucun problème pour la convaincre de se faire avorter. Jusqu'au jour où Daney tombe sur une femme mariée qui ne veut rien savoir. Parce que ça fait des années qu'elle essaie d'avoir un enfant.

– Lara, murmura-t-il.

– Daney a les yeux marron. Il a mis ça sur le compte de son sens de l'observation, mais ce n'est pas un hasard s'il a repéré cette anomalie génétique.

– Et maintenant il me balance ça à la figure avec sa fausse pudeur. Nom de Dieu !

Je tapotai sa mallette.

— Tant que tu y es, tu ferais bien d'effectuer quelques analyses d'ADN complémentaires.

Nous prîmes la 101, puis la 5 vers le sud jusqu'à la sortie Mission Street. Visiblement distrait, Milo conduisait beaucoup trop vite.

— Si Malley est innocent, pourquoi refuse-t-il de me parler ?

— Il en veut au système, il en a marre de tout... je ne sais pas. On peut retourner l'argument en sa faveur : s'il avait quelque chose à cacher, est-ce qu'il ferait tout pour attirer les soupçons ?

— En effet, admit-il. Mais ça m'embête de le rayer purement et simplement de la liste, même si Daney s'avère être le père de Kristal.

— Hé ! tu aurais tort de ne pas garder l'esprit ouvert.

Il rigola. Agrippa le volant, donna un coup d'accélérateur et jeta un coup d'œil à sa mallette sur la banquette arrière.

— On se retrouve soudain avec une foule de possibilités. Je vais te faire un aveu : si Daney a fait tout ce que tu dis, je me trouve face à un degré de monstruosité qui fait froid dans le dos.

— Tu es donc humain.

— Seulement un jour sur deux.

Nouveau coup d'œil à la sacoche. Sans dévier de sa file.

— De toute façon, reprit-il, ça ne change rien au mobile pour Rand : dissimuler la vérité sur le meurtre de Kristal. Le problème, c'est de savoir comment Rand s'en est aperçu. Et puis, Kristal avait tout de même deux ans. Ça fait tard, comme IVG. Si Daney a le besoin maladif de détruire son sperme, pourquoi attendre si longtemps ?

— Il a peut-être insisté pour qu'elle avorte. Elle finit par se fâcher et rompt avec lui. Daney fait marche arrière, mais il ne veut pas s'avouer vaincu. Il fantasme. Manigance. Trouve un gamin de treize ans qu'il paye pour commettre le meurtre.

— Lara qui fait du shopping au centre commercial, les garçons qui jouent aux jeux vidéo.

— Une autre possibilité, dis-je, c'est que les relations entre Lara et Barnett se soient dégradées au point qu'elle décide de le quitter. Pour réaliser ses propres rêves.

— Mettre le grappin sur ce sacré Drew.

— Le type qui s'est montré à la hauteur biologiquement. Mais elle commet l'erreur fatale de vouloir faire pression sur Drew.

— Il fait liquider la gamine. Et se débarrasse de Lara par la même occasion.

— À moins qu'elle ne se soit vraiment suicidée. Elle subodore pourquoi sa fille est morte, mais ne peut pas alerter la police puisqu'elle est impliquée. Elle sombre dans la dépression et met fin à ses jours.

— En se tirant une balle dans la tête dans une voiture? Comme Rand? Pour moi, c'est clair qu'ils ont été assassinés par la même personne.

— Ou bien l'assassin de Rand a voulu imiter le suicide de Lara.

Il se plaqua le poing contre la tempe, changea brusquement de file et accéléra.

— On peut dire ce qu'on veut de la personnalité de Daney, mais c'est Malley qui possède des armes à feu, dont celle qui a tué Lara. Sans compter qu'il a un faible pour les femmes mariées. (Il tapa sur le tableau de bord.) Je te propose un scénario : les Malley ne sont pas les seuls avec des mœurs spéciales, ils rencontrent Drew et Cherish dans une partouze. Aujourd'hui, c'est terminé entre Lara et Drew, mais Barnett et Cherish continuent de se voir.

Je réfléchis à cette hypothèse.

— Ça pourrait expliquer que Barnett accepte la grossesse. Si c'est le résultat d'une orgie, la tromperie n'a plus rien de personnel.

— Plus on est de fous, dit-il. En tout cas, pas question de rayer le cow-boy.

Nous nous garâmes dans le parking du coroner et pénétrâmes dans le bâtiment nord. Milo s'entretint avec Dave O'Reilly, un homme sec à cheveux blancs, au teint rougeaud, et doté d'une intelligence vive et pertinente, et lui demanda les échantillons de tissus de Kristal Malley et de l'avorton de Valerie Quezada.

– Vous venez à peine de nous déposer Quezada, lui dit O'Reilly. Que se passe-t-il ?

– Je ne suis pas sûr que vous ayez envie de le savoir.

– Sans doute que non. Bon, je vais appeler au sous-sol pour qu'on vous mette ça dans un sac réfrigéré et une glacière spéciale pour produits à risques.

– Je vois qu'on fait ça dans les règles. Ça me plaît.

– Moi, ce sont les brunes grandes et sveltes qui me plaisent. Avec une belle poitrine pas refaite.


Nous retournâmes à la voiture. Milo plaça la glacière dans le coffre avec sa sacoche et mit le contact. Une camionnette blanche du coroner tourna à l'angle du bâtiment, traversa le parking et fila en direction de Mission Street.

– Je me demande comment c'était d'être flic à l'époque des tuyaux d'arrosage.

– Toi et Daney, seuls dans une pièce ?

– Moi et qui ça me chante, seuls dans une putain de pièce... (Il dévoila ses dents.) Tu penses que Daney connaissait vraiment Weider avant l'affaire ?

– Pourquoi mentirait-il ?

– Pour rouler les mécaniques, jouer les héros. Pour faire croire qu'il est très bien introduit à l'aide judiciaire, que c'est lui qui a échafaudé la défense...

– C'est facile à vérifier, dis-je. Et s'il s'est vraiment occupé d'ados des quartiers, je pense à un voyou autre que Troy qui m'intéresse tout particulièrement.

– Nestor Almedeira.

– Qui aurait pu trouver une avocate dévouée pour plaider sa cause.


Pas si facile que ça à vérifier.

Nous restâmes dans le parking, d'où Milo appela le bureau de l'aide judiciaire. Après plusieurs transferts, un responsable finit par le prendre. Je vis l'amabilité se métamorphoser en cajoleries, puis virer carrément aux menaces voilées. Et Milo raccrocha en grommelant.

– Je demande seulement ce qui figurerait dans les archives normales d'un tribunal si Nestor n'était pas mineur, sauf si le dossier était sous scellés. Je finirai bien par mettre la main dessus si je me donne la peine de fouiller, mais ça va prendre du temps. Cette bande de salopards adore nous mettre des bâtons dans les roues. Ils ne peuvent pas pifer les flics, comme tout ce qui est bon et juste.

– Tu pourrais appeler Lauritz Montez, lui suggérai-je.

– Il aime les flics, lui ?

– C'est quelqu'un de vulnérable et d'influençable.

Il tomba sur le répondeur au bureau de Montez à Beverly Hills. Je lui pris son portable, appelai les Renseignements et demandai le numéro du cabinet du dentiste Chang, dans Alvarado Street. Quand on s'adresse à du personnel médical, un doctorat est du meilleur effet. Il me suffit d'une poignée de secondes pour avoir Anita Moss au bout du fil.

– Qu'est-ce que je peux faire pour vous, docteur ?

– Madame Moss, c'est moi qui accompagnais l'inspecteur Sturgis l'autre jour…

– Vous n'êtes pas flic ?

– Je suis psychologue. Consultant de la police…

– Je suis vraiment très occupée.

– Juste une question et je vous laisse tranquille : quel avocat s'est occupé de Nestor quand il a été poursuivi pour homicide ?

– Pourquoi ?

– Ça pourrait avoir son importance. On finira de toute façon par le savoir, mais vous pourriez nous simplifier la vie.

– OK, OK. Une dame blonde. Avec un nom bizarre. Sydney quelque chose.

– Sydney Weider.

– Elle a énormément insisté pour que ma mère soit présente à toutes les audiences, alors que maman était malade. Elle l'obligeait à se mettre là où le juge pouvait la voir et lui disait de beaucoup pleurer. Elle lui a expliqué qu'elle devrait témoigner avant la sentence, mentir en disant que Nestor avait toujours été un bon fils et, surtout, beaucoup pleurer. Elle lui donnait tous ces conseils comme si maman était idiote. Elle pleurait déjà bien assez comme ça.

— L'avocate avait opté pour une défense agressive.

— Oui, dit-elle. Moi, j'avais l'impression qu'elle pensait surtout à elle-même… gagner à tout prix, vous comprenez ? Si elle s'était vraiment souciée de ma mère, elle ne l'aurait pas commandée comme ça. De toute façon, ça n'a rien changé. Ils ont plaidé coupable, et moi, ça m'était bien égal. Je ne voulais surtout pas voir ma mère pleurer devant des étrangers.

— Un certain Drew Daney s'est-il occupé de Nestor ?

— Le nom me dit quelque chose, mais…

— Un étudiant en théologie qui s'occupait de jeunes.

— Mais oui, bien sûr, dit-elle. Le religieux. Quelques mois avant de tuer le dealer, Nestor avait suivi un programme de désintoxication et ce type y participait. Il a fait quelque chose de mal ? Je tomberais vraiment des nues.

— Pourquoi ?

— Je l'ai trouvé bien, ce type. Il avait l'air de vouloir sincèrement aider Nestor. Il a même écrit au juge.


— Tout s'explique, dit Milo en quittant le parking.

— Daney rend visite à Troy à Stockton, dis-je. Il profite de l'occasion pour voir Nestor et monter le guet-apens.

— Pendant ce temps, Rand se trouve à Chino. Tu penses que c'est pour ça que Daney ne s'est pas occupé de lui ? Faute d'avoir un petit tueur à gages dans la place ?

— Plutôt parce que Rand ne présentait aucun danger. Mais ça a changé.

Il reprit l'autoroute.

— Tu te sens d'attaque pour exercer tes talents ? me demanda-t-il.

— Avec qui ?

— Une folle.

# 38

Sydney Weider vint m'ouvrir – tee-shirt blanc d'une propreté douteuse avec, au niveau du cœur, le logo en forme de dauphin du Surfside Country Club, short gris en stretch, pieds nus. Teint blafard, visage strié de longues rides verticales qui partaient du coin des yeux et lui tiraient la bouche vers le menton. Jambes blanchâtres marquées de varices, chevilles crasseuses, orteils négligés.

Elle nous fixa, bouche bée.

– Madame, dit Milo en lui présentant son badge.

Elle le gifla violemment.


Alors qu'il la traînait vers le véhicule banalisé et la menottait, fulminante et trépignant de rage, une porte claqua de l'autre côté de la rue. Une femme sortit précipitamment d'une jolie maison coloniale aux volets noirs.

La voisine qui avait vu Weider me crier dessus quelques jours auparavant.

– Ça commence, marmonna Milo. Où est le caméscope, bordel ?

Weider poussa un grognement, lui flanqua un coup de tête dans le bras et tenta de le mordre.

– Ouvre-moi la portière, Alex, dit-il en la retenant à bout de bras.

Tandis que je m'exécutais, la voisine d'en face courut vers nous.

Trente-cinq ans passés, queue-de-cheval blonde, jolie silhouette mise en valeur par un pantalon corsaire noir et un débardeur vert d'eau. Traits d'une finesse qui rappelait Grace Kelly. Sydney Weider en plus jeune, à une époque plus heureuse.

Elle semblait furieuse. Rien de tel que la protection du voisinage.

— Madame… lui dit Milo quand elle fut tout près.

— C'est bien fait pour vous ! lança-t-elle à Weider. Cette salope n'arrête pas d'engueuler les enfants et de les terroriser. Elle nous pourrit la vie ! Qu'est-ce qu'elle a fichu pour que vous vous décidiez enfin à faire quelque chose ?

Sydney Weider voulut lui cracher dessus, mais son crachat atterrit sur le trottoir.

— Vous êtes dégoûtante, fulmina la voisine. Comme toujours.

Avant que Weider puisse réagir, Milo lui abaissa la tête de la main, la poussa dans la voiture et claqua la portière. Il était tout rouge.

— Qu'est-ce qu'elle a fait ? insista la femme. Vous prétendiez ne pas…

— Je ne suis pas en mesure d'en discuter, madame. Maintenant, si vous pouviez…

Boum ! Boum ! Boum ! Weider tambourinait sur la vitre.

— Voyez ! dit la femme. Elle est cinglée. Je peux vous envoyer la liste. Donnez-moi votre numéro de fax.

— Elle est pénible à ce point ? demandai-je.

— Tout le monde va être super-content d'être enfin débarrassé d'elle. On va faire une fête dans le quartier. Dès qu'un enfant a le malheur d'effleurer sa pelouse, elle déboule et se met à crier comme une malade. Le mois dernier, elle a balancé un couteau de cuisine à Poppy, alors qu'il n'a rien de ces shar-peis agressifs, tout le monde vous dira que c'est un amour de chien. Elle est toujours dehors à faire les cent pas, en hurlant comme une folle… croyez-moi, elle est givrée. Complètement givrée. Je suis sûre que tous les voisins ne demanderont pas mieux que de vous donner leur déposition, ou ce que vous voudrez.

— Je vous en sais gré, madame, lui dit Milo.

– Bon débarras ! dit-elle en lançant un regard mauvais au carreau.

Sydney Weider, sur le dos et jambes en l'air, se mit à frapper la vitre de plus belle. Pieds nus, mais assez fort pour faire trembler le verre.

– Vous feriez bien de la saucissonner, suggéra la femme. Comme ils font dans *Cops*.


Tandis que nous repartions, d'autres portes s'ouvrirent, mais personne ne se montra.

Sydney Weider s'époumonait et donnait des coups de pied dans la portière. Milo se gara, prit des liens en plastique dans le coffre et tenta de ligoter les chevilles de Weider, qui se débattit en essayant de le mordre et de lui filer des coups vicieux. Je descendis et lui tins fermement les talons. Une fois de plus, je m'écartais de la déontologie du psychologue.

Il finit par la mettre sur le ventre et serra bien fort les liens. Elle continua de se tortiller et de baver, donna des coups de tête dans la portière, mais nous pûmes repartir. Des élucubrations sans queue ni tête ; quel gâchis après avoir passé tant de temps à apprendre à peser chaque mot d'une plaidoirie !

Elle me faisait pitié.


Quand Milo s'engagea dans Sunset Boulevard, elle se tut enfin. Seuls sa respiration saccadée et ses reniflements résonnaient dans la voiture. Je jetai un coup d'œil à l'arrière. Toujours sur le ventre. Les yeux fermés. Inerte.

Je pensais qu'il comptait la mettre dans une cellule au commissariat du West Side, mais il traversa les Palisades vers l'est et s'engagea dans le parc Will Rogers.

Une voix de fillette se fit entendre à l'arrière.

– Je venais faire du cheval ici.

– Tant mieux pour vous, maugréa Milo.

Quelques secondes s'écoulèrent.

— Qu'est-ce que j'ai fait pour que vous soyez à ce point en colère ? demanda Weider.

— Voies de fait sur agent, vous trouvez ça normal ?

— Oh… Je suis désolée vraiment désolée je ne sais pas ce qui m'a pris vous m'avez fait peur je croyais que c'était mon mari qui vous envoyait pour me tourmenter encore un huissier il me harcèle une fois il m'a envoyé un huissier déguisé en lutin à Halloween et moi j'ouvre la porte pour lui donner des bonbons et ce lutin me balance une ordonnance judiciaire à la figure et quand je lui ai jeté ses papiers il m'a attrapée et m'a touché le bras et je vous dis que c'était une agression plus grave que ce que j'ai fait et je suis avocate alors autant vous dire que je sais ce que c'est qu'une agression et je ne voulais pas vous frapper écoutez je me défendais et j'ai vraiment eu peur.

Elle ne prenait même pas le temps de reprendre sa respiration. Sa voisine nous avait dit qu'elle arpentait la rue. J'avais le souvenir de quelqu'un qui parlait rapidement, et Marty Boestling l'avait traitée de maniaco-dépressive.

Le seul marathon qu'elle courait était dans sa tête.

— Vraiment, dit-elle. Je me souviens maintenant de ce que j'ai fait et je suis vraiment très très très très désolée.


Nous nous garâmes en face du terrain de polo. Le parking était quasiment désert.

— Il n'y a plus de chevaux et de toute façon tout fout le camp dans cette ville, déclara Sydney Weider. Si vous pouviez me retirer ça je déteste être attachée je déteste vraiment ça.

Milo coupa le moteur.

— S'il vous plaît s'il vous plaît je promets de me tenir convenablement.

— Pourquoi je vous ferais confiance, Sydney ?

— Parce que je suis quelqu'un d'honnête et je sais que j'ai réagi de façon anormale mais je vous ai expliqué c'est mon ex qui n'arrête pas de me rendre la vie infernale.

— Ça fait combien de temps qu'il se conduit comme ça ? lui demandai-je.

— Au moins les trucs que j'ai aux pieds je vous en supplie...
Ça fait mal et j'ai les jambes complètement pliées et je me sens à
l'étroit alors j'ai du mal à respirer.

Milo descendit, lui libéra les chevilles et la fit s'asseoir, en se
tenant bien à l'écart de ses mâchoires. Weider sourit et secoua
les cheveux, retrouvant sa beauté l'espace d'une seconde pathé-
tique.

— Merci merci vous êtes un ange et pourquoi pas les menottes ?

Milo revint s'asseoir à l'avant.

— Alors, ça fait combien de temps que votre ex vous harcèle ?

— Depuis toujours mais moi je vous parle de sept ans de tor-
ture depuis le divorce quand il m'a dépouillée qu'il m'a pris tout
ce que mon père m'avait laissé et mon père était producteur de
cinéma quelqu'un de très important à Hollywood et mon mari
savait où tout était caché et il m'a tout volé comme ces pilleurs
pendant les émeutes de Watts et on avait une superbe maison et
plusieurs voitures et le mobilier Angelo Donghia et les tapis
Sarouk la totale la vie idéale en apparence...

— Comment se fait-il que M. Boestling vous en veuille à ce
point ?

— Il est juif qu'est-ce que vous croyez ? Ils sont très rancuniers
et œil pour œil et ils ne vous lâchent pas avant de vous avoir
saigné à blanc.

— De quoi veut-il se venger ?

— Parce que je suis supérieure parce que je... C'est compliqué
il ne sera jamais heureux il est consumé. Par quoi ? Par l'idée de
me faire payer payer payer parce que ces gens-là n'ont que
l'argent en tête et il me calomnie et raconte aux gens que je suis
folle et maniaco-dépressive juste parce que j'ai plus d'énergie que
lui et il n'arrivait jamais à... (Elle se tut brusquement.) Vous. Le
psychologue. Vous voyez bien que j'ai toute ma tête, non ?

La folie scintillait dans son regard.

— Bien sûr, dis-je.

Milo cilla. La marque de la gifle s'atténuait.

Weider sourit.

— Voilà et vous savez de quoi vous parlez et vous n'avez qu'à
expliquer à monsieur le policier que je suis avocate épouse et

mère de famille et que j'ai élevé deux garçons magnifiques qui ont reçu une super-proposition de Microsoft mais ils ont refusé parce qu'ils préfèrent développer leur propre logiciel et de toute façon ce n'est pas aux autres de s'enrichir sur leur dos.

— Et malgré tout cela, dis-je, Marty Boestling est rancunier.

— Rancunier à la folie ce type ne vaut rien mais...

— Peut-être qu'il n'a pas été franchement ravi de vous surprendre avec Drew Daney, lança brusquement Milo.

Elle resta bouche bée. S'affaissa.

— Maintenant c'est de ma faute s'il n'était pas à la hauteur ! Vous croyez que s'il avait... Attendez mais vous lui avez parlé alors vous êtes vraiment de la police ou un huissier...

— Non ! tonna Milo. Je suis inspecteur du LAPD et je me fiche éperdument de votre mariage et de votre vie sexuelle. Ce qui m'intéresse, c'est qu'on parle de Drew Daney.

Weider fit la grimace, haussa les épaules et contempla le terrain de polo.

— Qu'est-ce que vous voulez savoir ?

— C'est quel genre de type ?

— Quel genre de mec ? Une ordure comme les ordures de la poubelle et une ordure...

— Vous avez eu une querelle d'amoureux ?

— Ha ! Ha ha ha ha ha ! Pas question d'amour ni d'amoureux ce n'était pas l'amour qu'on faisait c'était clair et ça vaut pour tous.

— Qui ça ?

· Ne faites pas semblant parce que Marty vous a forcément tout raconté mais il n'a pas dû vous dire que c'était lui qui avait tout commencé parce que ça l'excitait de me voir avec d'autres types mais que ça lui a posé un problème quand j'ai fait ça toute seule et qu'il n'était plus là pour se rincer l'œil il vous a dit tout ça ?

— Comme je vous l'ai déjà dit, Sydney, votre vie sexuelle ne m'...

— C'est ça c'est ça vous voulez parler de Daney. Eh bien Daney n'était qu'un sexe pour moi et même pas très gros et si vous voulez qu'on parle de lui je peux vous dire que Daney est un loser et qu'il se croyait très malin et s'imaginait qu'il allait m'avoir.

— Comment ça, vous avoir ?

— Vous allez m'expliquer vous qui êtes inspecteur du LAPD et je vous demande ce qui peut pousser quelqu'un à faire un truc aussi crétin ?

— Quoi donc ?

— Faire un trou dans la capote avec une aiguille parce que moi j'utilisais toujours une capote et même que je les achetais moi-même parce que les hommes deviennent débiles quand ils n'ont plus que ça dans la tête et je ne comptais pas m'attirer ce genre d'ennuis pas question et d'abord je n'aime pas la pilule même si on dit que c'est bon pour la peau parce que moi ça me donnait de l'acné et ma mère est morte du cancer ce dont je me passe bien alors c'était toujours la capote… (Un sourire lui vint lentement.) Avec des petits trucs qui chatouillent…

— Comment savez-vous que Daney avait fait un trou ?

— Je l'ai surpris en train de le faire dans la salle de bains voilà comment parce qu'il croyait que j'étais en train de mettre les trucs de mauvais goût qu'il avait achetés et il s'imaginait que j'allais me déguiser pour lui mais pas question c'était trop cliché et donc j'étais déjà sortie de ma salle de bains et lui il était dans celle de Marty et je l'ai entendu qui fouillait alors je suis entrée pour voir et je lui ai demandé ce qu'il fichait et il m'a sorti une connerie comme quoi il voulait en tester une pour ne prendre aucun risque et je lui ai mis une claque…

Elle se tut.

— Vous étiez fâchée contre lui, dit Milo.

— Et vous, vous ne seriez pas fâché si on vous faisait un coup pareil ? lança Weider en s'esclaffant. Mais il n'allait pas s'en sortir comme ça et j'en ai ouvert une autre que j'ai bien inspectée et je la lui ai fait mettre devant moi en plaisantant que j'aurais mieux fait d'en prendre une d'une plus petite taille ce qui a un peu ralenti les opérations mais ce n'était pas pour me déplaire parce que c'est moi qui donne le *la* et c'est moi qui l'ai bien eu et pas l'inverse.

— Ça a été la fin de votre relation ? demanda Milo.

– Quelle relation ? Daney n'était qu'un outil et si tout a capoté c'est que ce loser de Marty s'est planté à une connerie de rendez-vous et il est rentré plus tôt que prévu et nous a surpris et j'ai pas aimé la réaction de Daney qui a filé la queue entre les jambes et de toute façon j'en avais rien à foutre de Marty… (Elle secoua ses cheveux.) Ma devise : pas de minables pas de losers pas de complications.

– Comment Daney a-t-il réagi quand vous avez rompu ?

– Il m'appelait il n'arrêtait pas d'appeler et puis il a arrêté.

– D'après vous pourquoi a-t-il percé ce préservatif ? lui demandai-je.

– C'est à vous de me le dire c'est vous le psychologue, répondit-elle.

– Pour vous mettre enceinte ?

– Non parce qu'il aimait pas les gosses.

– C'est lui qui vous a dit ça ?

– Bien sûr et plus d'une fois et sa femme aurait bien voulu en avoir mais elle pouvait pas et lui pas question de s'embêter avec ça.

– Il se confiait à vous.

– Il la ramenait tout le temps et j'arrivais pas à le faire taire et puis qu'est-ce qu'il a fait ?

– Vous ne lui avez jamais demandé pourquoi il avait percé le préservatif ?

– Je vous ai dit il m'a sorti cette histoire débile et puis d'abord je lui ai mis une claque et je m'en fichais à partir du moment où ça se passait comme je voulais… (Encore une fois, elle secoua ses cheveux.) Je pense pas que c'était la grossesse en tant que telle plutôt le sperme.

– Je vous demande pardon ?

– S-P-E-R-M-E. Il prenait le sien pour l'élixir des dieux et se lançait dans des tirades sur sa zigounette qui était la baguette magique de l'avenir pour fonder des villes et des pays et des continents avec une seule cuillerée ça le prenait une fois qu'il avait eu ses trois minutes de gloire parce qu'après il faisait toujours une descente au frigo et se mettait à déblatérer.

– Le sperme magique, dit Milo.

— C'était vraiment son truc il était complètement obsédé par ça quel est le mot... une fixation c'est le terme en psychologie vous les psychologues vous parlez d'une fixation.

J'acquiesçai d'un signe de tête.

— Daney faisait une fixation sur le sperme, dit Milo.

— Si vous voulez savoir ce que je pense de Daney je pense que Daney est un égocentrique qui fait une fixation sur son sperme et il se prenait vraiment pour quelqu'un à tel point qu'il voulait jouer l'avocat et me disait comment conduire mon dossier mais je peux vous dire que ça n'a pas duré et je l'ai vite remis à sa place.

— Pour l'affaire Malley ? dis-je.

— Il regardait trop la télé alors il avait des idées plein la tête ces idées débiles de mauvais téléfilms comme d'interroger les flics à la barre jusqu'à épuisement ou de faire peser les soupçons sur le père de la gamine pour semer le doute et moi je lui disais de la fermer que c'était pas un épisode de *Perry Mason* on avait chopé les sales morveux avec le cadavre et ils étaient passés aux aveux et je ferais ce que je pouvais mais on allait forcément les enfermer et c'est ce qui est arrivé.

— Daney voulait accuser Barnett Malley.

— Il m'a conseillé de fouiller dans le passé de Malley et de voir si le couple s'entendait bien parce que si ça se disputait j'aurais pu suggérer que Barnett détestait sa femme et qu'il avait payé les deux salopards pour tuer la gosse mais je lui ai balancé qu'il était cinglé et que je n'avais jamais rien entendu de plus idiot mais il m'a dit que Troy confirmerait et que je devais lui parler « fais-moi confiance Troy dira ce que je lui demanderai de dire parce qu'on a un bon rapport... »

— Daney connaissait bien Troy ?

— Il l'avait rencontré dans un programme pour jeunes c'est tout de même pliant un éducateur qui peut pas sentir les gosses et il n'arrêtait pas d'essayer de me convaincre avec son histoire crétine alors je l'ai menacé de ne plus coucher avec lui et je lui ai dit c'est ni plus ni moins de la subornation de témoin espèce d'idiot et les faits sont établis alors on doit se contenter de mettre en avant les circonstances atténuantes l'enfance difficile les maltraitances et tout ça et si tu peux me dénicher des sévices de vrais sévices j'irai trouver le juge mais autrement arrête de t'en mêler... Vous pourriez pas me retirer les menottes ?

– Vous allez être sage ? demanda Milo.

– J'ai été sage non ?

– Vous n'aviez pas vraiment le choix, Sydney.

– Même sans menottes qu'est-ce que vous voulez que je fasse vous êtes trois fois plus grand que moi et dans vos bras je ne suis qu'une petite fille.

Une fois de plus, elle secoua ses cheveux.

– À la première incartade on les remet, dit Milo.

– C'est bon c'est compris c'est vous le patron et vous qui décidez.

Il descendit.

– Ah... dit-elle d'un ton soulagé. Comme dit Joni Mitchell, *You don't know what you got till it's gone*[1]... Alors pourquoi toutes ces questions sur Daney il a enfin fait une grosse connerie ?

Milo fit le tour de la voiture et s'installa à côté d'elle à l'arrière.

– Une grosse connerie de la part d'un petit con ? dit-il.

– Exactement c'était un petit con.

– Comment vous êtes-vous connus ?

– Une autre affaire un autre petit psychopathe, dit-elle. Daney et son travail à la con auprès des jeunes... il m'appelle et me propose son aide alors je me dis pourquoi pas une lettre de recommandation ça fait toujours bon effet dans le dossier.

– Comme pour Troy, dis-je.

– C'était comme ça à l'aide judiciaire où on passait quatre-vingt-quinze pour cent de son temps à s'occuper de coupables en essayant d'obtenir la meilleure condamnation possible...

– Vous vous rappelez le nom du premier psychopathe ?

– Un junky latino qui avait descendu d'autres junkies en ville et j'ai pu obtenir la qualification d'homicide simple pour ce Nestor machin chose... Almodovar c'est ça Nestor Almodovar.

---

1. On ne se rend pas compte de ce qu'on a avant de l'avoir perdu.

Milo ne la reprit pas.

— Daney a écrit une lettre pour Nestor, dit-il.

— La lettre de moralité type Nestor était un brave gosse l'enfance difficile les circonstances atténuantes et bla-bla-bla.

— Et il s'est trouvé par hasard que Daney connaissait un autre de vos clients ?

— Non non non, dit-elle. C'est Daney qui m'a appelé pour me demander de défendre Troy et j'ai d'abord refusé parce que je peux vous dire que j'avais déjà de longues journées et je m'en passais bien mais il n'arrêtait pas de revenir à la charge et de me dire que j'étais la meilleure avocate du bureau ce qui était la vérité soit dit en passant et je me suis dit qu'après tout ça pouvait être intéressant.

— Pourquoi donc ? demandai-je.

— Intéressant, répéta-t-elle.

Elle me fixa, muette, puis remua les lèvres dans tous les sens comme pour compenser l'absence de sons.

— Intéressant à cause du retentissement, dit Milo. Pour avoir son nom dans le journal.

Elle se tourna vers lui.

— J'ai bien le droit d'avoir une belle affaire moi aussi et à partir du moment où on bosse dur on a bien le droit de faire parler de soi non ?

— Avec en plus un projet de film, dit Milo.

Encore une fois, Weider ouvrit et ferma la bouche à plusieurs reprises. Respiration bruyante, mimiques des lèvres. Brusquement, elle tourna la tête vers sa vitre.

— C'était une fois l'affaire jugée et d'abord ça n'a rien d'illégal ça arrive tout le temps.

— C'est vous qui avez eu l'idée du film ou c'est Daney ?

— Lui, répondit-elle un peu trop rapidement. Il me disait regarde ce loser de Marty qui se trimballe en Mercedes et bouffe à la cantine du studio et qui n'est pas fichu de produire autre chose que des merdes pour la télé alors que toutes les portes lui sont ouvertes.

— Daney se disait qu'il pouvait faire m...

— Il se disait qu'à la place de Marty il aurait su se débrouiller pour devenir patron d'un studio.

— La folie des grandeurs, fit remarquer Milo.

— Comme tout le monde à Hollywood, dit Weider. Je pourrais vous en raconter d'autres et puis je savais pourquoi il baratinait.

— Ah oui ?

— Pour arriver à bander, dit-elle avec un sourire narquois, parce que quand il avait des problèmes il se mettait à baratiner et à dire du mal de Marty parce que les hommes sont tous pareils ils veulent avoir la plus grosse quéquette.

— Mais vous avez quand même pris cette idée de film au sérieux, dis-je.

— Que voulez-vous dire ?

— Daney et vous avez bien eu des réunions avec des producteurs ?

— Tout le monde est toujours en réunion parce que le cinéma sans réunion ça fait peau de chagrin comme la zigounette de Daney quand il paniquait.

— Vous avez donc eu des réunions.

— Ouais j'ai pris ça au sérieux comme le reste et pourquoi pas puisqu'on n'avait rien à perdre mais si vous aviez un truc à boire j'ai vraiment soif.

— Non, désolé, dit Milo.

— Merde j'ai la gorge sèche et justement c'est pour ça que je déteste...

Elle baissa la tête. Fixa ses jambes.

— Qu'est-ce que vous détestez ?

— Les cachets le poison la came et je refuse de prendre quoi que ce soit ces crétins de médecins n'ont qu'à aller se faire voir parce que le meilleur remède anti-stress c'est l'activité pour brûler les toxines et d'ailleurs je commence à me sentir à l'étroit ça ferait du bien d'aller marcher faire un tour...

— Qui organisait les réunions ? demanda Milo.

— Moi mais Daney s'incrustait en s'y croyant...

— Ce n'était pas Marty ?

— Marty nous a filé quelques noms mais ça me faisait une belle jambe parce que mon père avait des relations et un carnet d'adresses comme c'est pas permis et vous ne devez pas croire tout ce que vous raconte Marty qui est cinglé et...

— Vous auriez un exemplaire du synopsis ? demandai-je.

— Non pourquoi voulez-vous que j'aie ça ?

— Vous l'avez déposé à la société des scénaristes ?

— Non qu'est-ce que vous voulez que j'aille m'embêter à le déposer ?

— Ce n'est pas la procédure habituelle ?

— Quand on y croit, dit-elle. Moi ça ne m'intéressait plus au bout de deux réunions parce qu'il n'y avait qu'à voir leurs réactions pour comprendre que ça n'allait rien donner et c'est comme ça dans le cinéma ça accroche tout de suite ou jamais une erreur stupide ma seule erreur.

— Quelle erreur ?

— D'avoir laissé Daney écrire le synopsis qui était truffé des conneries dont il voulait que je me serve pour la défense de Troy.

— Accuser Barnett Malley, dis-je.

— Accuser Barnett Malley mais en poussant les choses à l'absurde pour faire de lui une espèce de tueur en série obsédé par le pouvoir et le contrôle et par son corps.

— Ça fait penser à Daney lui-même, dis-je.

— Hé, me lança-t-elle d'un ton amusé. Vous ne seriez pas psy ?

# 39

— Je vais vous ramener chez vous, Sydney, lui dit Milo.

— J'ai toujours soif on peut pas s'arrêter quelque part ?

— Si l'occasion se présente, je vous achèterai un Coca.

— On pourrait aller chez Joya Juice j'en connais un près de chez moi.

Alors que nous quittions le parc, elle devint silencieuse et agitée.

— Quelle impression vous a fait Cherish Daney ? lui demandai-je.

— Drew disait qu'elle était vraiment très religieuse et elle voulait avoir des enfants toute une flopée une nichée comme il disait mais elle ne pouvait pas en avoir elle était stérile et c'était un sujet de dispute.

— Le fait de ne pas pouvoir avoir d'enfants ?

— L'adoption mais elle a fini par s'y résoudre si elle ne pouvait pas en avoir elle voulait bien en adopter un et c'était une idée fixe d'adopter un gamin même de Chine ou de Bulgarie ou de Bolivie un de ces pays-là mais lui n'était pas d'accord et ne voulait pas de cette responsabilité alors je lui ai suggéré des enfants placés en famille d'accueil comme ça elle peut jouer à la maman et le jour où ils s'en vont on est tranquille et en plus on est payé.

— Drew a trouvé que famille d'accueil c'était une bonne idée ?

— Il a trouvé ça génial il m'a dit « Syd t'es un vrai génie » parce qu'il m'appelait toujours Syd et ça m'agaçait beaucoup mais Drew n'est qu'un loser et chez Joya je prendrai un truc à l'ananas OK ?

Elle indiqua à Milo comment se rendre au bar à jus de fruits de Palisades Village, juste au nord de Sunset Boulevard. Il la laissa menottée et entra dans la boutique.

On apercevait beaucoup de femmes qui ressemblaient à Weider. Elle s'allongea sur la banquette arrière et se recroquevilla. Je l'interrogeai sur Barnett Malley, mais elle prétendit ne rien savoir de lui.

— Aucune impression ?

— Pourquoi puisqu'il appartenait à l'autre camp ?

— Les idées de Daney n'ont jamais éveillé votre curiosité ?

— C'était des conneries.

— Vous saviez tout de même que Malley faisait du rodéo, non ?

— Qu'est-ce que c'est que cette histoire ?


Milo rapporta un énorme gobelet avec une paille.

— Il faut m'enlever les menottes, dit Weider en se redressant. Pour que je puisse le tenir.

Il se pencha à l'intérieur et lui présenta la paille devant la bouche.

— Allons, protesta-t-elle.

Néanmoins elle but avec avidité, en creusant les joues. Elle s'interrompit pour reprendre son souffle, et Milo lui essuya une goutte de mousse sur la lèvre inférieure. Elle le dévisagea, effrayée.

— Je vous en supplie laissez-moi le tenir.

— Pas d'histoires ?

— Je vous promets vraiment.

— Plus de disputes avec les voisins ?

Elle sourit.

— Ce n'est pas votre problème votre truc c'est les grosses affaires et vous êtes là pour Daney qui a forcément fait quelque chose de grave mais je m'en fous de savoir quoi.

— Vous n'êtes pas curieuse ?

– Je ne vis pas dans le passé parce que le passé c'est comme un cadavre qui pourrit et qui pue et je peux avoir une autre gorgée s'il vous plaît ? Alors vous me retirez ces fichues menottes ?

– Vous ne vous parlez plus, avec Drew ?

Rire éraillé.

– Ça fait sept ans que j'ai pas parlé à ce loser et si vous vous imaginez que je vais l'appeler pour lui dire que vous êtes passés c'est pas demain la veille et il n'a pas intérêt à s'approcher de moi parce que je lui couperai la zigounette.

– Je suis sûr que vous en seriez capable, dit Milo en lui retirant les menottes et en lui tendant le gobelet.

Elle but en silence et resta tranquille pendant le trajet. Quand nous arrivâmes devant chez elle, Milo la fit descendre. Elle resta immobile à fixer la porte d'entrée, comme si elle ne l'avait jamais vue auparavant. Il la prit par le coude et la guida dans l'allée. À mi-chemin, il se figea. Elle s'arrêta, secoua ses cheveux, sourit en dévoilant ses dents et lui dit quelque chose qui l'amusa. Puis elle se mit sur la pointe des pieds et lui fit la bise.

Il la regarda se diriger vers la porte d'entrée, attendit qu'elle ait franchi le seuil. Revint en hochant la tête.

– La plaisanterie était amusante ? dis-je.

– La... Ah, ça... Elle m'a dit : « Vous me laissez partir comme le petit oiseau qui quitte le nid, cui cui ! » J'en suis resté comme deux ronds de flan, dit-il en enfonçant la clé dans le contact. Sur le coup, je l'ai presque trouvée mignonne... (Il se renfrogna.) Ce bisou. Faut que je me lave la joue.


– Elle est complètement cinglée, me dit-il après le carrefour suivant, mais tout ce qu'elle nous a raconté se tient. Tu penses vraiment que Daney fait une fixation sur le sperme ?

– Ça fait partie de son égocentrisme. Ce qui m'intrigue, c'est qu'il ait cherché d'emblée à faire porter les soupçons sur Barnett Malley. Il devait forcément le connaître avant le meurtre de Kristal et avoir une dent contre lui. Quand je lui ai parlé du rodéo, Weider m'a regardé comme s'il me manquait une case. Ce qui veut dire que Daney nous a menti : ce n'est pas d'elle qu'il tient ça. Soit il connaît Malley depuis plus de huit ans, soit il s'est renseigné.

— Ils se sont peut-être rencontrés dans les milieux échangistes, comme tu l'as suggéré.

— Ou bien une hypothèse plus chaste, dis-je. Étant donné qu'on se retrouve avec deux couples qui avaient des problèmes pour avoir un enfant...

— Une clinique, dit-il. Bon sang, tu penses qu'ils se sont connus dans un centre de procréation médicalement assistée ?

— Weider vient de nous dire que Cherish s'était « résolue » à adopter. Ce qui sous-entend qu'elle tentait de tomber enceinte depuis un certain temps. Elle a forcément suivi des traitements.

— On bavarde en salle d'attente, on parle de ses malheurs, de ses peines d'amour et on se tient compagnie.

— Jusqu'au moment où Drew et Lara poussent les choses plus loin, dis-je. Les deux qui étaient justement fertiles. Il se peut qu'ils l'aient ignoré et que la grossesse de Lara les ait pris de court. Drew devait être persuadé qu'elle avorterait pour éviter les complications avec Barnett. Mais Lara refuse. Avoir un enfant lui importe davantage que de sauver son couple.

— Les Malley se retrouvent avec un enfant mais pas les Daney.

— Et Cherish avec beaucoup de frustrations et d'angoisses. Je te donne trois chances pour découvrir à qui elle a confié ses peines.

— Elle insiste quand même auprès de Drew, exige de suivre d'autres traitements.

— Ce qui fait beaucoup de dépenses et de tracas alors que Drew n'en avait même pas envie au départ. Soit il a accepté mais ça n'a pas marché, soit il a refusé. Quoi qu'il en soit, Cherish se rabat sur l'adoption. Elle en fait une fixation.

— Cet imbécile se prend pour un génie, mais sa vie s'embrouille brusquement à cause d'un problème dont il est en partie responsable. Un comble !

— Il décide donc d'éliminer la source du problème, dis-je. Kristal lui fournit l'occasion d'une bonne leçon pour Cherish. « Tu vois le bonheur qu'apporte un enfant, chérie ? » Du même coup, il joue à Dieu et se prémunit contre les éventuelles exigences de Lara. Et quitte à faire le ménage, pourquoi ne pas en profiter pour vendre un projet de film ?

Milo agrippait le volant à deux mains, les épaules rentrées et le regard mauvais, aussi peu détendu qu'un apprenti conducteur. Les carreaux baissés laissaient passer une brise iodée. Quartier charmant. Combien de temps avant que Sydney Weider ne pète un câble ?

— Il n'arrête jamais de faire le ménage, dit Milo. Kristal, puis Troy parce qu'il a tué Kristal, et Nestor parce qu'il a tué Troy. Et Lara, soit parce qu'elle voulait pousser la relation plus loin, soit parce qu'elle a découvert qu'il était mêlé à la mort de Kristal.

— Et Jane Hannabee, au cas où Troy se serait confié à sa mère.

— Et maintenant Rand... Tu penses que Drew s'est chargé de certains meurtres ou bien qu'il a toujours payé quelqu'un ?

— En tout cas, c'est la même personne qui a liquidé Lara et Rand. Pour ces deux-là, je parie sur Daney. Pour Jane Hannabee, ça se discute.

— Six cadavres, murmura-t-il. Et j'ai oublié de te dire : aucune Miranda ne figure sur la liste des filles placées chez Daney.

— Je le vois mal accueillir quelqu'un sans facturer l'administration.

— Oui, c'est bizarre.

— Hmm.

— Bon. Et je m'y prends comment pour prouver tout ça sans le moindre indice qui établisse un lien ?

Je n'avais pas de réponse.

— Ouais, marmonna-t-il. J'avais bien peur que tu me répondes ça.


Il était deux heures moins vingt quand il me déposa à la maison. Aucun message sur le répondeur, et Allison n'avait pas cherché à me joindre sur le portable. D'ici cinq minutes, elle serait entre deux rendez-vous. Je surveillai l'horloge en sirotant un café froid et appelai son cabinet dès que la grande aiguille fut sur le neuf.

— Salut, dit-elle. Je suis occupée, mais je te rappelle dès que je peux.

— Une urgence ?

— On peut dire ça, oui.

— Aucun nuage entre nous ?

Un silence.

— Bien sûr que non.


Elle ne me rappela qu'à sept heures et demie.

— Tu as pu régler ton urgence ?

— Ce matin, en arrivant au travail, Beth Scoggins s'est enfermée dans une cabine d'essayage. Personne ne s'en est aperçu avant un certain temps. Quand on l'a enfin retrouvée, elle était recroquevillée par terre et suçait son pouce. Elle avait fait pipi dans sa culotte et restait muette. Sa patronne a appelé les Urgences et on l'a emmenée en ambulance à l'hôpital universitaire. On lui a fait des tests, notamment pour la drogue, et un interne en psychiatrie s'est fait la main sur elle. Elle a fini par leur dire que je la suivais et le psychiatre de service m'a prévenue. J'étais en ligne avec lui quand tu m'as appelée. J'ai annulé tous mes rendez-vous de l'après-midi pour aller la voir et je rentre à l'instant au cabinet.

— Comment va-t-elle ?

— Toujours en phase de régression, mais elle commence à se livrer. Elle m'a confié certains détails dont elle ne m'avait jamais parlé avant.

— Au sujet de Daney, ou bien...

— Je ne peux pas en discuter avec toi, Alex.

— D'accord, dis-je. Allison, si je suis d'une quelconque maniè...

— De toute évidence, elle avait enterré toute une série de problèmes... et le volcan a fini par exploser. Je suis sans doute restée trop en retrait, j'aurais dû la forcer davantage à s'ouvrir.

Cherish Daney m'avait sorti quasiment la même chose au sujet de Rand.

Ça n'avait rien à voir. Allison était une professionnelle. Alors que Cherish bricolait avec les moyens du bord.

*Dépassée par la situation...*

Quoique...

J'avais la tête pleine de « et si... ».

— Je suis sûr que tu as réglé ça de façon optimale, dis-je.

Une phrase qui sonnait creux.

— Peu importe. Écoute, il faut que je rappelle les patients dont j'ai annulé les rendez-vous pour leur en fixer de nouveaux, mon emploi du temps va être bouleversé, je vais devoir faire des heures supplémentaires et, ensuite, je dois repasser à l'hôpital. Ça va être difficile de... de se voir avant un certain temps. Que Milo ne s'imagine pas une seconde qu'il pourra interroger cette jeune femme.

— Le problème n'est pas là.

— Je connais l'enjeu, Alex, mais cette fois on n'est pas dans le même camp. C'est comme ça.


Trois heures plus tard, elle se présentait à ma porte, ses clés de voiture à la main. Ses cheveux, noirs comme la nuit derrière elle, étaient attachés avec une négligence tout à fait inhabituelle. Un de ses bas était filé du genou au mollet, le vernis d'un de ses ongles était abîmé et son rouge à lèvres avait passé. Un badge avec photo était accroché au revers de son tailleur en coton. « Accès temporaire, Service Psychiatrique. » Ses yeux, profondément enchâssés, semblaient prisonniers de leurs orbites cernées de fatigue.

— Je ne voulais pas me montrer distante, dit-elle. Même si cette histoire de duplicité me dérange toujours... et même beaucoup.

— Tu as dîné ?

— Je n'ai pas faim.

— Entre.

Elle fit non de la tête.

— Je suis trop fatiguée, Alex. Je tenais juste à te dire ça.

— Tu peux quand même entrer.

Un tremblement lui parcourut le menton.

– Je suis vraiment épuisée, Alex. Je ne serai pas de bonne compagnie.

Je lui touchai l'épaule. Elle entra en me contournant comme un obstacle. Je la suivis dans la cuisine, où elle jeta ses clés et son sac sur la table, s'assit et fixa l'évier des yeux.

Elle refusa que je lui prépare à manger, mais accepta une tasse de thé. Je lui apportai un mug et des toasts.

– Tu es têtu, dit-elle.

– On me l'a déjà dit.

Je m'assis en face d'elle.

– C'est ridicule, Alex. J'ai déjà eu des patients en pire état. Bien pire. Je crois que ça tient à cette patiente... j'ai peut-être mal géré le contre-transfert... et aussi au fait que tu sois impliqué.

Elle porta la tasse à ses lèvres.

– Quand on s'est rencontrés, poursuivit-elle, je... je trouvais ce que tu fais très excitant. Les histoires de police, jouer les héros. Enfin un collègue qui agissait concrètement au lieu de passer ses journées assis dans son cabinet. Je ne t'en ai jamais parlé, mais moi aussi j'ai souvent rêvé d'héroïsme. Sans doute à cause de ce qui m'est arrivé. Avec toi, je vis cela un peu par procuration. En plus, t'es un mec très sexy, c'est évident. J'étais obligée de craquer.

Quand elle parlait de ce qui lui « était arrivé », elle faisait référence à une agression sexuelle à dix-huit ans. Quelques années plus tard, elle avait aussi échappé de justesse à une bande qui voulait la détrousser et la violer.

Elle jeta un coup d'œil à son sac et je compris qu'elle pensait à son petit pistolet argenté.

– Je trouve toujours ce que tu fais très excitant, mais ce qui vient de se passer est un réveil brutal. Je me dis que certains aspects de ton travail ne sont pas sains.

– Comme la duplicité.

Ou retenir une femme par les chevilles pour qu'un policier puisse la saucissonner.

Son regard s'enflamma.

– Tu lui as carrément menti, Alex. Une fille que tu ne connaissais même pas, sans te soucier des répercussions. Je me doute que, la plupart du temps, ça ne prête pas à conséquence, un petit mensonge au service de la police, ça ne fait de tort à personne. Mais cette fois... peut-être qu'à long terme elle va en tirer profit. En attendant... (Elle posa le mug.) Je n'arrête pas de me dire qu'elle était manifestement à deux doigts de craquer, que ça serait arrivé de toute manière. C'est peut-être mon ego qui est blessé. J'ai été prise au dépourvu.

Je lui caressai la main. Elle ne réagit pas.

– Milo a tout à fait le droit de recourir à la duplicité, poursuivit-elle, je sais à quel genre d'individu sont confrontés les flics. Mais toi et moi on a passé le même examen et on est tenus par un code de déontologie... (Elle retira sa main.) Tu y as réfléchi ?

– Bien sûr.

– Et alors ?

– Je ne suis pas sûr que ma réponse te plaise.

– Vas-y.

– Les règles s'appliquent quand je vois un patient dans un cadre thérapeutique. Quand je travaille avec Milo, les règles sont différentes.

– C'est-à-dire ?

– Il n'est pas question de blesser quiconque intentionnellement, mais je ne me sens plus tenu par le secret médical.

– Ni par la sincérité.

Je ne répondis pas. Inutile de mentionner l'homme que j'avais tué plusieurs années auparavant. L'autodéfense ne faisait aucun doute Il m'arrivait de revoir son visage dans mes rêves. Parfois j'imaginais aussi le visage des enfants qu'il n'aurait jamais.

– Mon but n'est pas de t'agresser, dit-elle.

– Je ne me sens pas agressé. C'est une discussion raisonnable. On aurait sans doute dû l'avoir plus tôt.

– Peut-être. En gros, tu compartimentes. Ça ne te pèse pas trop ?

– Je me fais une raison.

– Parce que certains méchants finissent par avoir ce qu'ils méritent.

– Ça aide.

Je devais prendre sur moi pour ne pas hausser le ton. Avoir des paroles raisonnables alors que je me sentais bel et bien agressé. Je pensais aux six cadavres, peut-être sept, et à l'absence de solution évidente. À Cherish Daney que je n'arrivais pas à évacuer de mon esprit.

– La duplicité joue-t-elle un grand rôle dans ce que tu fais ? me demanda Allison.

– Non. Mais ça arrive. Je sais faire la part des choses quand il faut, sans pour autant devenir désinvolte. Je suis désolé pour Beth, mais je n'ai pas l'intention de m'excuser. Mon seul mensonge a été de dire que je faisais une recherche sur les familles d'accueil en général. Je ne pense pas que ce soit la cause de sa crise dépressive.

– Il a suffi d'aborder le sujet en général pour provoquer la crise, Alex. C'est une jeune fille extrêmement vulnérable qui n'aurait jamais dû être impliquée dans une enquête policière.

– Je n'avais aucun moyen de le savoir.

– Justement. C'est pour ça qu'on nous enseigne à être prudents, à prendre notre temps et à bien peser les choses. Pour ne pas faire du mal.

– Un témoin est souvent quelqu'un de vulnérable.

Long silence.

– Comme ça, tu es satisfait de la situation ? finit-elle par dire.

– Aurais-je pris contact directement avec Beth si j'avais su qu'elle risquait de craquer ? Bien sûr que non. Aurais-je adopté une autre approche, comme de passer par toi ? Bien sûr que oui. Parce que l'enjeu est énorme, encore plus que je ne te l'ai dit, et Beth pouvait nous fournir des renseignements cruciaux.

– Quel enjeu ?

Je fis non de la tête.

– Pourquoi tu ne veux pas m'en parler ?

– Tu n'as pas besoin d'être au courant.

– Tu dis ça pour te venger parce que tu es fâché.

– Pas du tout. Je veux simplement t'épargner ces horreurs. *Comme Robin avant toi.*

– Parce que je n'ai aucune chance de comprendre. *Je pensais que tu comprenais. C'est trop ignoble.*

– Il n'y a aucune raison de te mêler à tout ça, Allison.

– C'est déjà fait.

– En tant que thérapeute.

– Comme ça, tu me demandes de débarrasser le plancher, de me contenter de mon rôle de psychologue et de ne pas me mêler de tes affaires ?

*Ça simplifierait les choses.*

– J'ai rarement bossé sur un dossier aussi sordide, Alli. Tu passes déjà tes journées à t'imprégner des atrocités des autres. Pourquoi te polluer l'âme davantage ?

– Et ton âme à toi ?

– Elle est ce qu'elle est.

– Ne me fais pas croire que ça ne t'atteint pas. *Les enfants qu'on n'aura jamais...*

Je gardai le silence.

– Toi, tu serais capable d'encaisser, mais pas moi ? dit-elle.

– Je ne te pose pas de questions sur tes patients.

– C'est différent.

– Moins que tu ne le penses.

– Parfait, dit-elle. Ça fait donc un sujet tabou de plus dans notre couple. Qu'est-ce qui nous rapproche ? Le sexe débridé ?

– Et la grande cuisine, dis-je en indiquant le toast.

Elle eut un sourire forcé. Se leva, emporta son mug à l'évier, le vida et le lava.

– Il faut que je file.

– Reste, dis-je.

– Pourquoi ?

Je m'approchai dans son dos et lui enlaçai la taille. Je sentis ses abdominaux se crisper. Elle retira mes mains, se retourna et me regarda droit dans les yeux.

– Je viens sans doute de mettre de l'eau dans le gaz. Je vais peut-être me réveiller demain matin en me disant que je suis une idiote de première, mais là, maintenant, je sens l'indignation qui bouillonne dans mon ventre.

– L'enjeu, c'est six meurtres, dis-je. Peut-être sept. Si on compte la fille qui a succédé à Beth comme assistante de Daney. Elle semble avoir disparu et ne figure pas sur la liste des enfants placés.

Elle se dégagea de mes bras, s'appuya au comptoir et regarda par la fenêtre de la cuisine.

– Plus une fillette, continuai-je. Deux adolescents, trois femmes, un jeune débile léger. Et pour l'instant, on est incapable de prouver quoi que ce soit.

Elle pencha la tête vers l'évier, saisie d'un haut-le-cœur, et vomit. J'essayai de la soutenir, toute frissonnante.

– Pardon, murmura-t-elle en me repoussant.

Elle s'aspergea le visage et s'essuya sur sa manche. Prit son sac, ses clés et sortit de la cuisine.

Je la rattrapai alors qu'elle ouvrait la porte d'entrée.

– Tu es épuisée. Reste. Je vais dormir sur le canapé.

Elle avait les lèvres sèches et de petites taches rouges sur le menton – des pétéchies, suite au vomissement.

– Ta proposition est gentille. Tu es gentil.

– J'aimerais être un type bien.

Elle fronça les sourcils.

– J'ai besoin d'être seule.

# 40

Je retournai dans la cuisine et grignotai un toast en réfléchissant à ce qui venait de se passer.

Il n'était pas exclu que je m'en veuille moi aussi à mon réveil le lendemain matin. À condition que j'arrive à fermer l'œil. Pour l'instant, j'étais content de me retrouver seul avec les hypothèses qui se bousculaient dans ma tête.

Il était onze heures et quart. Milo ne dormait sans doute pas. Et tant pis s'il s'était assoupi.

— Il est quelle heure ? demanda-t-il d'une voix éraillée.

— Cherish Daney m'a raconté qu'elle avait essayé d'amener Rand à s'ouvrir et qu'elle regrettait de ne pas avoir vraiment réussi. Pour son bien à lui. Mais on pourrait imaginer qu'elle avait un autre mobile : et si elle avait découvert les agissements de Drew ? Et si elle avait incité Rand à le dénoncer pour son rôle dans le meurtre de Kristal ?

Il eut une espèce de toussotement à la limite de l'aboiement et s'éclaircit la gorge.

— Bonsoir à toi aussi. D'où sors-tu ça ?

— Tu soutiens depuis le début que Cherish devait être au courant. Peut-être qu'elle avait effectivement des soupçons qu'elle a pu refouler jusqu'au jour où elle est tombée sur quelque chose d'imparable.

— Du genre ?

— Des trophées. Avec son obsession de tout maîtriser, Drew pourrait très bien en conserver. Il trouve très excitant de tromper Cherish, une cache secrète l'amuserait follement. Mais l'arrogance provoque des négligences. Il a peut-être laissé traîner quelque chose par mégarde et elle est tombée dessus. Ou bien elle a fini par avoir la puce à l'oreille avec tous ces déplacements en compagnie de ses assistantes, alors elle s'est mise à fouiller la maison. À moins d'être un monstre elle aussi, elle serait horrifiée en découvrant la preuve formelle de ses crimes. Et sur un plan purement égoïste, il y aurait de quoi paniquer : si jamais la vérité éclatait, on la soupçonnerait forcément d'être sa complice. Une solution pour s'en tirer serait de le livrer elle-même et de sauver ce qui peut l'être. Convaincre Rand de témoigner du rôle de Drew dans le meurtre de Kristal serait un pas énorme dans cette direction.

— Daney viole et assassine pendant des années sans que madame s'aperçoive de rien jusqu'à aujourd'hui ?

— Mis à part le fait d'accueillir plus d'enfants que la loi ne l'autorise, on n'a aucune raison de la soupçonner de quoi que ce soit. Beth Scoggins nous dit qu'elle passait ses journées à faire la cuisine, le ménage et l'école. À mon avis, elle s'occupait pour éviter de réfléchir.

— Sans compter les sept mille dollars mensuels.

— Drew le fait pour l'argent, dis-je. Peut-être qu'elle aussi. Mais elle conduit un vrai tas de ferraille et s'habille simplement. Et puis, tu as vu comment elle s'est s'occupée de Valerie. Elle est restée patiente, malgré sa mauvaise volonté.

— La *Frau* dévouée de la maisonnée. Pendant ce temps-là, Drew fait joujou avec son sperme... j'ai du mal à me convaincre qu'elle est tout à fait innocente, mais admettons. Pour les besoins de la discussion. Elle veut pousser Rand à dénoncer Drew, joue la thérapeute avec lui, et après ?

— Elle échoue. Le plus souvent, un thérapeute amateur commet l'erreur d'aller trop vite et de trop en dire. En plus, Cherish étant d'une nature angoissée, elle a pu le brusquer. Pour lui faire comprendre que Drew avait chargé Troy de tuer Kristal. Que cela ait été ou non le cas.

– Elle a voulu lui mettre cette idée dans la tête ?

– Tout a commencé quand elle lui rendait visite en prison. Quelques allusions, en espérant que ça ferait tilt dans l'esprit de Rand. Un garçon influençable, avec une personnalité soumise... Peut-être qu'un détail lui est revenu, comme d'avoir aperçu Drew et Troy peu de temps avant le meurtre, ou une remarque de Troy. Ou alors il a cru s'en souvenir... Parce que, pour lui, c'était inespéré d'apprendre qu'un adulte avait tout manigancé. Pour atténuer sa propre culpabilité.

– « Je suis pas un méchant. »

– « Je suis pas un méchant parce que c'est Daney qui a tout organisé avec Troy comme homme de main, alors que moi, je me suis seulement trouvé au mauvais endroit au mauvais moment. » Il se pourrait même que ce soit Cherish qui lui ait présenté les choses sous cet angle.

– S'il y a cru, pourquoi n'a-t-il rien dit ?

– Huit ans de prison lui ont appris à se méfier... à force de se faire tabasser, de prendre des coups de couteau et de ne pouvoir compter que sur soi... Néanmoins, l'idée plantée par Cherish a pris racine. C'était terrifiant : il allait vivre sous le même toit que le monstre qui avait fichu sa vie en l'air. Ce qui explique son angoisse quand on l'a remis aux Daney.

– Dans ce cas, pourquoi aller chez eux ?

– Il n'avait pas de solution de rechange. Pas de famille, pas d'argent, pas de repères en dehors de la prison. En plus, il ne pouvait pas risquer d'éveiller les soupçons de Drew en modifiant ses plans au dernier moment. Mais je suis prêt à parier qu'il comptait partir au plus vite. Dès que quelqu'un aurait accepté de l'écouter.

– Toi.

– L'empressement de Cherish n'était sans doute pas fait pour le rassurer. Et Lauritz Montez ne s'était pas trop foulé pour le défendre. Quant à la police et au district attorney, il ne devait pas en garder un bon souvenir. Il ne lui restait que moi.

– Monsieur fait le modeste ! Il raconte donc des salades aux Daney, sort faire un tour, se débrouille pour franchir la colline et t'appelle de Westwood.

– Je doute qu'il ait franchi la colline tout seul. Il avait du mal à masquer son angoisse et Drew a dû flairer quelque chose. Il était absent au moment où Rand est sorti. Soit il l'épiait quelque part dans les parages, soit il a appelé et Cherish lui a expliqué que Rand était parti au chantier. Ce qui a renforcé ses soupçons, parce qu'il savait que le chantier était fermé le samedi, sauf pour l'équipe de nettoyage. Il est parti à sa recherche, l'a retrouvé et lui a proposé de monter.

– Pour aller faire un tour en ville ? Quel intérêt ?

– Pour apaiser les craintes de Rand, répondis-je. Rand se trimballe, un peu perdu, à la recherche d'une cabine, ou juste pour s'éclaircir les idées. Daney passe, tout sourires, lui propose de monter et d'aller manger un morceau. Pris de court, Rand se sent obligé d'accepter pour ne pas montrer sa nervosité. Daney se rend de l'autre côté de la colline en bavardant l'air de rien, ce qui achève de désarmer Rand. Il le dépose devant l'entrée du Westside Pavilion, lui donne un peu d'argent de poche, lui dit de bien s'amuser et propose de passer le chercher plus tard. Personne ne se souvient d'avoir vu Rand dans le centre commercial, il n'y est peut-être jamais entré. C'était un gamin effacé et perdu, qui avait grandi derrière les barreaux. Il devait avoir l'impression d'atterrir sur Mars.

– Pourquoi Daney se donnerait-il tout ce mal ? Moi, à sa place, je l'emmène dans un coin tranquille et je me débarrasse de lui sans attendre.

– Malgré ses soupçons, Daney espérait trouver une autre solution que l'assassinat. Un nouveau décès lié à Kristal risquait de provoquer une réaction en chaîne qu'il ne contrôlerait pas. Ce qui est d'ailleurs arrivé. Après avoir déposé Rand, il reste pour le surveiller. Il le voit s'éloigner du centre commercial. Se diriger vers la cabine. Rand était très agité quand il m'a appelé. Ses gestes et son attitude devaient en dire long. Dès que Rand est ressorti de la cabine, Drew a fondu sur sa proie.

– Il le fait monter une deuxième fois, dit Milo. Cette fois, forcément sous la menace d'une arme. Rand ne serait pas monté de son plein gré.

– N'oublions pas que Drew est quelqu'un de retors. Je le vois bien concocter une fable... Cherish est tombée malade, il faut rentrer de toute urgence. Rand a peut-être pensé que je donnerais l'alarme en ne le trouvant pas au rendez-vous devant la pizzeria. Auquel cas il m'a surestimé.

– OK, dit-il. D'une manière ou d'une autre, Rand monte à nouveau dans la Jeep et Drew l'emmène dans un coin isolé... compte tenu de l'endroit où il a balancé le cadavre, ça pourrait être dans les hauteurs de Bel Air. Comme il ne connaît pas la ville, Rand ne se rend pas compte du détour. Drew repère un endroit et s'arrête. Et après ?

– Rand était grand et costaud, Drew a dû rester amical pour ne pas avoir à se battre. Il commence par baisser le carreau de Rand. Il affiche un air calme et paternel, avec même une touche de spirituel. Rand regarde probablement droit devant lui, il a peur et il ne sait plus quoi penser, mais il s'efforce de rester calme. Et Drew lui braque l'arme sur la tempe. Appuie sur la détente. Ensuite, il prend son temps pour nettoyer la Jeep et retrouver la douille. Puis il rejoint Sunset Boulevard à la nuit tombée, s'engage sur la bretelle d'accès, s'assure que personne ne l'observe et balance le cadavre. Le lendemain, il a dû faire la Jeep à fond. Mais il pourrait rester des traces... du sang, de la poudre, des fragments d'os.

– J'aime bien ton histoire, Alex. C'est bien fichu, ça se tient parfaitement. Mais ce n'est pas une belle intrigue qui permet d'obtenir un mandat.

– Tu as déjà de quoi justifier un mandat, lui objectai-je. Les détournements de mineures. Préviens la Brigade des mineurs, demande qu'on fouille la baraque, et la Jeep tant qu'on y est.

– Pour en arriver là, j'ai besoin d'une preuve par l'ADN de ce que Drew a fait à Valerie. Ou bien qu'une autre fille porte plainte.

– Tu l'as aperçu en compagnie de Valerie à la clinique.

– Je l'ai simplement vu attendre dans sa voiture et passer la prendre. Ça suggère, mais ça ne prouve rien. Des progrès du côté de Beth Scoggins ?

– Non.

— Point final ?

— Point final.

— Allison n'en démord pas ?

— Inutile d'entrer dans les détails. Point final.

Silence.

— Tu as d'autres idées ? me demanda-t-il.

— Prendre Cherish à part et lui parler. Sans évoquer les meurtres d'emblée, tu lui dis que tu es au courant pour l'IVG de Valerie et que tu soupçonnes Drew d'être le père. Elle sera peut-être disposée à te faire part de ses doutes sur les abus sexuels, voire carrément le meurtre de Kristal.

— Si elle est vraiment décidée à se disculper, pourquoi ne s'est-elle pas manifestée après le meurtre de Rand ?

— Comme Rand, elle vit sous le même toit que Drew. Elle a peut-être peur de ne pas avoir les preuves suffisantes pour le faire condamner.

— Ça se défend, reconnut-il. Mais on oublie un détail : Cherish et Malley. Pourquoi ne s'est-elle pas confiée à son amant ? Sinon, pourquoi Malley a-t-il refusé de coopérer avec moi ? Il y a un truc qui cloche, Alex. J'hésite toujours à mettre Barnett et Cherish sur la liste des gentils.

— Mais on sait très bien sur quelle liste Drew figure, lui qui vit avec huit jeunes filles mineures. Sans compter Miranda.

— J'ai bien conscience de l'urgence.

— Je ne sous-entendais pas le contraire.

— Laissons passer la nuit. Même si je doute qu'elle nous porte conseil. Demain à la première heure, je chargerai Binchy de surveiller le domicile des Daney. Ce qui ne va pas être une mince affaire avec le peu de circulation dans Galton Street. Si Cherish sort la première, Sean la prendra en filature et je le remplacerai. Si c'est Drew, Sean se chargera de lui et je rendrai visite à Cherish.

— Dans un cas comme dans l'autre, tiens-moi au courant.

— Il se pourrait fort que tu sois de la partie.

# 41

La sonnette et quelques coups musclés sur la porte me réveillèrent à sept heures. Mon cerveau embrumé comprit tout de suite de quoi il retournait : Allison passait se réconcilier avant d'aller au travail.

Je dégringolai du lit, me traînai en caleçon jusqu'à la porte et ouvrit, un sourire accueillant aux lèvres.

C'était Milo. Blazer vert défraîchi, velours côtelé gris, chemise jaune, cravate marron. Dans une main il tenait une boîte de Daffy Donuts, dans l'autre deux grands gobelets de café du même établissement. Il me dévisagea en plissant les yeux, comme si j'étais d'une espèce rare et peu ragoûtante.

– On se venge ? dis-je.

– De quoi ?

– De t'avoir réveillé hier soir.

– Ah, ça… euh, non. Je m'étais juste assoupi dans mon fauteuil. Jusqu'à trois heures j'ai envisagé les divers scénarios.

Il passa devant moi. Je l'abandonnai dans la cuisine pour aller mettre un peignoir. Quand je revins, la boîte était ouverte sur la table, dévoilant toutes sortes de cochonneries caloriques et bigarrées. Milo tenait un café dans sa main. Il avait bien entamé une patte-d'ours de la taille d'un chiot.

Je lui fis remarquer qu'il s'était enfilé la même au cours du deuxième rendez-vous avec Drew Daney.

– Ouais, j'étais en verve, dit-il la bouche pleine. Le graillon a du bon. Bois, mon garçon, dit-il en indiquant l'autre gobelet. Histoire de te réveiller.

— Pourquoi es-tu allé chez Daffy plutôt que chez Dipsy ?

— C'est mon fournisseur local. Une boîte indépendante. Je fais ce que je peux pour soutenir la libre entreprise.

Je bus une gorgée, repérai des arômes de cuivre et d'eau de vaisselle, et un vague arrière-goût de café. Résistant à l'envie de tout recracher, je lui demandai :

— Tu as échafaudé de nouveaux scénarios ?

— Non, j'ai décidé de m'en tenir à celui dont tu m'as fait grâce : Cherish joue les psys, va trop vite et fiche la trouille à Rand, et Drew sent le coup venir.

Il engouffra le reste de la patte-d'ours et pinça ses lèvres saupoudrées de sucre.

— Moi qui m'imaginais que c'était seulement pour faire marcher le tiroir-caisse que vous autres thérapeutes preniez votre temps pendant des mois à coups de « hmm » et de « je vois ».

— Et moi qui m'imaginais que certains flics ne sacrifiaient pas leur pancréas au glucose, rétorquai-je en bâillant. On doit filer quelque part ou bien on est là pour reprendre la discussion ?

— On lève le camp dès que Sean appelle.

— À quelle heure ?

— Je lui ai demandé d'entamer la surveillance à sept heures et de me contacter toutes les heures. Finis ton café, fais un brin de toilette et habille-toi.

— Faudra te contenter de deux ordres sur trois, dis-je en abandonnant mon gobelet encore plein.


Je le retrouvai au salon vautré dans le canapé, le portable à l'oreille. Il opinait du chef et secouait la jambe gauche.

— Merci, c'est génial. Vraiment génial. (Il ferma le clapet et se leva.) T'as toujours l'air à moitié endormi.

— Pas toi. Pourquoi tant d'énergie ?

— Il n'est pas impossible que tout se goupille. C'était Sue Kramer, la sainte femme. Elle aussi s'est levée avec les poules, pour remonter des pistes dans d'autres fuseaux horaires. Si j'avais des penchants hétéro, je l'épouserais.

— Elle est mariée.

— On ne va pas chipoter. Mais bon, elle a fait quelques découvertes intéressantes sur nos deux lascars. Allez, on y va. Je te raconte tout ça en route.


Il voulut qu'on prenne ma Seville et j'eus à peine le temps de démarrer qu'il piquait du nez. J'empruntai Beverly Glen pour traverser la Valley, il se mit à ronfler comme un sonneur. À Mulholland, il redressa subitement la tête et se mit à parler comme si l'intermède n'avait pas eu lieu.

— Comme je disais, le cow-boy est né à Alamogordo. À dix ans il déménage à Los Alamos, où son paternel trouve une place de gardien au labo nucléaire après la fermeture du ranch qui l'employait. La famille y passe dix ans. Une sœur aînée, mariée avec des enfants, fonctionnaire à la ville de Cleveland. Après le lycée, Barnett bosse comme routier pendant deux ans, puis il décroche un job à la police de Santa Fe.

— C'est un ex-flic ?

— Il a fait dix-huit mois de patrouille, puis le service et lui se sont séparés d'un commun accord suite à plusieurs plaintes pour voies de fait.

— Pas de plainte à condition qu'il démissionne.

Il acquiesça d'un hochement de tête.

— Après ça, pendant plusieurs années il ne déclare aucun revenu, d'après les recherches de Sue. Il se trimballe de gauche à droite et vit de petits boulots. Il y a dix ans, il vient s'installer en Californie et rejoint le circuit des tournées rodéo. Après son mariage, il se met à l'entretien de piscines. Mis à part un manque de patience avec des suspects à l'âge de vingt et un ans, rien de douteux dans son passé. Il semblerait que tout se résume aux apparences : un solitaire taciturne qui a plus ou moins raté sa vie.

— Daney, c'est une autre histoire.

— Si on a du mal à trouver des renseignements sur lui, c'est qu'il a changé de nom. Il s'appelle Moore Daney Andruson, et s'est rajeuni de cinq ans sur son permis de conduire. Enfance rurale dans l'Arkansas, famille de sept enfants, dont trois au moins ont fait de la prison pour crimes violents. Ses parents étaient des pasteurs itinérants qui faisaient la tournée des bouseux.

– C'est donc vrai qu'il a grandi dans l'Église.

– Plutôt sous la tente avec une bande de fanas du *revival*. Et des serpents. Le père était un de ces types qui manipulent les serpents à sonnette. La transe religieuse est censée protéger contre le venin. Un beau jour, ça n'a pas fonctionné.

– Comment Sue s'y est-elle pris pour découvrir tout ça ?

– Ce type a beau être une ordure, il a changé de nom tout à fait légalement et déclare des revenus plus ou moins régulièrement depuis ses dix-huit ans. Financièrement, Moore D. Andruson a touché le fond il y a une douzaine d'années. Pas mal de factures impayées, deux faillites.

– On se demande pourquoi il se donne la peine de déclarer ses revenus, fis-je remarquer.

– Il n'a pas trop le choix. Au début, il était salarié, avec retenue à la source, cotisations sociales, la totale. Maintenant qu'il facture l'État, il est tenu de fournir certains justificatifs.

– Quel type d'emplois salariés ?

– À ton avis ?

– Travail au contact des jeunes.

– Moniteur de colonie, éducateur, enseignant vacataire, catéchiste, prof de sport. Toujours dans des petites villes. Il s'est fait virer de trois boulots dans trois endroits différents, chaque fois parce qu'on a découvert que son CV était faux. Après ça, il a tenté sa chance en milieu urbain, à Richmond en Virginie, où il conduisait le bus de ramassage scolaire dans une école privée pour jeunes filles de bonne famille.

– Quelle surprise.

– C'est là qu'il a rencontré Cherish. Il avait déjà pris le nom de Drew Daney. Elle était diplômée d'une fac religieuse et enseignait à des gamins handicapés dans une autre école.

– Il n'a pas l'accent du Sud, fis-je remarquer. Un autre aspect de la métamorphose. Ses employeurs se sont donc aperçus qu'il mentait sur ses diplômes après l'avoir embauché. Ce qui veut dire qu'ils ont mené leur enquête parce qu'il y avait un problème.

— Vraisemblablement, mais personne ne s'est montré très loquace. Sue a déjà eu du mal à leur faire admettre qu'ils avaient eu affaire à lui.

— Parce qu'ils ont préféré régler ça à l'amiable. Personne n'a jamais porté plainte ?

— Non. On se contentait de lui donner son congé.

— Pour qu'il aille se trouver une nouvelle victime.

— Rien de nouveau sous le soleil. Il a eu maille à partir avec la police, mais pas de quoi justifier son inscription sur les fichiers, NCIC ou autre. Attentat à la pudeur à Vivian en Louisiane, ramené à une simple contravention pour violation de domicile parce qu'il a accepté de plaider coupable. Quelques chèques en bois à Swick en Virginie, qu'il a réglés pour échapper à la prison. Une agression sexuelle dans le comté de Carrol en Géorgie. Classée sans suite. Le shérif dit qu'il savait qu'Andruson était coupable, mais la victime souffrait de paralysie motrice centrale et était à peine capable de s'exprimer. Son témoignage risquant d'être mis à mal, ils ont préféré lui épargner cette épreuve.

— Morale de l'histoire : toujours s'attaquer aux plus faibles.

— J'ai demandé à Sue de faire des recherches sur la disparue, Miranda. Je lui ai filé le numéro d'Olivia. Les grands esprits vont se rencontrer.

Une musique étouffée se fit entendre dans la poche de sa veste. Un air latino avait remplacé Beethoven. Il s'escrima et parvint à sortir son portable. Le tango se poursuivit pendant qu'il vérifiait qui appelait. Il avait donc changé de sonnerie. Je croyais que c'était un truc de jeunes.

— Sturgis à l'appareil… Ouais, salut… Non, il n'y a pas la place de se garer dans la propriété… J'en suis sûr et certain, Sean. Tu es sûr de n'avoir rien loupé ?… Bon, ça se complique… J'espère que non… Ouais, ouais, tu n'as qu'à vérifier. On devrait arriver d'ici un quart d'heure. Je te rappelle, sauf si tu apprends quelque chose de renversant.

Clic.

— Sean est sur place depuis sept heures moins le quart. Aucun signe de la Jeep de Daney, ni de la Toyota de Cherish. Pareil pour le pick-up noir de Malley. Comme le portail est fermé, il ne sait pas s'il y a quelqu'un à l'intérieur. Il n'entend aucun bruit, mais il est planqué à cent mètres. Je lui ai demandé de relever l'immatriculation des voitures garées autour du pâté de maisons et de lancer une vérification.

— Partis tous les deux, dis-je. Chacun avec sa voiture.

— Ils sont peut-être sortis acheter des doughnuts. Tu pourrais pas accélérer un peu ?

Je franchis le canyon à vive allure, me faufilai du mieux que je pus dans la circulation matinale et nous finîmes par arriver dans Vanowen peu après huit heures. Milo rappela Binchy et lui demanda ce que donnaient les numéros d'immatriculation.

— Non, continue... Non... Non... Attends, répète-moi celui-là, veux-tu... Étonnant. Bon, attends nous sur place. *Muchas gracias*, mon petit.

— Du nouveau ? dis-je.

— Une Cadillac DeVille beige, garée juste en face de la maison. Devine qui paye la vignette ?


À en juger d'après sa mine, le révérend Crandall Wascomb avait vu sa foi soumise à rude épreuve.

Il vint ouvrir le portail, sur lequel Milo tambourinait depuis quelques secondes, et s'écarta, stupéfait.

— Docteur Delaware ?

À la vue du badge de Milo, il laissa retomber ses épaules. Pas d'incrédulité, de soulagement.

— Dieu merci, la police. Cherish vous a aussi appelé ?

— Quand vous a-t-elle appelé, monsieur ? s'enquit Milo.

— Ce matin de bonne heure. Vers six heures.

Ses cheveux blancs flottaient librement sur son front, et il s'était habillé à la va-vite. Gros cardigan gris boutonné de travers, bouchonné au niveau de la poitrine, chemise blanche avec une pointe de col qui rebiquait, cravate marron au nœud mal ajusté. Derrière les lunettes à grosse monture noire, son regard humide semblait perdu.

— Que voulait-elle, révérend ?

– Elle m'a dit qu'elle avait besoin de mon aide immédiatement. Comme M^{me} Wascomb n'est pas en très bonne santé, je
laisse le téléphone dans le vestibule plutôt que dans la chambre,
pour ne pas la déranger. La sonnerie m'a réveillé, mais à cette
heure-là j'ai pensé que c'était un faux numéro et je ne me suis
pas levé. On a rappelé et cette fois j'ai répondu. C'était Cherish
qui s'excusait de me déranger. Elle m'a dit qu'elle avait un problème et m'a imploré de venir chez elle au plus vite. J'ai essayé
d'en savoir plus, mais elle m'a dit que le temps pressait, que je
devais la croire sur parole, qu'elle s'était toujours montrée digne
de ma confiance... (Il cligna des yeux.) Ce qui est vrai.

– Elle vous a paru désemparée ? lui demandai-je.

– Non. Plutôt... tendue. Mais d'une façon positive. Comme
si elle se montrait à la hauteur d'un défi qui se présentait. Je me
suis dit qu'un des enfants, ou bien Drew, était peut-être tombé
malade. Je lui ai encore demandé de m'expliquer quel était le
problème, et elle m'a répondu qu'elle me le dirait de vive voix.
Si j'acceptais de venir. J'ai dit oui et je me suis habillé.
M^{me} Wascomb s'est réveillée, je lui ai dit que je faisais une
insomnie et qu'elle pouvait se rendormir. J'ai demandé à la
femme de ménage de veiller sur elle, j'ai mis une tenue présen-
table et je suis venu. (Plissant les yeux, il porta son regard de
Milo vers moi.) En arrivant, j'ai trouvé le portail ouvert mais la
maison déserte. Comme la porte d'entrée n'était pas fermée à
clé, j'ai pensé que Cherish m'attendait à l'intérieur. Il n'y avait
personne. J'ai jeté un coup d'œil et je suis ressorti. J'étais de plus
en plus inquiet. Et puis une jeune fille est sortie là-bas.

Il indiqua les deux bâtiments annexes d'un signe de tête. Le
garage converti, peint en bleu pâle comme la maison. À côté,
l'espèce de cube de béton.

La porte du cube était entrebâillée.

– J'ai laissé ouvert pour que ces pauvres filles puissent respirer,
expliqua Wascomb. Il n'y a qu'une seule fenêtre, verrouillée.
Deux autres jeunes filles se trouvaient dans le bâtiment bleu,
mais j'ai préféré réunir tout le monde au même endroit en attendant les secours.

– Vous avez alerté quelqu'un ? demanda Milo.

— Je me demandais qui appeler quand vous êtes arrivés. Il n'y a rien de grave, mis à part l'absence de Drew et de Cherish. (Nouveau coup d'œil en direction du cube.) Elles n'ont pas l'air au courant, mais Cherish préférait peut-être ne pas les alarmer.

— Vous parlez des enfants.

— Tout à fait. Les ouailles.

— Les ouailles ?

— C'est comme ça que Cherish les appelle dans ses instructions.

— Quelles instructions ?

— Mon Dieu, soupira Wascomb. Je ne sais plus où j'ai la tête. Cette histoire est vraiment...

Il sortit deux feuilles pliées en deux de la poche de son cardigan.

Milo les déplia, lut et retroussa la lèvre inférieure.

— Où avez-vous trouvé ça, monsieur ?

— En faisant le tour de la maison, j'ai glissé la tête dans la chambre et j'ai aperçu ça sur le bureau... (Il s'humecta les lèvres.) J'ai eu le regard attiré parce que c'était posé pile au centre, sur un buvard. Comme si elle voulait être sûre que je les verrais.

— Les feuilles étaient pliées ?

— Non, posées à plat. J'ai vraiment eu l'impression qu'elle les avait laissées à mon intention.

— Autre chose sur le bureau ?

— Des crayons, des stylos. Et un coffre-fort. Comme dans les banques. Je n'y ai pas touché, bien entendu.

Milo me tendit les feuilles. Deux pages d'une belle écriture ronde, penchée vers la droite.

*LES OUAILLES — INSTRUCTIONS POUR LE QUOTIDIEN*

*1. Patricia : allergique aux produits laitiers (lait de soja dans le frigo). A besoin de soutien en lecture et en écriture.*

*2. Gloria : Ritaline (10 mg avant le petit déjeuner, 10 mg avant le dîner), problèmes d'estime de soi, rattrape bien son retard scolaire, a besoin d'être beaucoup encouragée.*

*3. Ambre : Ritaline (15 mg avant le petit déjeuner, 10 mg avant le dîner), Allegra 180 mg quand elle a le rhume des foins, allergique à la pénicilline et aux fruits de mer, n'aime pas la viande, mais il faut la pousser à manger du poulet. Maths, lecture, écriture...*

– On dirait qu'elle compte être absente un certain temps, fit remarquer Milo.

– Cherish était une étudiante très organisée, dit Wascomb. S'il s'avère qu'elle est vraiment partie, je suis sûr qu'elle avait de bonnes raisons de le faire.

– Par exemple ?

– Je ne saurais vous dire, lieutenant. Mais j'ai le plus grand respect pour elle.

– Contrairement à Drew ?

Wascomb contracta la mâchoire.

– Le docteur vous a certainement fait part des ennuis que nous avons eus avec lui.

– Il a disparu lui aussi, dit Milo.

– Ils sont mari et femme.

– Vous pensez qu'ils sont partis ensemble ?

– Je ne sais plus quoi penser, monsieur.

– Quand Cherish vous a appelé, révérend, elle ne vous a pas dit qu'elle comptait s'absenter ?

– Non... Lieutenant, c'est bien ça ? Elle ne m'a rien dit de ce genre. Je m'attendais à la trouver ici. Si ce n'est pas Cherish qui vous a téléphoné, puis-je vous demander pourquoi vous êtes venus ?

– Toujours au service de la veuve et l'orphelin, révérend.

– Je vois. Avez-vous encore besoin de moi ? Je peux vous assurer que Fulton apportera son soutien aux jeunes filles, pour ce qui est du court terme. Cela dit...

– Vous pourriez rester un peu plus longtemps ? dit Milo. Pour me montrer le coffre...

– Il est posé directement sur le bureau, lieutenant. Je dois retourner auprès de M^me Wascomb.

Milo lui posa la main sur la manche.

– Je ne vous retiendrai pas longtemps, révérend.

Wascomb se recoiffa d'un geste de la main, sans grand effet.

– D'accord.

– C'est très aimable à vous, monsieur. Bien. Allons nous occuper des « ouailles ».

À l'intérieur, le cube mesurait quinze mètres carrés, avec un sol de ciment rouge et des murs en parpaings d'un beige rosâtre. Six lits superposés étaient disposés contre les murs latéraux, quatre à gauche et deux à droite. Une cabine en fibres de verre blanche occupait l'angle au fond à droite. L'inscription « Toilettes » figurait sur la porte, ainsi que des fleurs autocollantes.

On avait trouvé la place de mettre six casiers métalliques cabossés, trois au sol et trois par-dessus. Sur l'un était collé un autocollant « Surplus des écoles publiques de Los Angeles », et sur un autre « Faites un geste de bonté spontané ».

Une seule fenêtre, dans le mur du fond, avec moustiquaire et verrouillée. Tout juste assez grande pour laisser passer une bande de lumière diffuse et poussiéreuse. Les rideaux à motifs d'animaux étaient ouverts. On avait vue sur le mur à l'arrière de la propriété et le toit goudronné du garage d'un voisin.

Sous la fenêtre, une commode mastoc à six tiroirs. Dessus, des tubes, des pots et des flacons de maquillage, ainsi que des peluches. Et des bibles empilées sur le côté.

Huit filles étaient assises sur les trois lits du bas, vêtues de pyjamas aux tons pastel et d'épaisses chaussettes blanches.

Les huit paires d'yeux nous dévisagèrent. Assez peu d'écart en âge ; je leur donnais entre quinze et dix-sept ans. Six Hispaniques, une Noire, une Blanche.

Ça empestait les hormones, le chewing-gum et la crème hydratante.

Je reconnus Valerie Quezada, au fond à gauche. Elle gigotait, agitait les épaules, jouait avec les mèches de ses longs cheveux ondulés. Deux autres filles gambillaient nerveusement. Le reste patientait calmement.

– Bonjour, mesdemoiselles, leur dit Crandall Wascomb. Ces messieurs sont de la police et ils sont très gentils. Monsieur est lieutenant, il est là pour vous aider. Ils sont là tous les deux pour vous aider…

Il nous regarda d'un air désemparé et se tut.

— Salut, dit Milo.

— Vous êtes déjà venus, dit Valerie en nous montrant du doigt.

D'un discret hochement de tête, Milo me fit signe de répondre.

— Tout à fait, Valerie, dis-je.

— Vous connaissez mon nom !

Ton accusateur. Quelques gloussements parmi les filles.

- Où est Cherish, Valerie ? lui demandai-je.

— Elle est partie.

— Quand ça ?

— Il faisait nuit.

— Vers quelle heure ?

Son regard me fit comprendre que la question était absurde. Aucun réveil dans la pièce, ni radio ni télé. La lumière filtrée par le petit carreau était l'unique indicateur temporel.

L'endroit était propre — très bien entretenu, on avait récemment balayé le sol en béton. Les six lits étaient identiques : deux petits oreillers blancs, drap blanc rabattu par-dessus une couverture rose.

Bordés comme à l'armée.

J'imaginais mal Wascomb leur ordonnant de faire leur lit. Non, c'était forcément une routine quotidienne.

— Personne ne sait vers quelle heure est partie Cherish ? demandai-je.

Deux d'entre elles firent non de la tête. Tout le monde avait les cheveux propres et bien coiffés. Elles avaient l'air bien nourries. Avaient-elles souvent l'occasion de sortir de la propriété ? De cette pièce ? Prenaient-elles les repas dans la maison ? Avaient-elles droit à quelques sorties dans le cadre de l'école à domicile ? Ç'aurait pu expliquer qu'on ne m'ait pas répondu quand j'avais appelé quelques jours auparavant. À moins que…

Avait-on une perception tronquée de la réalité à force de vivre dans un espace aussi confiné et stérile ?

– Personne n'a une idée, comme ça au hasard ? insistai-je.

– Elles savent rien, dit Valerie. C'est moi que je l'ai vue partir. Que moi.

Je m'approchai d'elle. Quelques filles pouffèrent.

– Tu lui as parlé, Valerie ?

Silence.

– Elle ne t'a rien dit ?

À contrecœur, elle fit si de la tête.

– Qu'est-ce qu'elle t'a dit ?

– Qu'elle devait partir, mais que quelqu'un allait s'occuper de nous.

Une des filles fila un coup de coude à sa voisine.

– T'as un problème ? lui lança Valerie.

– J'ai pas de problème, rétorqua l'autre d'une petite voix.

– Ça vaut mieux.

– Voyons, Mesdemoiselles, les sermonna Wascomb. Restons calmes.

– Et M. Daney ? s'enquit Milo. Quand est-il parti ?

– Drew est parti avant, répondit Valerie.

– Avant Cherish ?

– Hier. Elle l'a disputé.

– Cherish ?

– Ouais.

– Pourquoi s'est-elle fâchée ?

Haussement d'épaules.

– Comment as-tu su qu'elle était fâchée ? lui demandai-je.

– Son visage.

Valerie regarda les autres, pour qu'elles confirment la chose. Indiqua une fille à lunettes, aux cheveux raides et fins. Celle-ci émit de vagues piaillements en se passant la langue sur les dents. Le regard furieux de Valerie ne l'intimida pas. J'eus plus de succès avec mon sourire.

– Cherish était fâchée contre Drew, dis-je.

Valerie tapa du pied.

– Trish ? dit-elle en montrant une autre fille.

Mignonne, longues jambes, coupe à la garçonne, visage délicat mais abîmé par l'acné.

« Trish », le diminutif de Patricia. *Allergique aux produits laitiers... Soutien pour la lecture et l'écriture...*

Elle garda le silence.

— Ça se voit sur son visage quand elle est en colère, répéta Valerie. Dis-lui.

Trish lui sourit, le regard rêveur. Pyjama bleu ciel, gansé de blanc.

— Dis-lui ! s'entêta Valerie. Sa figure !

— Elle est jamais en pétard contre moi, dit Trish avec un bâillement.

— Juste contre Drew, dis-je.

— Il est pas rentré hier soir, dit une autre fille. C'est ça qu'a dû la fâcher.

— Elle n'est pas contente quand il ne rentre pas ?

— Ouais.

— Ça arrive souvent ?

Moue.

Valerie s'enroula une longue mèche noire sur un doigt. La regarda se dérouler et retomber en dessous de sa taille.

— Une fois par semaine ? demandai-je en me tournant de nouveau vers elle. Plus ou moins ?

Elle fixa le matelas quelques centimètres au-dessus de sa tête. Se balança, tapota des doigts et tapa du pied en rythme.

— Valerie ?

— C'est l'heure de la douche, décréta-t-elle.

— Où vous douchez-vous ?

— Là-bas.

— Dans la maison principale ?

— Non, là-bas.

— Le bâtiment juste à côté ?

— Ouais.

Je fis une nouvelle tentative auprès de Trish.

— Drew s'absente souvent ?

— Il reste ici, sauf quand il part. Comme quand il part avec toi, lança-t-elle à Valerie.

Sourire narquois. Valerie lui décocha un regard furieux.

— Raconte-lui, insista Trish. Vous arrêtez pas de partir. C'est pour ça que t'as toujours besoin de te doucher !

Valerie bondit et se précipita sur elle. Trish agita en vain ses longs bras. Je m'interposai et tirai Valerie à l'écart. Ventre mou, mais bras musclés et épaules dures comme du granit.

— Même que c'est vrai, renchérit une autre.

Sa voisine abonda dans son sens.

— Il sort tout le temps avec toi, forcément que t'es toujours sous la douche !

Une troisième voix sur un lit en face :

— T'as même le droit de dormir là-bas.

— Et toi, tu peux te doucher quand tu veux.

— Parce que t'es sale !

Valerie grogna et tenta de se dégager de ma poigne. Elle transpirait, et quelques gouttes de sueur volèrent de son visage sur le mien.

— Elle a la haine !

— Comme toujours !

— Il t'emmène partout avec lui ! dit Trish.

Valerie lui balança une volée d'obscénités.

Wascomb était horrifié.

— Elle se lève la nuit et marche comme... reprit Trish. Comme... comme une espèce de vampire. C'est pour ça qu'elle a vu Cherish.

— Elle nous réveille. C'est mieux qu'elle soit là-bas.

— Dis-leur, Monica. Maintenant, toi aussi tu dors là-bas.

La seule Blanche, visage bouffi et cheveux d'un blond vénitien, fixait ses genoux.

— Monica, elle sort elle aussi.

— Et elle a le droit de se doucher !

— Salope ! cria Valerie.

Elle ne se débattait plus, mais brandit le poing en direction d'un groupe de filles, puis d'un autre. Son regard était sec, dur, déterminé.

— Fermez-la !

— Avoue, Monica ! T'as le droit de te doucher !

— Toi aussi, il t'emmène, Monica !

Monica baissait la tête.

– Avoue, Monica !

Les quolibets se fondirent en une litanie collective.

– *Avoue ! Avoue ! Avoue ! Avoue !*

Monica se mit à pleurer.

– Allez vous faire foutre ! hurla Valerie.

– Ce n'est pas le genre de langage qu'on… dit Wascomb.

– C'est toi qui te fais mettre ! lança Trish. Toi et Monica, il vous baise tous les soirs et, après, vous vous douchez.

– *Valerie baise ! Monica baise ! Valerie baise ! Monica baise !*

Wascomb s'adossa au mur. Il avait le teint crayeux. Ses lèvres bougèrent, mais ce qu'il dit fut englouti par le vacarme.

Valerie se jeta en avant et manqua de m'échapper. Milo vint m'aider à la faire sortir du cube.

Les huées continuèrent quelques instants, puis se turent progressivement. Dans notre dos, la voix ténue et fébrile de Crandall Wascomb filtra dans l'air matinal.

– … une prière… un psaume, par exemple… L'une d'entre vous doit bien en avoir un qu'elle aime particulièrement…

# 42

Dehors, je fis asseoir Valerie dans une chaise longue. Celle qu'occupait Cherish Daney le jour de notre première visite. Digne et larmoyante, en train de lire un ouvrage sur le deuil.

Son chagrin m'avait paru sincère. Maintenant, je me demandais quelle était la vraie raison de ses larmes.

— Je veux me doucher.

— Bientôt, Valerie.

— Je veux de l'eau chaude.

Elle fit rebondir ses genoux l'un contre l'autre. En gratouilla un. Leva les yeux au ciel. Fit une mimique. Jeta un coup d'œil derrière elle au cube de béton, désormais silencieux.

— C'est mon eau, merde ! Je veux me doucher. Ces salopes ont pas intérêt à piquer toute l'eau chaude.

— Je suis désolé qu'elles t'aient traitée comme ça, Valerie.

— Salopes !

Elle attrapa une mèche sur son épaule, la fit passer devant sa bouche, la lécha.

— Tu m'as l'air plus au courant que les autres, dis-je. Tu ne sais vraiment pas où sont partis Drew et Cherish ?

— Je vous l'ai déjà dit.

— Tu nous as dit que Drew était parti en premier et que Cherish était fâchée.

— Ouais.

— Mais où sont-ils partis, Valerie ? C'est important.

— Pourquoi ?

– Cherish est fâchée contre lui. Tu ne crois pas qu'elle va lui crier dessus ?

– Vous en faites pas. Il a toujours quelque part où aller.

– Où ça ?

– Quelque part.

– Il va où quand il se déplace ?

– Dans des assoces.

– Il t'emmène dans les associations où il travaille.

Aucune réaction.

– Tu l'aides et les autres filles sont jalouses.

– Salopes !

– Il te fait confiance.

– Moi, je pige !

– Quoi donc ?

Silence.

– Tu piges et ça te permet de l'aider.

– Ouais.

– Tu piges quoi ?

Silence prolongé.

– Valerie ? Qu'est-ce que…

– L'amour.

– Tu comprends l'amour.

– Il a dû se rendre dans une église, dit-elle. Je me souviens pas des noms. Je veux me doucher.

– Une église.

Silence.

– Valerie, je sais que ces questions sont pénibles, mais c'est important. Cherish se fâche souvent contre Drew ?

– Des fois.

– À quel sujet ?

– Parce qu'il gagne pas assez.

Elle relâcha la mèche, brandit le poing et regarda la maison.

– Elle trouve qu'il ne gagne pas assez d'argent, dis-je.

– Ouais.

– De l'argent pour quoi faire ?

– Elle veut aller à Las Vegas.

– C'est elle qui t'a dit ça ?

Silence.

– C'est Drew, dis-je.

Elle tripota une autre mèche.

– Drew t'a dit que Cherish voulait aller à Vegas.

Haussement d'épaules.

– On dirait qu'il se confie beaucoup à toi.

– Ouais.

– Et lui, il voudrait avoir plus d'argent ?

Elle se tourna vers moi.

– Pas du tout ! Il vit pour l'âme.

– L'âme ?

– Au service de Dieu, dit-elle en portant la main à sa poitrine. Il a été choisi.

– Et Cherish ?

– Elle fait ça pour le fric, mais c'est bien fait pour sa tronche parce qu'il va rien lui filer.

– Drew a de l'argent qu'il ne veut pas lui donner ?

Un sourire lui vint aux lèvres.

– De l'argent caché, ajoutai-je.

Elle ferma les yeux.

– Valerie ?

– Il faut que je me douche.


Elle croisa les bras, garda les yeux fermés, fredonnant dès que je disais quoi que ce soit. Nous attendions en silence depuis quelques minutes quand Milo sortit du cube, suivi de Crandall Wascomb. Il me jeta un coup d'œil et raccompagna le vieux pasteur jusqu'au portail. Puis il revint vers nous, les sourcils haussés.

– Tout se passe bien ?

– Valerie m'a raconté des choses très intéressantes, mais on a terminé pour l'instant.

Un tressaillement sous les paupières de la jeune fille.

– Intéressantes ? répéta Milo.

– Elle dit que Drew a mis de l'argent de côté en cachette de Cherish.

Elle ouvrit les yeux.

– C'est le sien ! Vous n'avez pas le droit de le lui prendre.

– Qui va à la chasse perd sa place, dit Milo.

Valerie ne réagit pas. Serra très fort les paupières. Les rouvrit en entendant du bruit vers le portail.

Un agent en tenue venait d'arriver.

– Ça va s'animer, dit Milo.

Le policier de Van Nuys fut rejoint par son coéquipier, puis par une équipe de six inspecteurs de la Brigade des mineurs récemment créée, tous vêtus des coupe-vent bleu marine du LAPD. Cinq femmes et un homme, l'œil vif et la mâchoire crispée, bien décidés à arrêter quelqu'un. Quelques instants plus tard, ce fut au tour de l'inspecteur Sam Crawford, affecté aux crimes sexuels de Van Nuys, de débarquer. Se sentant de trop, il s'entretint avec l'inspecteur chargé du détachement de la Brigade des mineurs et repartit.

Les opérations étaient dirigées par une brunette boulotte aux cheveux en brosse, âgée d'une quarantaine d'années. Milo lui exposa la situation. Elle informa ses troupes. Tous pénétrèrent dans le cube, à l'exception d'une jeune inspectrice du nom de Martha Vasquez qui prit Valerie en charge.

– Bien sûr, mon ange, répondit-elle à la jeune fille qui lui demandait de se doucher.

Elle l'emmena vers le garage reconverti et en profita pour inspecter le reste de la propriété.

Milo me fit signe d'approcher, me présenta à la brunette, Judy Weisvogel, et lui expliqua qui j'étais.

– Un psychologue ? dit-elle. Ça pourrait nous être utile.

Milo lui fournit quelques indications supplémentaires. Il mit l'accent sur les abus sexuels de Daney tout en mentionnant qu'il était aussi soupçonné de plusieurs meurtres, sans trop entrer dans les détails.

– J'ai bien fait de me lever, soupira Weisvogel. S'agit-il d'une scène de crime ? demanda-t-elle en indiquant la maison princi
pale.

– Je n'ai pas encore eu le temps d'y mettre le nez, répondit Milo. On a au minimum un suspect en fuite.

– Le pervers a filé avec sa femme. On est sûr qu'ils ont pris deux voitures ?

– Les filles disent que chacun est parti de son côté, et les deux voitures ont disparu.

– Combien de temps s'est écoulé entre les deux cavales ?

– Une journée environ, d'après les filles.

– Bon. Je passe un coup de fil pour obtenir un mandat et les techniciens n'auront plus qu'à s'y mettre. Il va aussi me falloir deux assistantes sociales, mais ces gens-là n'arrivent pas au bureau avant neuf heures.

– Ah les civils ! s'exclama Milo.

– Ils se la coulent douce, hein ? dit Weisvogel. On n'a aucune idée de l'endroit où notre couple de pervers pourrait avoir filé ?

– Aucune. Pour la femme, on n'est pas sûrs qu'elle soit coupable de quoi que ce soit.

– Peu importe, dit-elle en sortant son calepin. Filez-moi leurs noms pour l'avis de recherche.

– Drew Daney, dit Milo. À moins qu'il ne circule sous le nom de Moore Daney Andruson.

– Andersen ou Anderson ?

Il lui épela le nom.

– Il conduit une Jeep blanche. Et elle une Toyota. C-H-E-R-I-S-H.

– Joli prénom ! Tu ne crois pas qu'ils se sont donné rancart quelque part et ont pris la fuite ?

– D'après une des filles, elle était fâchée contre lui, dit Milo.

– Parce qu'elle avait découvert la vérité sur son compte ?

– J'en sais rien. En tout cas, toutes les gamines sont au courant. Elles se sont moquées de deux filles qui avaient des rapports sexuels avec lui.

– Si la dame vient seulement de comprendre, on peut dire que c'est pas trop tôt. Vous en pensez quoi, docteur ? Une de ces folles qui se voilent la face avec une propension pathologique à nier la réalité ?

– C'est possible, dis-je.

– Quand je suis entrée dans cette pièce et que j'ai vu ces filles, le mot « harem » m'est tout de suite venu à l'esprit. On verra bien ce que donneront les examens médicaux.

– On dirait qu'il était sélectif. Il choisissait une ou deux filles et leur accordait des privilèges. Celle à qui j'ai parlé pense être amoureuse de lui.

Weisvogel se frappa les hanches. Elle avait des poignets d'homme.

– Ça fait combien de temps que tu t'intéresses à cet honorable citoyen, Milo ?

– À peu près une semaine dans le cadre d'une enquête pour meurtre. Le reste est apparu comme ça.

– Le reste… répéta-t-elle. Eh bien, on risque de mettre un certain temps à tout démêler. Justement, docteur, vous seriez dispo pour des thérapies ? Qu'il en ait violé une ou plusieurs, elles ont toutes subi un traumatisme. Les psychologues du service sont débordés avec les évaluations en interne, un coup de main serait le bienvenu.

– D'accord, dis-je.

Elle parut surprise que j'accepte aussi facilement.

– OK… Merci. Je vous contacterai. En attendant, on se tient au courant, Milo.

– Bien sûr, Judy. Au fait, tu trouveras un coffre-fort sur le bureau dans la chambre. Cherish Daney l'a laissé bien en évidence. Avec ses instructions, posées sur un buvard comme sur un présentoir. Pour moi, elle cherchait clairement à attirer l'attention, à nous inviter à regarder de plus près.

– Ces instructions me font penser aux notes de service crétines comme on en voit parfois chez nous, dit Weisvogel. Elle abandonne ses gamines, mais prend soin de nous laisser le mode d'emploi. Le mari les viole, mais ces demoiselles ont surtout besoin de leurs médicaments et d'un petit déjeuner équilibré. Quelle bande de cinglés !

– Je serais très curieux de savoir ce que contient ce coffre, Judy.

– Avant le mandat et les techniciens du labo ? dit-elle en hochant la tête.

— Daney est soupçonné d'avoir commis six meurtres, peut-être sept. Je pourrais arguer que c'est un cas de force majeure.

Weisvogel n'avait pas l'air convaincue.

— Judy, insista Milo, il abusait des filles en dehors de la propriété. Ce n'est pas sur la maison que tu dois centrer ton enquête, mais sur la Jeep. Il faut retrouver Daney de toute urgence et le coffre pourrait contenir des indices utiles.

— Du genre ? Tu crois vraiment que ton cinglé t'a laissé une carte routière ?

— Il existe toutes sortes de cartes, Judy.

— Si tu te mets à jouer les énigmatiques, Milo… ça ne m'enchante pas trop qu'on touche prématurément à nos bricoles. De là à me retrouver avec un avocat qui prétend que les preuves ont été dénaturées…

— Bon sang, le coffre est posé là en évidence, alors que les cachettes ne manquent pas. C'est ce que j'appelle une invite à fouiller, non ?

— Tu aurais dû faire avocat, dit-elle en souriant. C'est mieux qu'un boulot honnête.

— J'aurais pu ouvrir le coffre avant ton arrivée, Judy.

— En effet, dit-elle en le fixant du regard.

Elle avait les yeux verts, plus clairs que ceux de Milo, presque kaki avec des taches bleues sur le bord.

— Et si le coffre était fermé ? dit-elle sans ciller.

— J'ai des outils.

— Ce n'est pas la question…

Milo sourit.

— Imagine un peu qu'on tombe sur une bombe, dit Weisvogel. Je sais, tu feras venir un robot. Sérieusement, Milo, ça pourrait poser des problèmes de preuve.

— Il sera toujours temps de les résoudre. Je dis qu'il faut coincer cette ordure avant qu'il fasse d'autres victimes et on réglera les détails après.

Elle jeta un coup d'œil vers la maison. Fit claquer ses dents. Passa sa main dans ses cheveux à la coupe fox-terrier.

— Tu m'ordonnes donc, en tant que supérieur hiérarchique, d'ouvrir ce coffre mystérieux.

– Je te demande juste de te montrer un peu flexible...

– Moi, j'entends que tu fais pression sur moi. Parce que je ne suis qu'un pauvre inspecteur de deuxième échelon, alors que tu es une grosse huile.

Elle sourit. Dents jaunies par la nicotine.

– Moi, une grosse huile ? répéta Milo comme si on venait de lui découvrir une maladie honteuse.

– Désolée de t'apprendre ça sans ménagements. Alors, j'ai bien compris qui donnait les ordres ? dit-elle sans se départir de son sourire.

– Ouais, ouais, reconnut Milo. Si quelqu'un nous cherche des noises, l'idée venait de moi.

– Dans ce cas, je n'ai pas trop le choix, lieutenant.

Elle rejoignit son équipe dans le cube

– À la voiture, me dit Milo.

– Pourquoi ?

– Les outils.

– Je n'en ai pas.

– Tu as une pince-monseigneur et moi j'ai ça...

Il plongea la main dans la poche de sa veste et en sortit une petite lampe de poche et un anneau avec une panoplie de passe-partout.

– Tu te trimballes toujours avec ?

– Seulement de temps en temps. Quand je subodore que des pièces importantes vont se trouver sous mon nez.


La maison était propre, comme à notre première visite – cuisine briquée, on avait passé l'aspirateur récemment.

Au bout du couloir, j'aperçus l'ancienne buanderie sans fenêtre, où Rand avait couché. Je suivis Milo dans la chambre de Drew et Cherish. Le bureau se trouvait à gauche du lit. Un meuble simple et branlant récupéré dans une brocante, peint en marron et qui tenait tout juste dans la pièce exiguë.

Milo enfila des gants et commença par le placard.

– Je vois les habits de Drew, mais pas ceux de Cherish. On dirait qu'elle a prévu une absence prolongée.

– Mais pas lui.

– Ce qui porte à réfléchir.

Il se faufila jusqu'au bureau, qui était légèrement penché en avant et vacillait sur ses pieds. Dessus étaient disposés un pot à confiture contenant stylos et crayons et le buvard vert sur lequel Cherish avait pris soin de placer ses instructions. Un des coins du buvard était coincé sous le coffre.

Il s'agissait d'un coffre-fort en bronze. Grand modèle, comme les banques en proposent à leurs clients privilégiés.

Milo inspecta la serrure, puis le souleva et regarda en dessous.

– Il y a le tampon de la Columbia Savings. Ça fait des années qu'ils ont fermé.

– De la récup', dis-je. Comme les casiers dans la chambre des filles. Quelle parcimonie !

– Vivre aussi chichement quand on touche toutes ces allocations du comté, dit-il en plissant le front.

– À en croire Valerie, ils se disputaient souvent pour des histoires d'argent. Peut-être que Drew en détournait une partie pour le mettre de côté.

– Sa cagnotte secrète. C'était peut-être des bobards, pour épater la gamine.

– Moi, je pense que c'est la vérité. Il n'avait rien à prouver avec Valerie, il était en position dominante dès le départ.

J'indiquai le coffre. Il le reposa. Examina la serrure une fois de plus. Choisit un des passe-partout.

– Un peu léger, dit-il en soupesant le coffre. Cherish a peut-être fauché le magot avant de tirer sa révérence. Ce qui ne répond pas à la question : où est passé Drew, étant donné qu'il a laissé toutes ses fringues ?

– C'est peut-être lui qui a pris l'argent. Il flaire les soupçons de Cherish et se taille.

– Sans ses fringues ?

– Il voyage léger. Je penche pour Vegas, parce qu'il a dit à Valerie que Cherish avait envie d'y aller.

– Un petit coup de projection ? Ouais, Vegas c'est bien son genre. Une ordure peut facilement se fondre dans le décor. Bon, trêve de conjectures. Passe-moi ça.

Il rempocha les passe-partout et me prit la pince-monseigneur. Il en glissa l'extrémité dans l'interstice de la porte et appuya d'un coup sec. Le battant céda aussitôt. Déséquilibré, Milo agita les bras et je dus m'écarter pour éviter de prendre un coup de pince-monseigneur.

– Elle ne l'avait pas fermé à clé, dit-il.

– C'est l'invite que tu attendais.

Il retira d'abord une pièce de feutre gris, comme on en utilise pour éviter que l'argenterie noircisse. Aucune somme d'argent en dessous, mais le coffre était malgré tout rempli à moitié.

Milo sortit les objets un par un et les posa sur le bureau. Rien de très lourd.

Une coupure de presse jaunie. Un article publié sept ans et demi plus tôt dans un journal de Stockton et relatant le meurtre en prison de Troy Turner. Le nom de Troy était souligné au crayon rouge, ainsi qu'une phrase rappelant son rôle dans l'affaire Kristal Malley, dont le nom était souligné deux fois.

Une paire de pendants d'oreilles en jade.

– Une idée ? me demanda-t-il.

– Elles appartenaient peut-être à Lara.

Un étui à lunettes noir. Dedans, une cuiller en partie noircie, un briquet jetable et une seringue de fortune composée d'un flacon de gouttes pour les yeux et d'une aiguille hypodermique. Une crasse marronnasse tapissait le verre. Sur la doublure de velours rouge était imprimées en lettres dorées les coordonnées d'un opticien situé dans Alvarado.

Sous l'adresse, un bout de papier scotché : « Maria Teresa Almedeira ».

– La mère de Nestor, dis-je. Il a dû lui faucher pour ranger son matos. Après l'avoir tué, Daney l'a gardé comme souvenir.

Milo sortit ensuite un tricot féminin, assez léger, bleu roi avec une bande rouge en largeur. Il le déploya par les manches et regarda l'étiquette.

– Fabriqué en Malaisie, taille S. Ça aussi, ça pourrait être à Lara.

– Jane Hannabee, dis-je. Elle le portait le jour où je l'ai croisée à la prison. Tout neuf. Weider avait essayé de l'embellir.

– Et Daney l'a amochée, dit-il en inspectant le vêtement de près. Je ne vois pas de sang.

– Il l'a poignardée dans son sommeil. Elle n'aurait pas mis un vêtement neuf pour dormir. Après l'avoir remise dans sa bâche, il a fouillé parmi ses affaires et choisi un souvenir.

– OK. Pour les boucles d'oreilles, on pourra demander à sa mère si elles appartenaient à Lara... Tiens, regarde ça.

La photocopie d'un document administratif du comté. Une demande d'adoption. Pour une certaine Miranda Melinda Shulte, âgée de seize ans. Signé par Cherish et Drew Daney.

– La septième, dis-je.

Milo se frotta les yeux.

– Apparemment, il n'a tué aucune autre fille, Alex. Pourquoi elle ?

– Ça ne faisait qu'une semaine qu'elle était là, mais Beth Scoggins l'a décrite comme très agressive, prête à la détrôner au sein de la ruche. Daney avait besoin de victimes passives. Peut-être qu'elle s'est trop affirmée. Ou bien elle a encouragé ses attentions, mais s'est refusée au dernier moment.

– Elle n'a pas joué le jeu, dit-il. Il y a peut-être une famille qui attend des nouvelles.

*Ou pire encore : personne.*

– Quand on lui mettra la main dessus, il nous dira peut-être où il l'a enterrée.

– J'adore ton optimisme.

Il posa la photocopie sur le bureau. La fixa longuement des yeux. Reprit l'inspection du coffre.

Une tablette de médicaments. Sept alvéoles vides sur les neuf. Restaient deux cachets blancs, barrés en diagonale ; « Hoffman » était inscrit au-dessus de la ligne, « 1 » en dessous.

Au dos de la tablette on pouvait lire : Rohypnol 1 mg (flunitrazépam).

– Des cachets pour faire la fête, dis-je.

– Suivant, dit-il.

Il sortit le badge de prison de Rand Duchay. Sur la photo, le garçon avait l'air perdu.

Pour finir, une petite enveloppe de papier kraft de la taille d'une carte à jouer et fermée par un cordon et un œillet. Avec ses mains gantées, Milo eut du mal à défaire le nœud. Il jura, mais finit par y arriver et vida délicatement le contenu au-dessus du bureau.

Un petit bracelet en tomba. Des perles carrées de plastique blanc, enfilées sur un fil rose.

Sept cubes, chacun comportant une lettre.

K R I S T A L

# 43

Comme le cube de béton, le garage reconverti ne comportait qu'une seule fenêtre. La superficie était comparable, mais on avait l'impression que c'était plus grand car il n'y avait que deux lits.

Je m'adressai à Valerie.

– Sais-tu où Drew cachait l'argent ? C'est important.

Elle était assise sur son lit et moi à un mètre d'elle, sur une chaise en plastique rose.

Un vrai lit, avec tête de lit en bois à motifs de fleurs et de lierre. Une commode assortie. Un tapis gris élimé recouvrait la majeure partie du sol en béton. Dans un angle, une cloison en aggloméré délimitait le cabinet de toilettes : une douche avec un assortiment d'échantillons de savon, shampoing et gel.

De nombreuses peluches sur le lit de Valerie. Sur celui de Monica, situé en face, seulement un ours bleu.

Une hiérarchie manifeste. Les appartements de la favorite et de sa future remplaçante. Comment Drew avait-il justifié la chose ? Qu'en pensait Cherish ?

Les cheveux noirs de Valerie étaient mouillés. Elle tripotait une serviette sur laquelle était inscrit « Sheraton Universal ». Ses yeux ressemblaient à des petits cailloux au fond d'une mare.

– Dans un coffre ? suggérai-je. Gardait-il l'argent dans un coffre-fort gris ?

Elle détourna le regard. Les petits cailloux s'arrondirent ; pupilles contractées. Ses mains dansaient sur ses genoux.

— On a trouvé le coffre, Valerie, mais pas l'argent. Je pense que Drew racontait des histoires.

— Non ! Je l'ai vu.

— L'argent ?

Regard fuyant.

— Si tu le dis… murmurai-je en haussant les épaules.

— L'argent était dans le coffre.

— Il ne s'y trouve plus.

— Salope !

— Tu penses que Cherish l'a pris.

— Elle a tout piqué !

— Cet argent ne lui appartient pas ?

— C'est nous qu'on l'a gagné ! En travaillant pour les assoces !

Regard incendiaire. Débordant de dévotion. Beth Scoggins avait raconté comment Daney l'avait délaissée après l'IVG. Quelques jours à peine s'étaient écoulés depuis l'avortement et Valerie pensait que Daney lui était toujours attaché.

— Cherish a dû découvrir la cachette, dis-je.

Silence.

— Comment est-elle tombée dessus, d'après toi ?

Elle fit la moue.

— Tu n'as vraiment aucune idée, Valerie ?

— Peut-être en faisant le ménage.

— Où ça ?

Elle se leva, traversa la pièce, puis en fit le tour. Au passage, elle reborda la couverture de Monica qui dépassait un peu.

Elle jouait à la maîtresse de maison.

Elle refit le tour de la pièce.

— En faisant le ménage où ça ? répétai-je. Il faut qu'on le sache si tu veux qu'on récupère ton argent.

Elle se figea. Se remit à arpenter la chambre. Marmonna quelques mots incompréhensibles.

— Pardon ?

Un chuchotement inaudible. Je m'approchai d'elle.

— Où ça, Valerie ?

— En dessous.

— Sous la maison ?

Silence.

– Tu es sûre qu'il y a quelque chose en dessous, Valerie ?

– Ici !

Elle se précipita vers son lit et se mit à frapper les draps. À les marteler de ses poings.

– Je fais très bien le ménage, mais elle arrête pas de fouiner ! Salope !

Je la confiai aux soins de Judy Weisvogel. Milo me tendit des gants et nous déplaçâmes le lit. D'anciennes réparations étaient visibles sur le sol en ciment – une espèce d'enduit grisâtre généreusement tartiné sur les trous et fissures. Quelques taches de graisse transparaissaient ici et là sous le blanc, rappelant l'affectation originelle des lieux. Dans l'angle, quatre incisions rectilignes marquaient l'enduit. La forme d'un carré grossier, de soixante centimètres de côté.

Même couleur que le sol, aucune poignée ni partie saillante, impossible à repérer à moins d'y prêter attention.

Cherish Daney avait découvert la cachette. Quand on est décidé à faire le ménage...

Milo s'accroupit et inspecta les fentes.

– Il y a des marques...

Il introduisit la pince-monseigneur à l'endroit en question et la dalle se retira sans peine. Dessous se trouvait un trou sombre, d'environ un mètre de profondeur.

– Vide, dit-il. Non, je retire ce que j'ai dit...

Il s'allongea par terre, plongea le bras dans l'ouverture et sortit une boîte poussiéreuse.

À l'intérieur du couvercle en bois, une étiquette « Smith & Wesson ». La boîte était tapissée de mousse. Moulée en creux, en forme de revolver.

– Je me demande qui a eu la chance de nous devancer, dit-il en enfonçant un doigt dans la mousse.

Nous quittâmes la propriété désormais délimitée par un ruban. Judy Weisvogel se tenait devant le cube en béton et parlait doucement à Valerie. La jeune fille jouait avec une mèche et se dandinait d'un pied sur l'autre. L'inspectrice sortit un mouchoir en papier et lui essuya les yeux. En m'apercevant, Valerie me décocha un regard lourd de mépris. Et eut un geste d'énervement. Surprise, Judy Weisvogel l'entraîna à l'écart.

Que dirait Allison de mon savoir-faire ?

Et moi ?

Je pris le volant en repensant au bracelet d'une fillette.

— On dirait que tu as fait une touche, dit Milo.

— Elle en veut à Cherish d'être entrée dans la chambre. Et à moi de lui avoir arraché son secret. On viole son territoire.

— Son territoire. Comme une gentille épouse. C'est cinglé.

— Il lui faudra un certain temps pour comprendre ce qu'il lui a fait subir.

— Ouais, soupira-t-il. Ton boulot est plus compliqué que le mien.


Une fois sur l'autoroute, je mis la pédale au plancher.

— Je pense que tu es tranquille pour la fouille, dis-je à Milo. Cherish tenait à ce qu'on trouve les trophées. Elle a laissé le coffre à l'intention de Wascomb en pensant qu'il l'ouvrirait. Même s'il résistait à la tentation, elle savait bien qu'il alerterait les autorités et que la vérité finirait par éclater.

— Je ne suis pas sûr que la vérité lui importe tant que ça, Alex. Elle a abandonné les gamines et filé avec toutes ses fringues. Et peut-être le fric et le flingue, à moins que Drew ne l'ait devancée. Ce qui doit être le cas, à la réflexion. Une ordure de ce genre, il a forcément du talent pour flairer quand ça se gâte. Il est peut-être déjà en train de faire la bringue au Caesar's Palace, sous un nom d'emprunt.

— D'après Valerie, on l'a appelé pour un extra. Soi-disant une paroisse. Tu pourrais faire la liste des endroits où il travaillait, tenter de le localiser. Si tant est qu'on l'ait appelé de bonne foi.

— De bonne foi ?

– Il y a une autre possibilité, dis-je. Cherish a mis la main sur l'argent et sur l'arme. Et Cherish a un petit ami.

Il nous fallut quarante minutes pour atteindre Soledad Canyon. Je me garai à bonne distance de l'entrée et nous marchâmes jusqu'au campement. Milo défit le rabat, mais laissa son arme dans le holster.

Aucun faucon ni rapace, aucun signe de vie dans le ciel gris et sale, plat comme une pièce de flanelle. Je n'avais pas trop levé le pied et pourtant le trajet avait été monotone, marqué par de longues plages de silence, les gravières, les chantiers de ferraille et les pavillons quelconques – situés au bout de chemins poussiéreux, ils m'avaient paru plus déprimants que la première fois. Les promoteurs continueraient de grignoter le désert tant qu'on les laisserait faire. Des familles viendraient s'installer, auraient des enfants qui deviendraient adolescents. De jeunes désœuvrés qui se plaindraient de la chaleur et de l'ennui, des journées qui s'enchaînent, pareilles les unes aux autres. À force de vide, les choses finiraient par se gâter. Milo et sa bande n'étaient pas près de chômer.

Ni moi et la mienne.

Près de l'entrée du « Relais Montagnard », Milo s'arrêta et prit son téléphone pour vérifier si l'avis de recherche avait permis de retrouver la Jeep de Drew Daney.

– Que dalle.

Cet échec sembla le rassurer.

Ce n'était pas la grande affluence au campement. Deux camping-cars, générateur éteint. Sous une nouvelle couche de poussière et le ciel monotone, l'endroit était franchement déprimant.

Aucun signe de Bunny MacIntyre. Nous filâmes tout droit vers les arbres.

Le pick-up noir de Barnett Malley était toujours garé au même endroit, devant la cabane en cèdre.

Le rideau de la fenêtre était relevé.

Milo sortit son arme. Me fit signe de rester en arrière et avança lentement. Fit le tour du pick-up en observant l'intérieur. Continua jusqu'à la porte d'entrée.

Toc toc. Pas de réponse.

Le paillasson était à sa place, recouvert de feuilles mortes et de fientes d'oiseaux. Comme la première fois, Milo disparut à l'arrière. Il revint et actionna la poignée de la porte d'entrée. Elle s'ouvrit.

– Viens ! me lança-t-il une fois entré.

Intérieur rustique, boiseries aux murs. On avait fait le ménage et ça sentait le désinfectant. C'était vide comme la cachette de Drew Daney.

Mis à part le piano droit. Un Gulbransen marron, un peu abîmé, avec des partitions fixées avec des pinces à linge.

*Last Date* de Floyd Kramer sur le dessus. Dessous, un recueil de morceaux country, *Desperado* des Eagles, et *Lawyers, Guns and Money* de Warren Zevon.

Un présentoir à fusils, vide, était accroché au mur. Outre les effluves de désinfectant, on décelait des relents de sueur masculine, de vieux vêtements et de cambouis.

– Non mais, qu'est-ce que vous fichez ici ? s'exclama une voix dans notre dos.

Bunny MacIntyre se tenait sur le seuil, un foulard orange passé sur sa chevelure auburn permanentée. Elle portait une chemise de cow-boy à carreaux bleus et un jean coupe droite. Un collier encerclait son cou noueux. Argent et turquoise, symbole de la paix en pendentif.

Celui que portait Barnett Malley le jour où nous avions tenté de lui parler.

– Pfff, fit MacIntyre en voyant l'arme de Milo. Rangez-moi ça tout de suite.

Il s'exécuta.

– Je vous ai posé une question, dit-elle.

– On dirait que vous avez une cabane de libre, madame.

– Et elle va le rester.

– Zut alors ! Moi qui me serais bien mis au vert.

– Faudra que vous alliez ailleurs. Ici, c'est chez moi. Je vais m'installer un atelier pour peindre. Ça fait belle lurette que j'aurais dû m'en occuper. Maintenant, débarrassez-moi le plancher. Je ne vous ai pas donné l'autorisation d'entrer. Allez, zou !

Un geste vers la porte.

Tout sourires, Milo se dirigea vers elle. Quand il fut tout près, il ne souriait plus du tout et avait le regard mauvais.

MacIntyre trouva le courage de ne pas reculer.

– Quand et où Malley est-il parti ? lui demanda-t-il. Et ne vous payez pas ma gueule.

Elle fit papillonner ses cils roses.

– Vous ne me faites pas peur, inspecteur.

On sentait quand même une pointe de fébrilité dans sa voix de fumeuse.

– Je ne suis pas là pour faire peur à qui que ce soit, madame Mais si vous vous obstinez à être insolente, je n'hésiterai pas à vous menotter et à vous embarquer pour outrage à policier

– Vous n'avez pas le droit.

Il la retourna et lui passa un bras dans le dos. Délicatement. Le regard empreint de regrets.

Une vieille femme, semblait dire son expression. Voilà à quoi on en est réduit.

Bunny MacIntyre se mit à gémir.

– Sale brute ! Qu'est-ce que vous me voulez ?

En proie à l'émotion, sa voix avait grimpé d'une octave. Milo lui relâcha le bras et la retourna face à lui.

– La vérité.

Elle se frotta les poignets.

– Quel courage, mon gaillard ! Ça, je vais porter plainte.

– Je suis sûr que vous étiez ravie de l'avoir à demeure, dit Milo. Un type plus jeune. Ce n'est pas à moi de juger. Mais maintenant il est parti avec une femme de son âge et la réalité n'est pas jolie jolie, alors c'est le moment d'oublier ses passades amoureuses pour m'aider à découvrir la vérité.

Bunny MacIntyre en resta bouche bée. Sourit. Se frappa les cuisses et éclata de rire.

– Vous pensiez que Barnett était mon joujou ? dit-elle quand elle eut repris son souffle. Ça alors, vous en tenez une sacrée couche !

Elle s'esclaffa de plus belle.

– Vous le couvrez, dit Milo. Tout ça pour une relation platonique ?

MacIntyre rigolait à en avoir la gorge irritée.

– Crétin ! Non mais quel crétin ! Pauvre crétin ! Barnett est de la famille, pauvre idiot ! C'est le fils de ma sœur. Elle est morte d'un cancer et le père de Barnett aussi. Et le gouvernement peut raconter ce qu'il veut, je suis persuadée que les radiations y sont pour quelque chose.

– Los Alamos, dit Milo.

Elle cligna des yeux.

– Je peux vous dire qu'il s'en passe des histoires louches par là-bas. Comme le terrible incendie qu'ils ont eu il y a quelques années. Des milliers d'hectares en fumée, mais le laboratoire a été épargné. Ça vous semble plausible ? On raconte même que des gardes forestiers l'ont déclenché exprès pour réguler les incendies de forêt, mais on a perdu le contrôle à cause du vent. (Elle ricana.) Faudrait pas pousser !

– Barnett est donc votre neveu.

– Aux dernières nouvelles, c'est comme ça qu'on appelle le fils de sa sœur. Il n'a plus que moi, monsieur. Vous pigez ? Il est orphelin. J'étais prête à l'accueillir dès le départ, mais il refusait la charité, alors je l'ai envoyé chez Gilbert Grass. Quand Gilbert a pris sa retraite, j'ai expliqué à Barnett qu'un coup de main serait le bienvenu, ce qui était la stricte vérité. Vous allez me dire que c'est interdit d'aider la famille ?

– Il a une sœur dans l'Ohio.

– Ah, celle-là ! s'exclama MacIntyre en pinçant les lèvres. Cette snob friquée a épousé un banquier. Elle a toujours méprisé Barnett parce qu'il n'était pas très doué pour l'école. C'est pas un idiot, loin s'en faut. Il avait du mal pour la lecture, mais dès qu'on lui demandait de réparer une pompe ou fabriquer quelque chose, il se débrouillait comme un chef.

– Tant mieux pour lui. Où est-il ?

— C'est un gentil garçon, dit-elle. Vous feriez mieux de le laisser tranquille.

— Où est-il, madame ?

— J'en sais rien.

— Madame MacIntyre…

— Vous êtes sourd, ou quoi ? dit-elle en se frottant à nouveau les poignets. Vous aurez beau me tabasser comme Rodney King, je n'en sais rien. Il ne me l'a pas dit.

— Il est parti sans rien dire ?

— Il m'a remercié pour tout ce que j'avais fait pour lui et m'a dit que le moment était venu de partir. Je ne lui ai pas posé de questions parce que je n'aime pas en poser et Barnett n'aime pas y répondre. Il a assez souffert. Il est végétarien. Qu'est-ce que vous en dites ?

— Qu'il aime les animaux.

— C'est quelqu'un de pacifique.

— Quand est-il parti ?

— Il y a trois jours.

— Son pick-up est toujours là.

MacIntyre siffla d'admiration.

— On dirait que Sherlock Holmes a pris quelques kilos !

— Quelle voiture a-t-il prise ?

Silence.

— Madame ?

— Une autre.

— Un autre pick-up ? dit Milo. Pas immatriculé.

— Si. À mon nom.

— Vous en êtes donc responsable. Pas lui.

— Ça se peut bien.

— Quelle marque ?

MacIntyre garda le silence.

— S'il arrive quoi que ce soit, insista Milo, votre responsabilité sera engagée. De toute façon, si le véhicule est immatriculé, il me suffira d'un coup de fil pour obtenir les renseignements.

Elle fit la grimace.

— Et s'il n'est pas immatriculé, vous risquez de gros ennuis.

– Je ne m'en suis pas occupée. Il appartenait à Gilbert, je l'ai acheté à sa veuve.

– Quelle marque ?

– C'est aussi un Ford.

– Quelle couleur ?

– Noir.

– Barnett le gare où ?

– Quelque part à Santa Clarita, et me demandez pas où précisément parce que j'en sais rien.

– Un garage privé ?

– Un endroit où on fait des customs. Il s'est offert ça. Vous savez, un moteur plus puissant, de gros pneus. Des trucs de mec. Il a bien le droit de s'amuser un peu, non ?

– Il voyage seul ?

– Vous venez de me dire qu'il a une copine.

– Vous étiez au courant ? lui demanda Milo.

– Il m'a parlé d'une amie, mais c'est tout. Je ne connais pas son nom.

– Vous ne l'avez jamais rencontrée ?

– Non, mais elle fait du bien à Barnett et c'est tout ce qui compte pour moi.

– Qu'en savez-vous ?

– Il a l'air plus heureux.

# 44

Nous retournâmes à la voiture et Milo vérifia une fois de plus ce que donnait l'avis de recherche tandis que je démarrais. Il hocha la tête, l'air dépité.

– Voilà que je me mets à brutaliser les petites vieilles.

– Elle s'en remettra.

– Merci de me soutenir ! Où est ton côté sensible ?

– Je l'ai mis en veilleuse. Tu veux qu'on file à Santa Clarita pour retrouver le garage où on s'est occupé de l'autre pick-up de Barnett ?

– Trop de boulot pour trop peu de résultat. Malley et Cherish ont déjà pris la route. Toute la question est de savoir laquelle.

– Il y a aussi la Toyota de Cherish.

– Tu penses qu'ils voyagent séparément ? Tu as entendu MacIntyre, Barnett est heureux.

– Ce n'est pas une histoire d'amour qui suffira à son bonheur.

– Qu'est-ce que tu veux dire ?

– S'il a refusé de te parler, c'est peut-être qu'il avait son plan. L'expression « faire son deuil » mériterait d'être bannie, mais un type dans la position de Malley peut se dire qu'une punition atténuerait sa douleur. Avec la complicité de Cherish.

– Rendre à Drew la monnaie de sa pièce, dit-il.

– On peut dire ça comme ça.

Quand nous fûmes enfin de retour dans la Valley, le soleil commençait à décliner. Nous nous rendîmes directement au parc, où Kristal Malley avait été assassinée, dans l'espoir insensé d'une symétrie sanglante Au lieu du cadavre de Drew, nous découvrîmes un endroit triste et broussailleux, jonché de déchets. Milo sortit sa petite lampe de poche et en balaya le faisceau lumineux sur les toilettes publiques décrites dans le rapport de Sue Kramer, et la benne à ordures qui empestait toujours autant.

Les mêmes balançoires sur lesquelles deux jeunes assassins s'étaient assis pour fumer et boire de la bière.

Aucun enfant ce soir-là. Pas âme qui vive. Au loin, les toits rectilignes des bâtiments décrépis de la Cité 415, avec des ampoules incassables dont la lumière crue giflait la nuit. Une sirène de police hurla, puis se tut sous l'effet Doppler. Des cris, des rires et des battements de tambour perçaient la nuit. L'air était lourd et menaçant, oppressant comme des mains qui vous serrent la gorge.

– Ça ne coûtait rien d'essayer, dit Milo en rangeant sa lampe. Ils pourraient être n'importe où. Cherish avait peut-être vraiment envie de voir Vegas.

– Où précisément a-t-on retrouvé Lara ? lui demandai-je.

Il s'assit sur une balançoire. Les chaînes gémirent en guise de protestation. Il appela Sue Kramer, lui posa la même question et l'écouta attentivement. Il prit quelques notes, puis raccrocha.

– Pour ce que ça vaut, dit-il en me tendant le papier.


La Réserve naturelle du bassin de Sepulveda, qui s'étend sur une centaine d'hectares, est ce qui s'approche le plus à Los Angeles d'une nature à l'état sauvage. Créé par un barrage avec retenue d'eau non potable et un système de canaux construits par l'armée pour lutter contre les inondations, le site est d'une beauté digne d'un décor de cinéma, malgré son emplacement coincé entre deux autoroutes. On y a planté une flore locale et les oiseaux s'y plaisent beaucoup, plusieurs centaines d'espèces de migrateurs y font escale. L'homme est toléré, sous certaines conditions. Interdiction de chasser et de pêcher, de circuler à vélo et de nourrir les canards. Obligation de s'en tenir aux itinéraires balisés.

Suivant les explications de Sue, j'arrivai par Balboa Boulevard, juste après le lycée Birmingham, et empruntai une route dépourvue d'arbres. Nous débouchâmes rapidement sur la rivière de Los Angeles, réduite en cet hiver de grande sécheresse à un canal vide défiguré par les graffitis.

Milo m'indiqua un endroit au bord de la rivière, en partie dissimulé par un des premiers bosquets d'eucalyptus replantés.

– Elle était garée là, me dit-il.

Aucun véhicule.

Je continuai de rouler.

– On va où ? me demanda-t-il.

– Peut-être nulle part.

– À quoi bon ?

– T'as mieux à faire ?

Poursuivant en direction de Burbank, j'obliquai à gauche et pénétrai dans la réserve par le sud. Beaucoup d'arbres. Un panneau indiquait la direction du barrage. Ni plus ni moins d'oiseaux qu'à Soledad Canyon. Un volatile averti en vaut deux.

Nous l'aperçûmes en même temps. Une Jeep blanche, garée à l'autre bout d'un petit parking dans Burbank.

Toute seule. D'après les panneaux, ça faisait une heure que le stationnement n'était plus autorisé.

– Au vu de tout le monde, fulmina Milo. L'avis de recherche, autant se le mettre où je pense ! Que fichent les ayatollahs du stationnement quand on a besoin d'eux ?

Je m'arrêtai derrière la Jeep.

– Elle est garée là et personne ne remarque rien, marmonna-t-il.

– Je pense être en droit de la fouiller, dis-je.


Il sortit une nouvelle paire de gants en caoutchouc. Combien en avait-il sur lui ? Il fit le tour de la Jeep, jeta un coup d'œil dessous, puis regarda par les vitres. Portières verrouillées, rien de suspect à l'intérieur. Par le carreau du hayon, on voyait parfaitement le compartiment arrière. Rien.

– Ça te dit d'aller te dégourdir les jambes ? me proposa-t-il.

Un chemin de terre passait au sommet du barrage. Là-haut la végétation était plus touffue – eucalyptus, sycomores tortueux, chênes sauvages qui appréciaient la sécheresse, contrairement aux arbres à feuilles persistantes. Plusieurs allées goudronnées permettaient de sortir en rejoignant Burbank ou Victory, mais nous restâmes sur le sentier. Au bout d'une vingtaine de mètres, le feuillage devint tellement touffu que le chemin s'obscurcit. Le maigre faisceau de la lampe de Milo éclairait à peine à un mètre.

De la caillasse, de la terre, des insectes prenant la fuite.

– Tu es venu avec tout ton matériel, dis-je.

– J'ai été scout dans ma jeunesse. J'ai même atteint le niveau aigle. S'ils avaient su...

Nous parcourûmes un tiers de la réserve sans rien trouver. L'excitation que j'avais ressentie en découvrant la Jeep s'émoussait. Nous étions sur le point de rebrousser chemin quand le bruit nous alerta.

Un bourdonnement insistant et quasiment étouffé par le vacarme de la circulation.

Des mouches.

Grâce à ses longues jambes, Milo atteignit l'endroit en quelques secondes. Quand je le rejoignis, le faisceau de sa lampe était braqué sur un sycomore d'une dizaine de mètres. Tronc épais, branches noueuses et tachetées. Contrairement aux chênes et aux arbres à feuilles persistantes, il était presque entièrement nu, excepté quelques feuilles marron et racornies.

Drew Daney, en survêtement sombre et baskets, était pendu à une branche basse, les pieds à cinq centimètres du sol. La tête de guingois, les yeux exorbités, la langue pointant de sa bouche difforme comme une aubergine.

Milo éclaira la tête. Une balle à la tempe gauche. Plaie d'entrée en étoile. Plaie de sortie plus importante. De toutes petites fourmis ultra-rapides s'affairaient des deux côtés. Les mouches, en revanche, semblaient privilégier la plaie de sortie.

Milo finit par repérer le trou, où la balle s'était fichée dans le tronc.

À voir ses yeux et sa langue, Daney avait d'abord été pendu.

– Bel acharnement, dis-je.

J'imaginai Daney gesticulant, le salut juste hors de portée. Attrapant la corde, tentant de se hisser.

Avec son torse puissant, il avait peut-être résisté quelques secondes, voire quelques minutes.

En vain, inévitablement.

Sentant sa force vitale lui échapper.

– Regarde, dit Milo en baissant le faisceau de sa lampe.

Les parties génitales de Daney foisonnaient d'activité. Une cavité mutilée aux contours irréguliers, en lieu et place du survêtement déchiqueté.

Ici, c'étaient les mouches qui faisaient la loi.

Milo s'approcha pour regarder de plus près. Seuls quelques insectes s'envolèrent, la plupart poursuivant leur tâche.

– On dirait un impact de balle… plusieurs…

Il s'accroupit et inspecta le tronc de l'arbre.

– Ouais, voilà… Quatre balles… non, cinq… ouais, cinq.

– Il a vidé son barillet, dis-je. Un revolver de cow-boy.

– J'aperçois autre chose, dit-il. Deux bagues.

Je m'approchai et aperçus deux anneaux dorés incrustés de petites pierres bleues. Ceux que j'avais remarqués dans le parking de la prison, huit ans auparavant.

Punaisés à ce qui restait de l'organe de Daney.

– Les alliances de Drew et Cherish, dis-je. Elle a tenu à ce que le message soit clair.

Il recula et observa le cadavre de la tête aux pieds. Sans la moindre expression.

Il sortit son portable et appela le poste de Van Nuys.

– Ici le lieutenant Sturgis. Vous pouvez annuler l'avis de recherche sur Daney… Daney… Bon, je vais vous l'épeler…

# 45

Milo et moi nous éloignâmes du cadavre et patientâmes.

– Pendu haut et court, dit-il. Enfin… plutôt bas et court.

Incapable de tenir en place, il retourna vers le pendu et fixa lon-guement ses baskets des yeux. La mort à cinq centimètres près.

– Ça n'a pas dû être agréable. Tu penses qu'ils se sont servis de l'arme de Drew ou bien que Barnett a puisé dans son arsenal ?

– Je penche pour celle de Drew. La tentation d'une justice poétique.

– Ce que Cherish s'est déjà offert avec l'argent. Quitte à donner dans l'ironie, pourquoi bouder son plaisir ?

Compte tenu du chemin de terre qu'on était obligé de prendre à pied, les six agents en tenue arrivèrent assez rapidement. Puis ce furent quatre inspecteurs et deux enquêteurs dans une camion-nette blanche du coroner.

Milo fit un rapide topo à l'un des inspecteurs, puis me rejoi-gnit de l'autre côté du ruban où j'étais assis.

– On va dîner ?

– C'est tout ?

– Ce n'est plus notre problème.

Nous allâmes chez Octavio, dans Ventura Boulevard, à Sherman Oaks, et prîmes des pâtes et du vin.

Milo en était à la moitié de sa platée de *linguini* aux fruits de mer quand il rompit enfin le silence.

– Ces petits pains sont délicieux.

– Tout à fait.

Je bus un verre de chianti.

– Ce n'était sans doute pas intentionnel, dis-je, mais Cherish n'est pas étrangère à la mort de Rand. Même si elle voulait seulement le pousser à dénoncer Drew, c'était un plan foireux. Elle aurait dû se douter que Rand n'était pas assez malin pour dissimuler ses angoisses. Mais sa haine de Drew était plus forte que tout.

– Il n'existe pas de poursuites pénales pour plan foireux, dit-il en arrachant un bout de pain pour saucer son assiette. Un vrai régal.

– Pour toi l'affaire est vraiment close ?

– Je ne vois pas ce que je peux faire de plus.

– Et Cherish et Barnett qui ont pendu Daney avant de lui dégommer les couilles ?

– C'est comme ça qu'on règle les problèmes au Far West, dit-il en enroulant des pâtes sur sa fourchette, et je ne suis pas le shérif de Dodge City.

Il ramassa une pâte qui lui avait échappé et enfourna la bouchée en se mettant un peu de sauce sur le menton.

– Bon, dis-je. Qu'est-ce qui nous prouve que ce sont Barnett et Cherish qui ont fait le coup ? Un type comme Drew ne devait pas manquer d'ennemis.

Je ne le lâchai pas du regard.

– De toute manière, dit-il en s'essuyant la bouche avec sa serviette, les gars de la Valley vont pousser l'affaire jusqu'à sa conclusion logique.

– Puisque tu le dis.

– Quoi ? Pour toi le dossier n'est pas clos ?

– Sans doute que si. Sauf la thérapie des filles. Si l'inspecteur Weisvogel juge bon de m'appeler.

– Tu m'as surpris, dit-il. Toi qui refuses d'habitude les engagements à long terme… Elle t'a pris au dépourvu ?

– Ça doit être ça.

Il s'attaqua de nouveau à son assiette. S'arrêta pour reprendre son souffle.

— Désolé si je porte un coup à tes illusions, Alex, mais je suis fatigué.

— Je te comprends.

— Quand je dis fatigué, je veux dire vraiment très fatigué. Genre j'ai tout sauf envie de me lever le matin, et je me traîne toute la journée.

— À ce point ?

Il prit une pâte et l'aspira, comme font les enfants.

— Ça passera.


Deux jours plus tard, il m'appela.

— Daney a beau avoir fait le ménage dans sa Jeep, c'est une mine pour la police scientifique. Poils pubiens, sperme, particules de sang dans les rainures sous la portière. Je viens aussi de recevoir un appel du siège. Ma demande pour une analyse d'ADN est accordée et sera transmise promptement à Cellmark. Je dois les contacter si je n'ai rien d'ici trois mois.

— Du nouveau pour Cherish et Barnett ?

— Rien, pour autant que je sache. Mais il n'est pas dit qu'on me tienne au courant.

— La boucle est bouclée.

— Une seule boucle m'importait : celle autour du cou de ce salopard. Mais bon, Rick et moi partons à Hawaï. Je voulais te prévenir.

— Tant mieux pour toi.

— On a loué un appartement sur la grande île pour dix jours.

— Je croyais que tu ne bronzais pas ?

— Je vais donc rôtir.

— Vous partez quand ?

— D'ici vingt minutes, si je me fie à l'heure affichée sur le panneau.

— Vous êtes à l'aéroport ?

— J'adore cet endroit ! Deux heures de queue pour le contrôle de sécurité fait par une bande de crétins. On m'a fait retirer mes chaussures, on a vidé mon sac de voyage et on m'a fouillé. En attendant, tous les autres sont passés tranquillement, y compris un type qui pourrait être le frère jumeau d'Oussama.

– Ça doit être ta mine patibulaire.

– Si seulement ils savaient !

L'inspecteur Judy Weisvogel n'appela pas ce jour-là. Mais le lendemain, elle laissa un message à mon secrétariat pendant que je faisais mon footing. J'aurais préféré que ce soit Allison. Je me dis qu'elle était débordée et que ça me ferait du bien de l'être à mon tour.

Je rappelai Weisvogel à son bureau du centre-ville.

– Merci de rappeler, docteur. Toujours partant ?

– Tout à fait.

– Il semble que vous ayez eu raison. Seules Valerie et Monica Strunk ont été violées. Valerie ne veut pas entendre parler de vous, par contre Monica a l'air d'accord. Vous serez mieux qualifié pour en juger, mais je la trouve assez simple, limite handicapée. C'est peut-être le traumatisme.

– Possible, dis-je. Valerie était sa préférée. Monica seulement la remplaçante.

– Le salaud, dit-elle. Je dois dire que son sort ne m'a pas empêchée de dormir.

– Comment Valerie a-t-elle pris la nouvelle ?

– Elle n'est toujours pas au courant. Je ne savais pas si je devais lui dire vu qu'elle parle de lui comme si c'était Jésus. Saloperie de syndrome de Stockholm. Vous me suggérez quoi ?

– Trouvez quelqu'un avec qui le courant passe et demandez-lui de lui dire.

– Bonne idée. Elle n'a aucune famille, excepté un cousin éloigné qui ne veut pas entendre parler d'elle.

– Pauvre gosse.

– Elle n'est pas la seule. Alors, vous pouvez commencer quand ?

– Je passerai demain.

– Génial. On a mis des assistantes sociales sur le coup, toutes les filles sont logées dans un foyer de jeunes géré par des pentecôtistes. Ces gens-là ne font pas de prosélytisme et je sais, pour avoir eu affaire à eux, qu'ils sont honnêtes.

Elle m'indiqua une adresse dans la 6ᵉ Rue.

– J'y serai à dix heures.

– Encore merci, docteur. Si vous avez des suggestions pour le placement à long terme, n'hésitez pas. Le foyer est très bien, mais c'est du temporaire. Je vois mal comment on pourrait les confier à des familles sans faire un minimum de vérifications. (Elle rigola.) Voilà que je me mets à parler comme une assistante sociale !

– Ça fait partie du boulot.

– Sauf si on décide de se préserver. Mais je n'en suis pas encore là.

# 46

Ce soir-là, Allison appela.

— Je suis dans ma voiture, à dix minutes de chez toi. Je peux passer ?

— Bien sûr.

Je laissai la porte d'entrée ouverte. Sept minutes plus tard, elle arriva.

Maquillage, bijoux, cheveux brillants et détachés. Chemisier de soie blanc et pantalon lie-de-vin, sandales en daim bordeaux ornées d'un petit nœud papillon en strass, chaînette en or aux chevilles.

Elle me prit le visage à deux mains et déposa un baiser sur mes lèvres, mais s'en tint là.

Nous nous installâmes dans le salon, côte à côte sur le canapé. Je lui pris la main. Elle me caressa le genou.

— J'ai l'impression que ça fait une éternité qu'on n'a pas pris du bon temps, dit-elle.

— Ça fait effectivement une éternité.

— Je suis au courant pour Drew Daney. Ils en ont parlé aux infos... c'est arrivé du côté du barrage de Sepulveda. Ils ne sont pas entrés dans les détails.

— Tu en veux ?

— Pas franchement. Comment ça va ?

— Bien. Et toi ?

— Ça va.

Son regard plongea vers le bas.

— Qu'est-ce qu'il y a ? lui demandai-je.

— J'aimerais bien qu'on passe un bon moment ensemble, Alex, mais je dois partir dans deux jours pour le Connecticut. Bonne-Maman a fait une mauvaise chute et s'est fracturé la hanche. Wes dit qu'elle accuse le coup, qu'elle n'est plus la même. J'aurais bien pris l'avion dès ce soir, mais je dois m'occuper de Beth Scoggins. Elle va mieux, beaucoup mieux, et j'ai trouvé quelqu'un de très compétent à l'hôpital qui veut bien la prendre en charge. Beth l'apprécie, mais le rapport n'est pas encore établi et je ne veux surtout pas qu'elle se sente abandonnée. J'espère qu'en deux jours je vais pouvoir lui faire comprendre que mon absence n'est que temporaire et qu'elle acceptera de parler à cette femme… (Elle soupira.) À toi je peux le dire, je serais soulagée d'apprendre à mon retour que Beth préfère continuer avec elle.

— Je sais ce que c'est.

— Je suis vidée, Alex. Quand ce n'est pas le cabinet, c'est l'hôpital. Et maintenant Bonne-Maman. Des fois, je vois les autres comme des parasites dont je serais l'hôte. C'est horrible, hein ? Personne ne m'a forcée à choisir ce métier.

Je passai le bras autour de ses épaules. D'abord tendue, elle finit par poser la tête sur mon épaule. Ses cheveux me chatouillaient le nez. Je tins bon.

— Je sais que j'ai beaucoup de choses à te dire, déclara-t-elle au bout d'un moment, mais je n'ai pas l'énergie. On pourrait juste se coucher sans faire l'amour ? Je comprendrais tout à fait que tu refuses, mais si tu pouvais faire ça je t'en serais vraiment très reconnaissante.

Je me levai et la pris par la main.

— Merci, dit-elle. J'ai un ami, c'est déjà ça.


Fière de son corps, elle se déshabillait d'habitude devant moi. Cette fois, elle passa dans la salle de bains et ressortit en petite culotte et soutien-gorge. J'étais déjà sous le drap, nu. Quand elle se glissa à côté de moi et fit rebondir le matelas, j'eus une érection et me retournai pour la lui cacher. Elle le devina malgré tout, pivota vers moi, tâta et retira la main.

— Fin prêt, dit-elle. Pardon.

Allongée sur le dos, elle laissa tomber sur ses yeux un bras d'une blancheur délicate.

— Pas la peine de t'excuser.

J'aurais pu ne rien dire. Elle dormait déjà en respirant par la bouche, ses aisselles se soulevant et retombant.

Je savais que le sommeil ne viendrait pas. Question de biorythme, et trop de sujets de préoccupation.

Demain matin. Quelle approche adopter avec Monica Strunk ?

Valerie serait-elle capable de se livrer à un autre thérapeute ?

Où était passée Miranda ?

Mon rôle d'auxiliaire de la police rendait-il futile toute tentative auprès des filles et me faudrait-il faire part d'un constat d'échec à Judy Weisvogel ?

Le pendu dans l'arbre.

Le bracelet d'enfant.

Bien décidé à me calmer les nerfs, je m'efforçai d'évacuer l'enquête.

Je songeai à un coup de fil qu'il me faudrait passer tôt ou tard.

Le plus tôt possible, étant donné les circonstances.

Tandis qu'Allison dormait, j'imaginai le dialogue dans ma tête.

*Drin, drin, drin…*

— *Allô ? C'est moi.*

— *Ah, salut…*

— *Comment ça va ?*

— *Ça va. Et toi ?*

— *Je tiens le coup.*

— *C'est bien.*

— *Je serais bien passé. Voir Spike.*

— *Bien sûr, sans problème. Je serai là moi aussi.*

Édition exclusivement réservée
aux adhérents du Club
Le Grand Livre du Mois
réalisée avec l'aimable autorisation des Éditions du Seuil

RÉALISATION : NORD-COMPO À VILLENEUVE-D'ASCQ
IMPRESSION : S.N. FIRMIN-DIDOT AU MESNIL-SUR-L'ESTRÉE
DÉPÔT LÉGAL : SEPTEMBRE 2008. (91245)
ISBN : 978-2-286-04526-5
IMPRIMÉ EN FRANCE